*Désespérés s'absten*
d'Annie Quintin
est le mille quatorzième
publié chez
VLB ÉDITEUR.

Un mégamerci à mon amoureux, Simon Côté, pour sa perspective de gars. Merci aussi de m'avoir brassée afin que je donne le meilleur de moi-même. Un gros merci à Lucie L'Archevêque pour son honnêteté et son jugement sans faille. J'attendais toujours vos critiques avec la peur au ventre, mais je savais quand j'avais visé juste.

Merci à ma directrice littéraire, Marie-Pierre Barathon, d'avoir compris mon manuscrit et d'avoir adopté mes personnages. Merci pour ta confiance et ton respect. L'équipe de VLB… vous êtes des perles!

Merci à Stéphane Dompierre pour ses précieux conseils sur les rouages du monde de l'édition et d'avoir été indirectement mon parrain l'espace d'un concours que je n'ai pas gagné… et c'est tant mieux!

Merci à mon amie Laurence Aurélie d'avoir accoté «l'homme de sa vie» au «mien» dans des cafés. Merci pour les conseils et les éclats de rire! Un jour, on joindra nos portables et nos esprits pour de vrai!

Un gros merci à mon petit comité de lecture personnel: Elisabeth Boucher, Marie-France Letellier, Julie Marcoux, Annie Millaire, Faëlla Normandeau, Julie Saint-Onge et Julie Veillette. Merci à vous toutes d'avoir partagé avec moi vos réactions et vos émotions. Merci pour votre enthousiasme, vos idées et vos commentaires.

Je remercie chaleureusement (et sans qu'ils le sachent!) mes deux muses (le British RPattz et le Québécois M.-A. G.) qui, à eux deux, ont engendré dans mon esprit un fantasmatique personnage.

Une pluie de mercis à tous ceux et celles que j'oublie!

À mes lectrices (ou lecteurs?): je vous invite à visiter mon blogue avant, pendant, après votre lecture. Vous pourrez, entre autres, y écouter la trame sonore qui m'a inspirée: **http://anniequintin.blogspot.com**

ANNIE QUINTIN

# DÉSESPÉRÉS S'ABSTENIR

Annie Quintin

# DÉSESPÉRÉS S'ABSTENIR

*roman*

Nouvelle édition comprenant
un chapitre final inédit.

**vlb éditeur**
Une société de Québecor Média

VLB ÉDITEUR
Groupe Ville-Marie Littérature inc.
Une société de Québecor Média
1010, rue de La Gauchetière Est
Montréal (Québec) H2L 2N5
Tél.: 514 523-1182
Téléc.: 514 282-7530
Courriel: vml@groupevml.com

Vice-président à l'édition: Martin Balthazar

Maquette de la couverture: Simon Côté
Illustration de la couverture: Mydeadpony, colagene.com
Photo de l'auteure: Mathieu Rivard

Catalogage avant publication de Bibliothèque et Archives
nationales du Québec et Bibliothèque et Archives Canada
Quintin, Annie, 1975-
Désespérés s'abstenir
Nouvelle édition augmentée.
Édition originale: 2011.
ISBN 978-2-89649-554-2
I. Titre.
PS8633.U584D47 2013     C843'.6     C2013-942079-7
PS9633.U584D47 2013

DISTRIBUTEUR:

LES MESSAGERIES ADP*
2315, rue de la Province
Longueuil (Québec) J4G 1G4
Tél.: 450 640-1234
Téléc.: 450 674-6237
*filiale du Groupe Sogides inc.,
filiale de Québecor Média inc.

Pour en savoir davantage sur nos publications,
visitez notre site: editionsvlb.com
Autres sites à visiter: editionshexagone.com • editionstypo.com

VLB éditeur bénéficie du soutien de la Société de développement des entreprises
culturelles du Québec (SODEC) pour son programme d'édition.
Gouvernement du Québec – Programme de crédit d'impôt pour l'édition de livres – Gestion SODEC.
Nous reconnaissons l'aide financière du gouvernement du Canada
par l'entremise du Fonds du livre du Canada pour nos activités d'édition.
Nous remercions le Conseil des arts du Canada de l'aide accordée à notre programme de publication.

Enlarge your penis.
AUTEUR INCONNU

# PROLOGUE

« Ça t'arrivera quand tu ne t'y attendras pas. » « Tout vient à point à qui sait attendre. » « Un de perdu, dix de retrouvés. » « Chaque torchon trouve sa guenille. » Ou pire encore : le genre de proverbe qu'on voit imprimé sur la photo d'un calendrier particulièrement kitsch : « Un jour, ton prince viendra… »

*Non… Je suis bien, seule, et je n'ai pas besoin d'un homme dans ma vie.*

Une pensée qui a été « brainwashée » et remâchée jusqu'au moment où on finit par y croire, mais y croire vraiment comme si dans ces mots résidait une vérité immuable. Une pensée qui est devenue comme un mantra qu'on se répète à soi, qu'on répète à tous ceux qui insistent un peu trop et qui ne veulent rien entendre. Elle est devenue comme une manière d'être tout simplement parce que les temps sont durs et que le romantisme est illusoire, parce que « chat échaudé craint l'eau froide ». Et parce qu'il craint aussi l'eau chaude.

Je suis une chasseuse de têtes. C'est mon métier. Le candidat parfait, pour l'entreprise parfaite, les matchs parfaits, c'est mon affaire. Du moins, côté boulot… Je n'aurais jamais pensé chercher l'amour, et encore moins faire cette grande quête sur Internet. Ce qui m'y attendait, jamais je n'aurais cru cela possible non plus.

# Chapitre premier

Le train qui roule vite, la main légèrement moite qui glisse sur le poteau gras. Un dernier coup d'œil discret dans le reflet de la vitre pour voir si tous les cheveux sont dignement en place. L'ombre d'un sourire qu'on s'exerce à faire subtilement, juste pour se pratiquer, pour se mettre sur le mode « cruise », mais surtout pas pour attiser le regard lubrique d'un passager douteux. Les portes du métro qui s'ouvrent dans un bruit sourd vers l'inconnu.

Que penser de toutes ces émotions à fleur de peau, qui se manifestent physiquement par un genou mou rattaché à une jambe légèrement tremblante ou par le souffle qui soudain se fait court? Et de l'idée qu'on ne s'y habitue jamais... Oui que dire, mis à part que l'instant est tout simplement magique? Et si c'était LUI que j'allais rencontrer?

Et si... et si... stop!

Les émois d'un premier rendez-vous? Très peu pour moi. Le romantisme? Un véritable laxatif.

J'ai émergé de la station de métro Berri-UQAM d'un pas décidé. Ma voiture était restée prise dans un banc de neige. Je n'avais pas de temps à perdre avec ma pelle quand la priorité était de me préparer à cette rencontre.

Se donner rendez-vous dans un lieu public. Et toujours, mais toujours, se garder une porte de sortie.

La porte du café a grincé derrière moi. J'ai balayé l'endroit du regard. Je n'ai pas eu le temps de le repérer parmi la clientèle de la place que déjà il venait vers moi.

— Est-ce que c'est *toi*? a-t-il demandé.

— Je pense que oui.

Fever4ever de son pseudo, qui n'avait rien à son actif pour déclencher une fièvre, s'est avancé pour me donner un baiser sur la joue, ce que j'ai esquivé en laissant passer un client qui voulait sortir. Feverwhatever avait un style ordinaire, des vêtements ordinaires. Châtain moyen, visage banal. Beige majuscule. De mon point de vue, je ne percevais que la calvitie naissante qu'il prenait soin de cacher avec de longs cheveux gracieusement cueillis à partir de l'oreille opposée. Et si je pouvais me mirer dans le reflet de son cuir chevelu, c'est que j'étais une géante à côté de lui.

— Oh! T'es plus petit que moi! a été l'affirmation, fraîchement et sans doute trop franchement sortie de ma bouche.

Et v'lan pour l'estime de soi du pauvre gars. Et v'lan pour ma mise en plis qui venait de se faner sous le coup de la déception. S'il a été ébranlé par ma remarque, il n'en a rien laissé paraître. Il faut dire que la hauteur du talon de mes bottes donnait peu de chance à ses cinq pieds onze pouces virtuels, et, de toute évidence, purement théoriques. «Dans les petits pots, les meilleurs onguents?» Peut-être pas!

Une tendance très répandue sur Internet que cette manie qu'ont les hommes de se grandir de deux ou trois pouces. La morale de cette histoire: ne jamais se fier à une fiche de présentation.

Dans l'impossibilité de prendre mes jambes à mon cou, je me suis assise, concentrant toute mon attention à dérouler mon foulard tandis qu'il me regardait avec de grands yeux. J'ai gardé mon manteau en prévision d'une envie subite d'aller aux toilettes. Je ne voulais surtout pas qu'il ait l'occasion de reluquer mes fesses si j'en venais à lui tourner le dos. ILS détaillent toujours le derrière, sans doute parce qu'il n'est pas visible sur la photo de profil. Évaluer le popotin de la fille, c'est le point culminant de la soirée, l'ultime moment de vérité... de leur point de vue. Un genre d'instinct de survie, en vue d'une reproduction éventuelle. Et, dans le cas présent : Ouache !

– Il fait froid dehors. Un bon café, ça fait du bien.

– T'es vraiment belle, a-t-il dit en s'étouffant presque avec son café.

– Han han, hum...

J'avais répondu distraitement, aucunement dupe des flatteries qui, dans ce genre de situation, relèvent plutôt d'une marque de politesse, si on considère le fait que le candidat Internet lance les compliments comme on dit bonjour. Il flatte dans le sens du poil dans le but de maximiser ses chances et il donne tout ce qu'il peut. Certains vont jusqu'à vous jouer de l'harmonica, le tout agrémenté de quelques steppettes bien senties, d'autres marcheraient sur les mains pour vous impressionner. Les premières minutes d'une telle rencontre sont aussi décisives que celles d'une entrevue d'embauche. Tout mâle conquérant le sait.

Je me suis libérée de mon sac à main tout en agrippant la carte. En ébauchant mon plus beau sourire forcé naturel, j'ai commandé un café au lait. Le manteau d'hiver du cyber-individu se trouvait accroché à sa chaise et étalait fièrement des étiquettes témoignant de quelques descentes en ski alpin... datant d'il y a plusieurs années. Il m'a souri et je n'ai eu d'yeux que pour l'espacement généreux entre ses dents. Décevant.

Une autre vérité m'est apparue : Sur cette Terre, il existe de bons photographes qui savent faire ressortir ce qu'il y a de mieux – ou de moins pire – chez leurs clients : « Hum... Voyons voir... Essayez de sourire la bouche fermée. Non, plus grands les yeux. Respirez par les narines. Levez la tête. Non, ne dites pas "Cheeese", ni "Sexy" (pitié, non !). Fermez la bouche. Attention le menton... et voi-lààà ! »

— Comme je te disais sur Internet, j'ai commencé à danser la salsa il y a deux mois. Je pense que je me débrouillerai pas pire au mariage de ta cousine...

Il avait de petites mains blanches. Des mains de femmes. Les miennes, en comparaison, semblaient avoir doublé de taille. J'imaginais qu'il dansait mou en tentant de projeter son bassin vers l'avant, saisissant la seule et unique chance de passer proche de zigner une fille. Un frisson d'épouvante m'a traversée.

— Écoute... Je vais être franche. T'es pas mon genre.

— Hein!? Déjà de retour?

J'ai lancé mes bottes dans l'entrée de l'appartement avant de refermer la porte. Monsieur-Monsieur, mon gros mastiff, n'a pas bougé d'un poil. Il est resté couché dans le corridor et s'est contenté de lever, en signe d'interrogation, ce qu'on pouvait qualifier de sourcil de chien. Les pieds douloureux, je suis entrée dans le salon pour apercevoir, gisant sur le sofa, Mélodie et Yan qui partageaient le même air surpris. Ils formaient l'image même du petit couple parfait... enfin presque parfait, si ce n'était un léger détail: Yan était un grand mâle qui aimait les hommes. Pas le type d'ami gai dont on s'étonne qu'il ne nous suive pas aux toilettes des filles. Non. Celui qui nous aide à déménager avant de se décapsuler une bière.

— Puis, ta *date*, Clara? m'a lancé Mélodie en essayant de se défaire de l'étreinte de Yan.

— Laquelle?

— Quoi? Comment ça *laquelle*? T'as pas rencontré plusieurs gars, quand même? a-t-elle demandé un peu scandalisée.

— T'es une machine! a sifflé Yan, admiratif.

– Juste deux gars! Mélo, voyons… Le mariage de ma cousine, dans dix jours, tu t'en souviens? Faut que je me trouve une *date*, sinon j'ai vraiment pas fini d'entendre ma sainte famille italienne s'indigner de mon célibat. Et je suis ENCORE demoiselle d'honneur.

– Oh, cool!

– Pas cool. Corvée. Corrr-vée.

Elle a haussé les épaules et s'est fourré une poignée de maïs soufflé dans la bouche. J'ai dû jouer des fesses pour réussir à me tailler une place entre les deux pseudo-tourtereaux.

– Des détails!…

Résignée, je me suis tournée vers Yan avec un soupir. Mélo et lui vivaient la même réalité que moi. Ainsi, les bilans postrencontres étaient des événements de routine pour nous. La note sur dix, un *must*.

– Le premier. Type beige pâle. Trois sur dix. Le deuxième? Pas pire, je lui donnerais un sept. On a pris un verre et c'est tout. Rien à ajouter.

– J'espère que t'as pas été trop bête, a lancé Mélodie faisant allusion à cette tendance que j'avais de jouer un peu trop souvent la carte de la franchise.

– Non, pas vraiment.

Mélodie a levé les yeux au ciel et Yan a éclaté de rire en se tapant sur les cuisses.

⏻

Alors, ça a été Internet par défaut. À défaut de trouver les occasions, à défaut d'avoir le cran d'aller voir ailleurs si j'y étais (dans la soupe d'un gars réel peut-être?). C'était aussi comme jouer à la loterie de l'amour, sans être convaincue de pouvoir gagner. Une chance sur un million de remporter l'incroyable prix, celui de dénicher ce que j'appelais l'âne sœur! Hi-han! Hi-han! Une chance sur un million, c'était,

selon moi, un bon estimé de mes probabilités. C'était difficile de rencontrer quelqu'un. Un quelqu'un de pas quelconque, on s'entend.

Le Québécois moyen est de nature réservée à l'état
brut (à moins d'être une brute) et pour qu'il sorte de sa
coquille et qu'il ose faire les premiers pas, il doit souvent
être saoul. En fait, c'est l'idée et l'expérience que j'avais de
la drague. Me faire siffler à la sortie d'un bar à trois heures
et demie du matin alors que le pauvre gars puant de bière
et de sueur a été mis à la porte? Non merci. Pathétique et
déprimant.

– Les bars, c'est fini! Les sites de rencontre, tout le monde
est là-dessus! avait proclamé Yan. On ne peut plus rencontrer ailleurs! Ma grand-mère est là-dessus. Le hamster du
voisin est là-dessus!

La vraie vie n'est tout simplement pas un terrain propice
aux rencontres. Au typique trio métro-boulot-dodo, on pouvait ajouter ses inséparables compatriotes : temps-qui-passe-
trop-vite, manque-d'occasions et maudite-vie-urbaine-et-
individualiste. Tout cela badigeonné d'une généreuse dose de
mea-culpa parce qu'au fin fond du fond, ce qui se cachait
derrière mon enthousiasme défaillant c'était que je ne voulais
pas être en couple.

Je méditais sur cette idée quand un homme m'a malen-
contreusement écrabouillé un orteil. J'ai grimacé sous le
coup de la douleur. Même si ma réaction ne visait aucunement à lui tendre une perche, il en a perçu une et m'a répondu avec un sourire gêné surmonté d'un regard sitôt intéressé. J'ai vite détourné les yeux, concentrant toute mon
énergie à faire de la place aux passagers qui embarquaient
massivement à la station Place-des-Arts. En ce glorieux ixième
matin de tempête de neige, le fait d'arriver à se préserver un
quelconque espace vital relevait d'un combat de tout instant.
L'inconnu a fait un mouvement dans ma direction et j'ai vu

du coin de l'œil qu'il pointait mon iPhone du doigt et désignait le sien par la suite.

Maudits soient ces écouteurs blancs qui dévoilent ce qui ronronne dans notre poche ou notre sac, comme si ça pouvait rapprocher deux étrangers un lundi matin dans le métro!

Il a levé un pouce approbateur en se brassant la tête sur le tempo d'un rythme que lui seul entendait.

Quoi? Il m'avait assassiné un orteil et ses pensées en étaient déjà aux préliminaires!…

Je me suis détournée, heureuse de pouvoir me cacher derrière ma longue chevelure, ce superbouclier parant les regards trop insistants.

Un peu déluré, le bonhomme, d'imaginer qu'il réussirait à me draguer dans cette proximité obligée remplie d'odeurs matinales où l'haleine de café faisait la guerre aux divers parfums, allant du plus capiteux à l'ultime cause d'un mal de tête carabiné.

*Non désolée, Pit. Je n'ai pas l'intention de laisser nos iPhone copuler et s'échanger des listes de lecture. Meilleure chance à la prochaine station.*

Non, les hommes n'avaient tout simplement pas le courage de faire les premiers pas et les plus bêtement audacieux, je me chargeais de les éconduire, ou de les ignorer.

Non, mais!…

⏻

Station McGill. Sept heures trente-huit, dans la file du Café Art Java pour ramasser mon cappuccino quotidien, et oh! combien nécessaire. Pas de temps pour le boire sur place. Sept heures cinquante tapantes, le doigt qui appuie sur le bouton de l'ascenseur. Étage neuf. Pas de dossier important à régler cette journée-là ou de multinationale se cherchant un vice-président. Mais tout de même, la routine : fouiller les banques de données et les curriculum vitæ, mettre à jour ma liste de contacts et faire quelques suivis. J'ai franchi l'entrée de l'agence et j'ai salué Marie la réceptionniste. Je me suis dirigée, mon porte-document sous le bras, vers mon bureau dont la porte était ouverte. Gilles, un de mes collègues, s'y trouvait déjà, assis confortablement sur le siège de cuir faisant face à mon poste de travail.

— Regarde donc ça une minute, m'a-t-il dit sans plus de préambule en me tendant une feuille pliée en quatre.

— Euh… allo, peut-être ? !

Je détestais me faire sauter dessus en arrivant le matin, tous mes confrères de travail le savaient, même lui. Qu'il soit dans mon bureau, requérant mon attention immédiate, alors que je n'avais pas retiré mon manteau m'irritait au plus haut point. Si je me présentais au boulot plus tôt, c'était pour avoir le temps d'ingurgiter en paix mon élixir de vitalité, mieux connu sous le nom de café, et tout imprégnée de cette énergie liquide et salvatrice, de planifier ma journée avant de me lancer.

Gilles a pointé d'un doigt inquisiteur la feuille de papier comme si c'était LA priorité du jour, plus prioritaire encore que l'ingurgitation salutaire de caféine. Il a croisé les bras en position d'attente et a ajouté, avec un ton où se mêlaient un certain amusement et une inexplicable indignation :

— C'est quoi, *ça* ? !

J'ai suivi la direction de son regard et rassemblé tout mon sang-froid pour masquer la stupeur qui m'est tombée dessus.

— Ça ? *Ça*, c'est pas de tes affaires, Gilles !

D'un geste brusque, j'ai caché la feuille dans le tiroir de mon bureau, comme si le simple fait de la subtiliser à sa vue allait l'effacer de sa mémoire.

— *Ça*, c'est toi, hein ?

Son doigt a continué de pointer le chemin du papier disparu pour ensuite décrire un mouvement circulaire me visant, moi. C'était plus une affirmation qu'une question. Je suis restée debout à placer et à replacer les piles de dossiers, me donnant une contenance professionnelle tandis qu'il insistait :

– Ha ! Ha ! C'est toi ! C'est toi LaPoune sur Rencontres-Montréal ! À moins que tu aies un clone ? Eh ben, eh ben… T'es une petite comique sur ta fiche, toi !

Il me narguait juste assez pour me mettre les nerfs en boule. Il ne serait pas allé jusqu'à pousser les taquineries au point où j'en serais venue à lui estamper un grief sur le front. Il n'aurait pas osé, non plus, faire mention de l'ombre de décolleté que laissait deviner la photo de mon profil. Mais, quand il a levé un sourcil, j'ai cru voir, imprimée sur ses iris, une réplique grotesque de ma « craque » de seins. Ou alors, mon imagination me jouait-elle des tours ?

J'avoue avoir cherché à cet instant précis, sur mon bureau, un objet contondant, un trombone sanguinaire, un agenda électronique ayant le pouvoir de rendre amnésique ou un post-it puant à lui lancer par la tête.

– Tu ne lui ressembles pas à La Poune ! J'aime mon public et mon public m'aime ! Wannnnn ! Pourquoi t'as pris ce pseudonyme-là ? Tu dois pas pogner vraiment…

– C'est… personnel…

De quelle façon pouvais-je m'en sortir la tête haute ? J'hésitais entre l'idée de lui balancer que je faisais tout simplement une enquête sur le cybercélibat – *ben voyons, tu ne savais pas que je suis aussi pigiste pour un magazine féminin dans mes temps libres ?* (Quels temps libres ?) – ou de prétendre que c'était une supercherie, une usurpation d'identité. Ben oui, *ils* font ça avec les vedettes, *ils* utilisent leurs photos et leur prêtent une cybervie scandaleuse qui fait le bonheur des friands de potins. *Ah, et puis, je gage qu'ils ont cloné mes cartes de crédit, en plus. Non, mais!...*

Dans le cadre de mon travail, ma devise était de tourner ma langue sept fois dans ma bouche et de ne jamais, au grand jamais, mêler vie privée et vie professionnelle. Dans un autre contexte, je lui aurais réglé son compte en moins de deux répliques cinglantes. Mais là, je me suis contentée de ravaler mon fiel avec dépit.

Clara Bergeron. Conseillère en recrutement. Loyauté. Efficacité. Professionnalisme. Toujours en pleine possession de ses moyens. Grinceuse de dents à ses heures, mais ça, personne ne le saura.

Je continuais de fouiller mentalement dans un répertoire de fables salvatrices une explication logique à ma présence sur un site de rencontre quand le téléphone a sonné. C'était Mélodie et son rhume de cerveau en direct de sous ses couvertures.

– Oui, Marie, tu peux me le passer. *Thank you for calling me back, Mr. Johnson.*

– Je suis tellebent balade! J'ai tellebent bal à la tête.

Mélodie s'est mouchée bruyamment au bout du fil et j'ai lancé à mon bourreau de collègue un regard qui lui intimait l'ordre de prendre congé.

– *So have you considered the job so far?*

– Eille, l'Anglaise! Bartin... euh, M'Bartin... b'a pas rappelé! Le baudit!

– *Let me just get your file and we'll see about that.*

Gilles a dû abdiquer et tirer sa révérence. Peu après, dans la salle de conférences, pendant que le patron nous faisait le topo d'une nouvelle entreprise en recherche de personnel, je voyais en vision périphérique les épaules de Gilles secouées par des rires contenus. Mon troisième café quotidien est passé de travers et s'est avéré plus amer que d'ordinaire.

Une image s'est imposée à mon esprit: me trouver un bâton de baseball et faire de sa tête une *piñata*.

M'assumer comme femme indépendante: oui. Accepter mon statut de célibataire: pleinement et avec toute la force de ma volonté. Mais qu'on se moque de ma présence sur un site de rencontre, je ne le prenais pas. Magasiner l'amour sur Internet n'était pas un acte glorieux.

⏻

Ce midi-là, j'ai dû enfreindre mes bons principes et me connecter sur le site de rencontre, ce que je ne faisais jamais au bureau. Le boulot étant le boulot, c'était inconcevable pour moi de perdre mon temps sur le Net tandis que les dossiers me faisaient les gros yeux. Mais cette fois-ci, c'était nécessaire. J'ai cliqué sur l'option «Qui a vu votre fiche?». Je n'ai pas tardé à identifier mon collègue parmi la liste des membres ayant consulté mon profil: SuperPointG!...

J'ai dû me mordre la main pour étouffer un rire. Super-PointG souriait derrière son épaisse moustache avec le naturel d'un député municipal. Debout dans une chaloupe, le chandail rentré serré dans les bermudas, il tenait dignement à bout de bras ce qui s'était sans doute avéré sa plus belle prise à vie. Des quelques lignes clichées et vendeuses, je n'ai retenu que la mention de l'achat de nouveaux électroménagers en inox.

Si SuperPointG avait l'intention de récidiver avec ses taquineries mal placées, j'avais de bonnes munitions en main.

⏻

### Profil de LaPoune

Ville: Montréal
But de ma visite sur le site Rencontres-Montréal: apprendre le kung-fu

<u>Taille</u> : plus grande debout qu'assise
<u>Poids</u> : proportionnel aux vêtements que je porte
<u>Âge</u> : 30 ans
<u>Apparence physique</u> : très moche les lendemains de veille
<u>Couleurs des cheveux</u> : bruns
<u>Couleurs des yeux</u> : bruns
<u>Fumeur</u> : Non.
<u>État civil</u> : civilement célibataire (sinon pourquoi être sur ce site ?)
<u>Origine ethnique</u> : québécoise, avec quelques gènes italiens
<u>Religion</u> : Euh, pardon ?
<u>Scolarité</u> : maîtrise
<u>Occupation</u> : professionnelle
<u>Situation financière</u> : aisée (surtout les jours de paye)
<u>Temps libres</u> : Je voudrais bien…
<u>Disponibilités</u> : Ça dépend pour qui…
<u>Possède une webcam</u> : Le p'tit trou dans l'écran qui renvoie l'image illusoire d'un double menton ?
<u>Signe du zodiaque</u> : sceptique ascendant mollusque
<u>Quelques mots sur moi</u> : L'abonnée que vous tentez de joindre est en ce moment trop occupée avec son boulot pour vous répondre. Elle ne trouve pas les occasions pour rencontrer dans la « vraie vie » c'est pourquoi elle est ici, même si elle y croit peu. Vous êtes prié de laisser un message si vous êtes un homme intelligent, cultivé, charmant et équilibré. Désespérés s'abstenir.

# CHAPITRE 2

Jamais je n'aurais pensé qu'Internet occuperait autant de place dans nos vies. Tout ça avait commencé quelques mois auparavant alors que Mélodie se remettait péniblement de l'amourette qu'elle avait eue avec le seul et unique collègue masculin de son école. Elle était déprimée, voyant ses possibilités de match parfait se réduire à rien de moins que le néant. « Peut-être que je ne rencontrerai jamais personne ? Peut-être que l'amour ce n'est pas pour moi ? Peut-être que je devrais juste oublier ça et assumer mon célibat ? » Excédés par ce charabia de questions existentielles et d'incessants « peut-être que », Yan et moi l'avions inscrite à Rencontres-Montréal, le site qu'il fréquentait depuis peu. J'avais aidé Mélodie à faire sa fiche de présentation comme on travaille sur un curriculum vitæ. Le résultat de ces efforts était très technique, mais tout de même vendeur.

Au centre de la cuisine, tel un objet béni dans lequel Mélodie voyait miroiter son avenir amoureux, mon portable trônait. Celui-ci dévoilait des photos de gars ou d'hommes (le choix du terme dépendant de l'âge, du degré de pilosité et de l'angle de la casquette) prêts à s'engager ou désirant seulement rencontrer – car sait-on jamais ? Mélodie s'était mise à vénérer ledit objet à tel point que j'avais eu de la difficulté à le réclamer pour travailler et il avait fallu alors lui en trouver un. Yannick, qui ne vivait pas avec nous, s'était également acheté un portable, si bien qu'il nous arrivait de passer des soirées entières autour de la table, chacun devant notre ordinateur, à commenter les candidats du site de rencontre.

La faune masculine éperdue, ne se pouvant plus devant l'appétissante nouvelle venue, se transformait en une horde de vautours virtuels. Au bout de vingt-quatre heures, Mélo avait reçu près d'une centaine de messages personnels.

Lui mettre la main dessus et vite. Saisir sa chance et vite. Les invitations faisaient «Pop!» comme des grains de maïs au micro-ondes à puissance maximale. Devant l'abondance de courriels, il devenait difficile de trier les candidats potentiels. Il fallait trancher, ainsi Yan et moi étions là pour la guider avec nos judicieux commentaires:

– Yark!

– Mononcle!

– Gros tata…

– Allo… l'*ortho*graphe!

– Gros Gino!

– OK, au suivant!

Quand nous n'avions rien à redire et que nous nous retrouvions tous les trois inclinés dans un même alignement vers l'écran et que Yan lâchait un «Ouin, ouin» appréciateur, la machine était enclenchée. Mélo relançait le mec en question avec des doigts tremblants et nous l'aidions à tempérer son enthousiasme.

Elle craquait pour les romantiques, pour les adeptes de plein air ou d'activités de type familial. L'homme de ses rêves devait avoir une dentition parfaite, une de ses nombreuses devises étant: «Des belles dents, c'est important!» Elle avait en horreur tout ce qui pouvait être qualifié d'accessoire: bijoux, casquettes et motos. L'indétrônable critère de son processus de sélection était la couleur des yeux: bleu! Et là, ce n'était pas qu'une préférence, c'était un impératif. Exit toutes les autres teintes d'iris. Yeux bleus uniquement. De la discrimination oculaire.

Yan, lui, cherchait tout sauf un gars qui avait l'air gai. Tout en endossant pleinement son homosexualité, en matière d'affirmation de la fierté gaie, il penchait davantage du côté du «pas assez» que du «trop». Il voulait rencontrer un homme... homme. Quelqu'un à son image finalement. Pour lui, ça se passait dans un univers parallèle et il n'était pas question d'aller draguer dans le village où tout était soit trop flamboyant, soit trop délabré, trop déprimant. Bref, trop de trop. Toutes les raisons étaient bonnes pour ne pas s'y rendre. Je le soupçonnais de privilégier Internet pour l'aspect clandestin de la chose. Ni vu ni connu, on se voit, on baise et merci, bonsoir.

J'avais mis plusieurs semaines avant de me décider à plonger dans l'aventure à mon tour.

C'est quand Yan avait lancé un «Et voilà! Bingo!» en tombant par hasard sur un profil d'hétéro que je m'étais penchée pour regarder de plus près.

– Ça sent le match parfait, ma Clara!

Professionnel. Beau. Grand. Brun. Mystérieux. Cultivé. Une fiche intrigante qui semblait n'interpeller que moi.

J'avais souri malgré moi, le regard triomphant de mes amis sur ma nuque. J'avais dû me résigner. En quelques minutes, ma fiche était créée et l'homme parfait hameçonné:

Je te trouve de mon goût. Je veux te rencontrer. Quand?

Directe, je l'étais. Je considérais que je n'avais pas de temps à perdre en chassés-croisés et que je n'avais pas de *game* à jouer. S'il s'avérait improbable de faire connaissance avec un homme dans «la vraie vie», Internet m'avait semblé très facile d'utilisation. C'était un moyen de rencontre rapide, accessible à toute heure du jour et de la nuit. En quelques clics, je magasinais du mâle. Aucune gêne, pas de niaisage.

Bing. Bang. Je te veux. En théorie, simple comme bonjour. Il me suffisait de penser en chasseuse de têtes. Dénicher des talents. Faire valoir au candidat que l'entreprise était faite pour lui, l'entreprise étant… moi.

Mais l'affaire n'était pas si simple…

J'ai rencontré Mercedes_Pete moins de deux jours plus tard. C'était ma première cyber-rencontre. Nous nous sommes donné rendez-vous dans un bar du boulevard Saint-Laurent. Il s'est avancé vers moi comme dans un ralenti calculé. Type jet-set dans un lieu tout autant jet-set. Professionnel, habillé avec goût. Un parfait BCBG. Il a lissé son complet du revers de la main. J'ai été immédiatement fascinée de constater que la description qu'il faisait de lui-même correspondait en tous points à la réalité. Enfin, jusqu'au moment où il a ouvert la bouche.

– Hello, Carla!

– Euh, c'est Clara, mon nom.

Et il a reniflé. Un reniflement discret, mais oh! combien macho. En deux mots, il m'a semblé que l'image du candidat idéal avait perdu de son lustre. L'habit ne faisait pas le moine. En fait, le moine faisait carrément dur.

– Un verre pour la mam'zelle!

Il a sifflé le serveur. La Terre a arrêté de tourner quelques secondes, la clientèle du bar retenait son souffle avec indignation. Il avait sifflé! En fait, c'est la perception que j'ai eue de cet affront. Je l'ai regardé déposer tout l'attirail de ses poches sur le bar : un portefeuille débordant d'une liasse impressionnante de billets, pour ceux qui sont impressionnables, et un porte-clefs montrant l'emblème de Mercedes qu'il a pris soin de caresser du doigt juste assez longtemps pour que je le remarque. S'il en avait extrait un dentier en or, l'oscar du meilleur con et un paquet d'étiquettes de grandes marques découpées à même ses vêtements pour prouver qu'ils étaient griffés, je n'aurais pas été surprise.

— T'aimes-tu les chars?

— Bof…

— Ou les avions?

— Oui, quand ils ne s'écrasent pas…

— On porte un toast, Carla? m'a-t-il interrompue en levant son verre de bière. À notre premier rendez-vous? *Tchetchin*, beauté!

Ce à quoi j'ai répondu par un distinct «Ha! Ha!». Le nez dans mon martini, je l'ai écouté monologuer sur son emploi, sur son ex, sur l'argent, sur sa vie en général. Peter parlait de lui-même en disant «Piteur» avec, en bonus, une fâcheuse tendance à troquer la première personne du singulier contre sa cousine, la troisième. C'était tout simplement majestueux.

— Tu sais, Piteur a rencontré pas mal de filles avec Internet. Pis toi, *Babe*?

— *Babe*?! Euh… Tu me niaises?!

Pitié…

— Excuse-moi. Carla.

Pitié… Pitié… Pi-ti-é!

— CLA… RA, ai-je articulé distinctement en lui servant mon regard le plus tranchant.

Et lui qui racontait sur sa fiche de présentation qu'il était un brin philosophe et apprenti sommelier, qu'il cherchait une femme racée et indépendante d'esprit. Il y avait quelque chose qui clochait. J'avais dû faire erreur sur la personne ou contracter une forme aiguë de strabisme momentané en aboutissant sur ce cas pathétique. Ou bien lui souffrait de dyslexie avec symptômes de connerie virulente. À moins qu'il ait carrément copié la fiche d'un autre membre?

Colon. Je dirais même colon irritable. C'était si absurde comme situation que j'ai secoué la tête et commandé un second martini, en suivant son exemple : « *Elle* va prendre un autre verre. » J'ai éclaté de rire, ce qui a déclenché chez lui un gonflement orgueilleux de la poitrine. Sentant que c'était sûrement dans la poche, il a demandé une double consommation au barman.

Plan B. Plan B.

J'ai bu mon verre d'un trait, planifiant déjà ma sortie. Je me suis levée.

*Bon… bon… Il va regarder mes fesses… C'est clair qu'il va regarder mes fesses.*

*Ah, non…*

Effectivement, alors que je me dirigeais vers les toilettes, il en a profité pour détailler sans gêne mon postérieur. J'ai roulé des yeux devant la prévisibilité de l'affaire et je me suis éclipsée pour me soustraire à sa vue. D'urgence, j'ai envoyé un message texte à Yan. Il s'est pointé moins de trente minutes plus tard, plan B par excellence, jouant le rôle du chum que trop habitué à ramasser sa blonde dans les bars. Enfin, c'est le scénario qui avait été prévu.

– Qu'est-ce que tu fais là ? a-t-il demandé avec un air faussement indigné.

J'ai puisé dans mes expériences de théâtre du secondaire et feint un mélange improvisé de stupéfaction et de culpabilité.

– Aaaaaaah non ! C'EST… MON… CHUM !

C'était digne d'un *soap* américain bon marché. Le ton faux, la démarche caricaturale, tout y était. J'en ai même rajouté en titubant vers la sortie accrochée au bras de Yan qui, pour accroître l'aspect dramatique de l'affaire, a lancé un regard courroucé au colon irritable. L'autoproclamé « Piteur » a eu l'air particulièrement « piteux pitou » devant Yan qui avait tout du mâle alpha si l'on ignorait le fait qu'il avait une chose en commun avec les écureuils : il aimait les glands. Enfin, c'est l'image qui me venait en tête en l'observant à la dérobée. J'ai été prise d'un nouvel éclat de rire. J'avais quand même bu un tantinet plus vite que nécessaire pour le bon déroulement et la crédibilité de notre mise en scène.

– Excuse-moi, *man,* s'est écrié Peter alors que nous étions à un pas de la sortie. Je savais pas que c'était *ta* femme. Si Piteur avait su...

Voilà, côté dramatisation, c'était particulièrement réussi. Tout le monde avait entendu.

– Ça va, ça va, a crié Yan encore plus fortement alors que je glissais sur mes talons. Elle est un petit peu alcoolique. Je la ramène en désintox ou directement à l'hôpital psychiatrique. Je sais plus quoi faire avec elle...

Une fois sur le trottoir, je riais encore en m'accrochant à son bras. J'ai profité de sa proximité pour humer son eau de Cologne. Yan était de taille moyenne, le type naturellement musclé qui n'a pas besoin de s'entraîner. Il rasait toujours son crâne à la perfection et avait un regard bleu à faire rêver. Dur, dur de deviner son orientation sexuelle. Plusieurs filles s'en trouvaient déçues.

– Waouh ! Vous sortez ce soir, beau bonhomme ? lui ai-je glissé à l'oreille.

– Ouais, une autre rencontre. Sérieux, t'aurais pu au moins en profiter pour baiser avec lui ! a-t-il lancé avec juste assez d'indignation pour que je me demande s'il blaguait ou pas.

L'air était encore froid, le talon de mes bottes se cramponnait sur le trottoir enneigé. J'ai ri.

– En l'honneur de ?...

– De ta libido !

– Ah, je l'avais oubliée, celle-là ! Non Yan... Quand même ! Je ne couche pas avec n'importe quel épais, tu le sais bien !

– T'es trop difficile !

Cette remarque-là, c'était la première fois qu'elle venait de mon ami. De ma famille, elle était récurrente. Allant de la taquinerie à l'insulte suprême, elle était sur toutes les lèvres. J'avais vu ma jeune sœur et mon petit frère se marier avant moi. Je n'en éprouvais pas d'amertume, ni de jalousie, mais cela ne faisait qu'accentuer le sentiment d'être une extraterrestre ayant abouti en plein cœur d'une famille italienne ultraconservatrice.

Après avoir été brièvement fiancée dans le début de la vingtaine à un Italien qui brassait des affaires louches et être passée à un cheveu de me faire enfiler la typique grosse bague au doigt, j'avais été frappée par une volonté de non-conformisme, au grand désarroi de ma mère. J'avais rompu mes fiançailles, fait mes boîtes et quitté le nid maternel. Un Italien, un vrai, ne quitte PAS la maison avant le mariage. Cris, pleurs, chantage émotif et menaces s'en sont suivis. « Tu vas briser le cœur de ta mère » a été l'espace de quelques mois un succès au palmarès familial, toujours suivi d'un « on sait bien » bourré de sous-entendus.

Mes gènes québécois. Ma mère les blâmait de tout. En fait, ce n'était pas des paroles en l'air pour elle. L'été 1981, Maria Ferrino, fraîchement débarquée avec la *famiglia* en sol québécois, craqua pour un dénommé Lucien Bergeron. Elle fit sa connaissance alors qu'il venait prendre des photos du commerce de son père. Il ne parlait que quelques mots d'italien, mais les articulait dans un accent irréprochable. Il était beau, ténébreux. Il était parfait. Mettons cela sur le compte du décalage horaire, du mal du pays, toujours est-il que le séduisant photographe n'eut guère besoin de se faire prier pour récolter, comme trophée, la petite culotte de ma mère.

Quand elle tomba enceinte après quelques parties de jambes en l'air, les années quatre-vingt s'étaient bien installées et s'avéraient symbole de modernité et d'ouverture d'esprit. Malgré cela, le scandale n'en fut pas moindre. La légende ne mentionne aucune arme pointée par un obscur mafioso de banlieue sur la tempe de Lucien, mais j'ai mes doutes. Lucien épousa Maria aussi vite qu'il la quitta. Selon la version «officielle», il était parti pour la jungle profonde afin de devenir photographe pour le *National Geographic*. D'après la version réelle et non romancée, après quelques mois, il n'en pouvait plus et avait déménagé dans le New Jersey. Je n'étais pas encore au monde qu'il avait plié bagage; je ne lui en ai jamais tenu rigueur, ayant pris conscience au fil des années de l'insupportable caractère de ma mère. Elle s'était vite remariée pour la forme et j'avais été adoptée par le nouveau mari, un Italien, bien entendu. Quelques années plus tard naissaient mon frère Joseph et ma sœur Nita.

Sur les photos de famille, on pouvait voir que petite, je détonais déjà. Du genre italien, je n'avais hérité que des cheveux foncés, mais d'une teinte bien loin de celle de la crinière de jais de ma sœur. Pour le reste, mes traits étaient assez fins, ma peau claire et mes yeux du même brun que ceux de mon père. Dans mon miroir, j'avais toujours cherché des ressemblances avec les Ferrino, sans jamais en trouver. Mon père et moi avions gardé contact et je l'avais vu ici et là durant mes vacances d'été. Il avait suffi de deux semaines en sa compagnie alors que j'avais vingt-deux ans pour revenir à Montréal avec une certitude. En moins de deux, les papiers furent remplis et les formalités réglées. Clara Ferrino-Lorenzo était devenue Clara Bergeron.

Et le mégasuccès «Tu vas briser le cœur de ta mère» battit des records de vente avec un *remix* particulièrement retentissant sur fond de porcelaine brisée.

(Extrait de fiche de : PasOriginal_28)
Si tu lis mon profil, c'est que j'ai déjà ton attention.

(Extrait de fiche de : TheOtherCrosseur)
Je préfère être honnête. Je suis en couple et comblé. Par contre, j'ai d'autres désirs… Tout ce qui me manque aujourd'hui, c'est de passer quelques heures avec toi. Oui, toi! Je veux être dans tes bras… sentir ton odeur… te goûter…

(Extrait de fiche de : GarsCommeTantD'autres)
J'aime les soupers entre amis autour d'une bonne bouteille de vin.

# CHAPITRE 3

Ingenious : Allo ! Je suis content de te voir en ligne. Tu
ne t'es pas trop ennuyée de moi ?
LaPoune : Allo. Ça va ?
Ingenious : Oui, depuis que tu es arrivée…

C'était un peu trop… Première leçon de drague sur Internet : n'ayez pas l'air d'en faire le centre de votre vie.

Ingenious était ingénieur. Pas trop original, comme
pseudonyme. Nous nous étions rencontrés quelques jours
auparavant. Mignon, une tête sur les épaules, de la conversation. Le café nous a menés au repas. À ma grande surprise, le
temps en sa compagnie s'était écoulé très vite.

LaPoune : Tu m'attends un moment ? Je dois sortir mon
chien.
Ingenious : Bien sûr !

Menaçant de renverser les meubles sur son passage, Monsieur-
Monsieur se dandinait montrant clairement que l'heure de
ses besoins était venue. Je suis sortie de ma chambre en répétant des « oui, oui » rassurants au gros toutou qui ne se pouvait plus. Il s'est élancé à l'extérieur au moment même où j'ai
ouvert la porte patio.

– Là, là ! Je suis tellement écœurée qu'ils me parlent de
sexe sans arrêt ! Je suis plus ca-pa… BE !

Quand Mélodie disait : « là, là ! », c'est qu'elle était vraiment fâchée. Elle se trouvait, fidèle à son habitude, assise à la table de la cuisine à la barre de son inséparable portable. Elle a secoué la tête, une poignée de ses cheveux châtains dans les mains, tandis que Grosse Minoune qui, avant qu'on découvre le subterfuge s'appelait Gros Minet, se frottait au bas de son pyjama de flanelle en ronronnant d'aise.

— Est-ce que tu parles du gars qui porte tout le temps son chapeau, même pendant que vous ?...

Elle m'a intimé l'ordre de me taire en agitant une main en signe d'arrêt, puis a poussé un soupir exaspéré :

— Ah lui, là... là !

— Mais, bon, c'est quand même un « huit sur dix » ! Il a les yeux bleus. Pile dans tes goûts, Mélo !

— Moins cinq pour le chapeau !

Je me suis servi un verre de jus d'orange, j'ai ri et elle a renchéri :

— Pourquoi je tombe tout le temps, mais TOUT le temps sur des gars qui ne s'assument pas ? Ils ne peuvent pas être honnêtes deux minutes et dire qu'ils veulent seulement une aventure ? C'est quoi de dire : écoute fille, je suis un crosseur, donc, n'aie pas d'attentes ! Ben non, il faut qu'ils jouent le grand jeu jusqu'au bout ! Le lendemain de la première rencontre, ils te font croire que c'était LA rencontre de leur vie. Deux jours après, ils tombent en amour, et puis « enwoye » les déclarations. Et... et...

Elle a pris une grande bouffée d'air avant de poursuivre avec un doigt revendicateur levé en l'air :

— Ils ont tellement, mais *tellement* l'air sincère. Et quand ils ont eu ce qu'ils voulaient, pouf !, ils disparaissent. C'est à croire que je suis une pauvre fille de seize ans sans expérience. Tu sais, la légende urbaine du gars qui veut juste coucher avec la fille et qui l'ignore dans le corridor de l'école après que ce soit fait ? Ben, c'est à peu près ça, sauf que, là, ça se passe par courriel. Ils s'étonnent qu'on s'attache, ben câline, tu m'as donné des fleurs gros tata, pensais-tu que j'allais rester froide ? Yark !

– Reste indépendante ! Ne montre pas tes sentiments ! T'es plus forte que ça, Mélo ! Voyons !

– Ouin, ouin… C'est facile à dire pour toi. Il n'y a pas un gars que t'as trouvé intéressant jusqu'à maintenant. Attends de voir…

– Bof… Tu sais ce que j'en pense…

– C'est exactement ÇA !

Plus de deux décennies d'amitié à notre actif et peu de choses avaient changé. Mélodie montrait autant d'insécurité qu'à l'adolescence et j'essayais depuis toujours de lui insuffler un peu de confiance. Au lieu de la rassurer, cela ne faisait qu'accentuer nos différences et instaurer une sorte de malaise.

– Oups ! Je suis en train d'oublier que j'ai le gars de l'autre soir qui m'attend sur le *chat*, me suis-je souvenue. MAIS… il a l'air un peu trop désespéré à mon goût.

J'ai roulé des yeux, ce à quoi elle a répondu par un regard non équivoque. Se sentait-elle visée ? Deux ans sur la route du célibat et chaque mile qu'elle parcourait, c'était avec le radar à « ON », aux aguets à toute heure du jour, prête à rencontrer l'homme avec un grand H et l'amour avec un grand A. Il ne se passait pas un jour sans qu'elle ne parle d'un gars en particulier. Si elle m'avait avoué y penser à chaque minute, à chaque respiration, je n'en aurais pas été surprise. C'était à la limite de l'obsession. Elle voulait tellement. Elle voulait trop.

De retour dans ma chambre avec Monsieur-Monsieur dans mon sillage, je me suis assise devant mon portable avec une certaine réticence.

LaPoune : Désolée !
Ingenious : Je me suis ennuyé !

LaPoune : Ben là !

Ingenious : Je niaise pas. T'es vraiment importante pour moi.

Deuxième leçon de drague sur Internet : n'ayez surtout pas l'air désespéré.

Malaise virtuel… D'abord le silence du logiciel de clavardage. Le curseur qui clignote, battant le rythme des secondes qui passent. Les doigts figés en l'air et le corps qui recule de l'écran juste avant d'être pris d'un grand désir de se convulser. Horreur…

LaPoune : Écoute…

La vérité, il l'avait cherchée. Comment pouvait-il affirmer que j'étais importante à ses yeux après à peine quelques heures de bavardage en ligne et un souper au resto ? C'était tout à fait dérisoire. Il devait refroidir un peu.

Ingenious : Oui ?

LaPoune : C'est un peu fort là. Je pense qu'on s'est mal compris. Je ne veux pas que tu te fasses d'idées sur mon compte. Nous avons passé une belle soirée, mais sans plus.

Ingenious : Sans plus ?

LaPoune : Écoute, je ne cherche pas à me matcher à tout prix. Je n'ai pas BESOIN d'un chum dans ma vie. Là, tout ce que tu me dis, c'est trop intense ! Tu me donnes le goût d'éteindre mon portable !

⏻

Moins d'une heure plus tard, Mélo et moi étions dans ma voiture, direction IKEA. Yan a fait son apparition sur la banquette arrière, les yeux collés, un café dans une main et son journal dans l'autre. Typique. C'était un oiseau de nuit qui avait peine à sortir de son nid le matin. Heureusement que son boulot lui permettait de travailler en après-midi et en soirée.

– Je veux vivre votre vie de banlieusardes… Je vous suis, les femmes!

– Eille! On habite la Petite-Patrie, quand même!

– Pfft! Rosemont!

– La Petite-Patrie!

– Rosemont!

– Argh! Laisse faire, tu comprends rien!

Mélodie lui a balancé une claque sur le genou et lui a fait signe de boucler sa ceinture d'un geste de la main, en bonne maîtresse d'école qu'elle était. Quand elle et moi nous étions retrouvées célibataires à peu près au même moment, elle dans l'obligation de quitter le logement de son ex, moi par besoin de changer d'air, il s'était avéré gagnant pour nous deux de partir en colocation. Nous avions trouvé un six et demi: grand, aéré, éclairé avec une cour extérieure pour Monsieur-Monsieur et son compagnon félin, et une terrasse assez spacieuse pour y accueillir un ensemble de meubles de patio et un barbecue.

De son côté, Yan payait un loyer de fou pour son deux et demi miteux sur le Plateau. Pour lui, ça n'avait pas de prix. Il aimait l'âme de ce quartier, ses logements aux murs de carton et aux hauts plafonds, les boutiques et les services à proximité. De plus, il était près du spa où il travaillait comme massothérapeute. Et loin de lui l'idée de déménager dans le Village. Il préférait être en terrain neutre et à l'abri de ses conquêtes d'un soir.

– C'est quoi le programme d'aujourd'hui, les matantes?

– Je veux m'acheter un nouveau lit, a répliqué Mélodie, le nez dans le feuillet publicitaire du magasin.

– Parlant de lits qui grincent trop…

– Yan ! Je n'ai pas dit ça…

Dans le rétroviseur, j'ai vu qu'il pouffait de rire sur le siège arrière. Il a insisté :

– Parlant de lits qui grincent trop… Comment ça va avec le mec qui porte tout le temps son chapeau même pendant que vous baisez ?

– Ha ! Là… là !

Nouvel éclat de rire. Même Mélo, qui se donnait un air offensé, a pouffé. L'heure des bilans était venue. Direction autoroute métropolitaine. C'était une belle journée de fin d'hiver annonçant le printemps. Et pourtant, le trio que nous formions se retrouvait encore préoccupé à divers degrés par nos rencontres infructueuses. Comme quoi, cela nous suivait partout.

– Toi, Yan ? T'avais pas une *date* hier ?

– Bah ! Intéressant… mettons… Il m'a fait à souper puis après, tu sais ben, on a four…

– Qu'est-ce que vous avez mangé ? a demandé Mélodie précipitamment.

Je connaissais leur petit manège. Elle essayait de faire diversion. Et lui, il ne cherchait qu'à la dérouter avec des répliques salaces, ce qui marchait à tout coup. Il lui a lancé un regard entendu et tout à fait lubrique en lâchant avec un zézaiement très joyeux et stéréotypé :

– Des saucisses…

Il a mimé un geste que j'ai manqué, ma concentration étant fixée sur la circulation qui d'ordinaire était fluide et paisible le dimanche matin.

– Trop dégueu ! a crié Mélo. Mais combien tu lui donnes sur dix ?

– Moi, je ne donne pas de notes comme vous autres. Sauf si le gars pue du batte. Là, j'enlève des points.

J'ai éclaté de rire.

— T'as pas d'allure, Yan!

— Ah, mon Dieuuuu! s'est écriée Mélo encore plus fort. T'es tellement, mais *tellement* dégueulasse!

Elle a balancé plusieurs coups de poing sur le genou de Yan, qui gémissait et objectait:

— Hé! C'est pas moi qui pue du batte! Bon, bon… changement de sujet… Et toi, la chasseuse de têtes, as-tu un candidat dans ta mire?

— Hum… Je pourrais bien, je pense. Ingenious l'ingénieur.

— Mais?

— Mais… il est trop dedans.

— Bon, bon…

— Je te jure Yan. Il est trop accro, ai-je protesté. Et tu sais que je n'aime pas ça!

— Elle veut un gars indépendant comme elle! a dit Mélo et, juste à son ton, je pouvais savoir qu'elle roulait des yeux.

— Et tu sais ce que j'ai à te dire là-dessus, a insinué Yan.

Je le savais… Que j'étais trop difficile et que je ne saisissais pas les occasions de m'amuser, qu'il fallait que je suive son exemple et que je m'envoie en l'air. Penser comme un gars en rut et agir comme tel, à quelques détails près, bien entendu.

— Je sais… Je sais…

— Il a fait comme les autres au moins? s'est-il informé. Il a «checké» tes fesses?

— Oui.

— Les gars ne regardent jamais mon derrière! s'est plainte notre amie. Pourquoi donc? J'ai pas des belles fesses, c'est ça?

— Ben non, ma chérie, t'as un derrière croquable, l'a rassuré Yan.

J'ai jeté un bref coup d'œil dans sa direction, elle avait pris une teinte rouge tomate pas tout à fait prête à être cueillie.

— C'est que tu ne te retournes pas au bon moment. C'est tout! ai-je dit en guise d'explication. C'est sûr qu'ils évaluent la taille de ton postérieur. Ça fait partie du rituel de rencontre.

— Et vous, les filles? Vous regardez quoi? Les yeux? a rigolé Yan. Pfft!

— Oui.

— Oui.

— Et, je répète... pfft!

La conversation s'est poursuivie dans le IKEA. Il y avait foule en ce dimanche matin. Mélo et moi ramassions joyeusement les babioles pour enjoliver notre appartement tandis que Yan poussait le panier de mauvaise grâce, commentant nos dépenses avec des soupirs d'exaspération. La décoration intérieure ne se trouvait pas dans ses champs d'intérêt, le magasinage non plus. Il ne pensait qu'à manger. Un vrai gars. Mélodie allait d'un bord à l'autre du IKEA, s'extasiant devant les appartements montés, prenant des mesures avec la petite bande de papier donnée à l'entrée du magasin.

J'ai eu une bouffée de déprime, ce qui m'arrivait très peu souvent. Dans ces fausses pièces, dans ces faux bouts de maison, il y avait une vie que je n'avais pas. Des pièces plus vastes et qui communiquent entre elles; un bain sur pattes surmonté d'un splendide chandelier (et pas cher!); une cuisine de rêve avec un îlot de travail zen, ergonomique et bien organisé; deux fours encastrés parce qu'on ne fait jamais assez de tartes; une grande table pour douze convives parce qu'on n'a jamais assez d'invités, d'amis et de famille proche.

Le bonheur à votre portée. Sale et belle job de pub!

Eh oui, vous allez en «sacrer une *shot*» en vissant des morceaux pendant quatre heures pour vous rendre compte que vous avez assemblé le tout à l'envers. Mais vous serez heureux dans votre petite maison. Et il ne vous manquera plus que le lit Füldür pour que quelqu'un y tombe dedans.

Plus tard, dans la cafétéria du magasin, nous étions attablés devant notre dîner économique et entourés de familles et d'enfants braillards.

– Ben oui, je veux un chum, voyons donc!

J'ai soutenu les froncements de sourcils et les regards sceptiques. Même les boulettes suédoises ne semblaient pas me croire.

– Mais… j'ai le droit d'être sélective!

Nouveau silence. Mélo s'amusait à crochir les yeux et Yan, de son côté, mordait dans une boulette en me regardant d'un air suggestif.

– Je ne vais quand même pas me matcher avec n'importe qui!

À côté de notre table, sur le plancher, gisait un bambin en pleine crise. Le petit garçon se tortillait comme un ver, le visage rouge de frustration. Il était jaloux de sa grande sœur qui, elle, avait un cabaret à elle toute seule alors que lui devait partager celui de sa mère. Les parents nous lançaient des regards gênés et essayaient de le distraire en lui promettant de lui acheter une babiole dans le département enfants. Embarrassée pour eux, j'ai détourné la tête. De l'autre côté, un poupon jetait sa nourriture par terre avec une grimace de chimpanzé. Comme si toute la faune enfantine s'était donné le mot, les cris et les pleurs se sont amplifiés. Yan, feignant la panique, a attrapé sa minibouteille de vin pour y boire au goulot.

– Les filles, voulez-vous vraiment de cette vie-là?

– Oui! s'est exclamée Mélo avec enthousiasme.

Pour toute réponse, je me suis contentée de picorer ma salade.

Comment envisager la possibilité de tout ce sur quoi j'avais tracé un X bien net? J'avais ma carrière et mes amis. Ces deux aspects de ma vie représentaient pour moi plus que ma propre famille. J'avais tout ce dont j'avais besoin. Avec un peu de chance, Mélo aurait la vie à laquelle elle aspirait. C'est ce que je lui souhaitais, mais, pour moi, y rêver relevait d'une dimension étrangère et parallèle.

Alors que j'étais plongée dans ces pensées, j'ai entendu le spasme de Mélodie et vu la fourchette de Yan se poser lentement sur la table. Elle a lancé un coup d'œil affolé par-dessus mon épaule et j'ai eu droit à ce qui m'avait toute l'apparence d'une séance d'hypnose ratée comme si elle cherchait une quelconque façon de capter mon regard. Soudainement méfiante, je les ai écoutés converser :

— Ha! Haaa! Je ne vous ai pas raconté ce qu'un de mes élèves m'a dit l'autre jour, hein, hein? a balbutié Mélodie. Il m'a dit… Il m'a dit…

— Ouin, ouin, c'est ça, a répliqué Yan en mimant un mouvement de rotation avec les mains comme pour l'inciter à accélérer. En tout cas, vous auriez dû voir mon beau brun d'hier. Il était tout content de me faire à souper. C'était quasiment *cute*!

— Qu'est-ce que vous avez mangé, tu m'as dit? lui a-t-elle demandé nerveusement, comme si elle n'avait pas posé la question une heure auparavant.

— Des sauciiiiiisses!

— Des saucisses! Ha! Ha! C'est drôle, ça!

Elle a couiné comme un petit cochon sous le coup de son rire forcé.

Malaise…

— Ben voyons! C'est quoi votre problème? me suis-je impatientée.

Je me suis retournée puis j'ai suivi des yeux la direction du regard furtif et inquiet de Yan.

— Clara, on devrait partir, là!

Le brouhaha des voix d'enfants et le bruit des ustensiles qui cognaient contre les assiettes blanches grondaient autour, mais subitement, je n'entendis plus rien. Je ne voyais qu'eux :

Vittorio et Nancy. Ils attendaient en ligne pour payer leur repas. D'une main, il lui frottait le dos tandis qu'elle lui parlait.

Ma faille…

Trois ans de relation, d'une belle relation. Il n'y a rien de parfait, mais parfois quand on croit que tout va bien, on se dit qu'on y est presque. Elle, qui se disait notre amie, mon amie. Ma collègue, ma complice. Le pire c'est qu'elle me ressemblait, mais en mieux, je suppose. Entre Nancy et moi, une franche camaraderie s'était installée dès le départ et puis, très vite, nous avions pris plaisir à compétitionner, stimulées par les bons coups de l'autre et par le désir de mener l'entreprise à son plein essor. Puis les choses ont changé…

Je n'ai rien vu venir quand Nancy a été prise par une soudaine frénésie de décoration. «Est-ce que ça te dérangerait que Vitto m'aide à peinturer les murs de mon salon en fin de semaine?» «Mais non!» «Est-ce qu'il peut m'aider à monter ma nouvelle étagère?» «Mais oui! Il arrive tout de suite!» «Il a accepté de refaire ma salle de bain! Est-ce que j'abuse de sa gentillesse?» «Absolument pas!» «Et le plancher de ma chambre? Et mon lit… mon lit…»

Nos projets de maison à nous avaient été mis de côté. Il était devenu l'entrepreneur personnel de Nancy. J'ai eu des doutes, mais je les ai enterrés sous une bonne dose de confiance et de naïveté. Et puis, j'avais la tête ailleurs, trop occupée par ma nouvelle carrière. Je m'étais retrouvée seule dans la course. Nancy avait trouvé une autre passion que sa carrière.

Vitto, ce n'était pas son genre. Il était trop limpide, on pouvait lire en lui. Je *croyais* pouvoir lire en lui. Et il m'aimait. Puis, quand je l'ai confronté, il a nié: «Je t'aime TOI. Je te jure qu'il ne s'est rien passé avec elle. Je t'avoue que j'y ai pensé, mais tu sais bien que je ne te ferais pas ça.»

Et pourtant, il l'avait *fait.*

Un jour, ils arrivent ensemble à un de nos soupers d'amis. Leurs doigts se touchent comme pour se donner du courage. Elle dépose les deux bouteilles de vin sur la table devant Mélo et Yan, les promouvant témoins involontaires de ce qui va suivre. Nancy baisse la tête. Ses doigts agrippent ceux de Vittorio avec encore plus de force.

Je comprends tout. Tout d'un seul coup. D'un coup au ventre. Mon estomac se révulse. Mon esprit bascule. Les morceaux se mettent en place. Puis le tout s'embrouille. Non… Non. Je vais chavirer… Et pour m'empêcher de me noyer, j'observe attentivement l'étiquette des vins en les rapprochant de mes yeux comme si ma vision était défaillante. Wow! Elle a acheté deux bonnes bouteilles à quarante piastres. Quelle générosité!

Nancy, elle, baisse la tête encore plus bas et Vittorio, lui, relève la sienne.

Et, il fait l'annonce.

*Ils* sont amoureux. *Ils* sont désolés.

«Capote pas, Clara. Capote pas.»

Pourtant, je ne fais rien, je ne dis rien. Je suis paralysée. Je suis anéantie. Dans ma tête, je balance au sol les couverts qui se trouvent devant moi. Dans ma petite tête de cocue, je leur balance les bouteilles de vin par la tête et je leur ouvre le crâne à tous les deux.

*Qu'ils baignent dans leur sang, qu'ils se noient dans son foutre et dans tous ces fluides qu'ils ont échangés. Qu'ils crèvent! Traîtres!*

Dans ma tête, je hurle toute la rage qui monte en moi, mais je ne réussis qu'à articuler: «Allez-vous-en.»

Ma faille…

– On ferait mieux de partir, a répété Yan en brandissant la circulaire d'IKEA. Il y a des rabais aujourd'hui! Gros spécial sur les accessoires!

⏻

C'était Vittorio le fier responsable en chef du plateau de repas. *Il* prenait les ustensiles pour *elle*. *Il* commandait pour *elle*. *Ils* se souriaient. *Ils* avaient l'air heureux. Et moi, sur ma chaise moderne, ergonomique et économique, avec cette pseudo-queue-de-cheval, ce ramassis de cheveux sales du dimanche – parce qu'on va juste au IKEA, j'étais replongée dans le passé et je me sentais moche comme jamais.

Un appartement qui inspire le dégoût. Même s'il ne vivait pas avec moi, je suis sûre qu'ils L'ONT FAIT… là… chez moi… en mon absence. Dix mille piastres de meubles presque neufs destinés à notre future maison : à vendre dans les petites annonces. Monsieur-Monsieur, qui est alors un chiot, couine et pleure toute la nuit. Toute la nuit. Le gouffre. Le sentiment d'être une merde molle sur deux pattes. Après des mois dans le noir, la remontée lente vers la vie. Yoga, littérature psycho-mochetonne, tisanes antipei-peine d'amour. Antidépresseurs ? Pas une option.

Et puis vient la rémission, enfin. Mais quand il y a rémission, il peut y avoir rechute, immanquablement. Les mois passent, on croit aller mieux. On a presque réussi à faire fi de la douleur et à la remiser dans une petite boîte de souvenirs à la place des photos qu'on a brûlées au-dessus de la cuvette avant de pleurer et de vomir sur le tas de cendres mouillées. Mais, elle est là cette douleur, insidieuse et prête à ressurgir au détour.

– Coudon ! Elle a donc ben engraissé ! s'est écriée Mélo.

Si c'était pour mettre du baume, elle se trompait. J'avais tout compris.

– Ah ben, fuck ! a soufflé Yan entre ses dents.

Nancy s'est retournée et derrière elle suivait Vittorio tout sourire. Lentement, ils quittaient la caisse pour se trouver une table.

– OK. On s'en va. *Go*, les filles ! *GO* !

Yan m'a tirée par le bras, me forçant à me lever. Sortie de secours… Sortie? Sortir! Mélodie ne savait que faire de la main tremblante qu'elle tenait devant sa bouche. Elle a ramassé mon manteau et mon sac.

⏻

Ce soir-là, dans ma chambre, je n'en menais pas large. Mouchoirs de papier en boule, les yeux bouffis fixés sur le portable. Maudit portable. Horrible bête moderne.

Allo Clara,

On vous a vus ce matin au IKEA. Vous êtes partis tellement vite! J'espère que tu vas bien, que Yan et Mélo vont bien aussi. Je sais que ça peut te paraître bizarre ce que je vais te dire, mais je m'ennuie de vous. Tellement! Ça fait presque deux ans. Ne sauras-tu jamais me pardonner? Je suis vraiment désolée, mais c'est la vie. Je te le répète encore, Vitto et moi ne l'avons pas cherché, ça nous est tombé dessus. J'aurais bien choisi quelqu'un d'autre, mais c'était lui l'homme de ma vie. Jamais je n'aurais voulu te faire de peine. Je te l'ai dit plein de fois…

Je pense que vous nous avez vus ce matin et vous avez sûrement remarqué (!): eh oui, je suis enceinte! J'accoucherai le 15 mai d'une petite fille. Avec cette grossesse, je me rends compte que la vie passe tellement vite. C'est fou, hein? Je m'ennuie tellement, mais tellement de vous autres, la gang de fous!

J'aimerais vraiment avoir de tes nouvelles, au moins savoir que tu es moins fâchée contre moi. Ça m'enlèverait un gros poids. Vitto t'envoie le bonjour. J'espère que tu vas bien! Au fait, je suis curieuse… As-tu un chum?

Nancy xx

J'avais hurlé, mais hurlé après Yan qui en avait trop mis dans l'espoir de dédramatiser la situation : « Au fond, j'ai toujours trouvé que Nancy, c'est un prénom de tache. En plus, elle est rendue avec un gros cul de l'enfer. Elle ne se remettra pas de sa grossesse. Je pense qu'elle va être obèse. »

– C'est chien pour les Nancy ! Ma cousine Nancy fait son postdoctorat en... quelque chose, avait crié Mélo depuis la cuisine. LA Nancy n'est pas une tache. Elle est juste... juste...

Ignorant mon amie, j'avais d'abord levé un doigt accusateur, puis brandi le poing vers Yan.

– TOI, LÀ !...

– TOI, LÀ ! Va prendre ton maudit lithium, puis laisse-moi tranquille ! FOUS-MOI LA PAIX ! Peux-tu comprendre ça, MAUDIT INNOCENT ?

C'était un coup bas. En bas de la ceinture. Il en avait perdu la face. Aucun jugement, aucune attaque envers mon ex et sa nouvelle flamme n'auraient pu justifier ça. Je n'avais même pas eu la force de m'excuser auprès de lui, mon ami qui était toujours là, toujours présent pour moi, même s'il avait un don inné pour dire des conneries, et ce, en particulier lorsqu'il était mal à l'aise. Et tout ce qui était sorti de ma bouche, c'était ces paroles blessantes, une attaque là où ça faisait le plus mal. Dans toute cette douleur ravivée, j'avais oublié que Yan aussi avait perdu une amie et qu'il avait été trahi à sa façon.

T.R. (occupé) : Salut, ça va ?

LaPoune (cherche partenaire de danse pour le mariage de sa cousine. *Help !*) : Ça va mal ! Très mal !

T.R. (occupé) : Woh ! Qu'est-ce qui se passe ?

LaPoune (cherche partenaire de danse pour le mariage de sa cousine. *Help !*) : J'ai revu mon ex !

T.R. était un éternel étudiant. Nous parlions de tout et de rien, surtout de rien. Loin de moi l'idée de lui raconter ma vie. Il était apparu dans mon cyberunivers par une soirée comme celle-ci, alors que je me sentais seule. C'était avant les sites de rencontre. J'avais abouti sur un site de clavardage général et nous avions échangé sur l'actualité du moment. Il était resté dans ma liste de contacts depuis. Un contact anodin et en quelque sorte réconfortant.

> T.R. (occupé) : Je pense que les ex ne devraient pas exister, point. Il faudrait les tuer après usage, comme le fait la mante religieuse. Crounch, fini. Plus de tête.
> LaPoune (cherche partenaire de danse pour le mariage de sa cousine. *Help!*) : Ha! Ha!
> T.R. (occupé) : Je t'accompagnerais bien au mariage de ta cousine, mais je ne sais pas danser.
> LaPoune : J'ai déjà quelqu'un!

Je ne l'avais jamais invité. En fait, avec lui j'évitais toute allusion à une éventuelle rencontre dans la réalité. Je me disais avec une certaine indulgence que sa présence en ligne me suffisait, mais la vraie raison était qu'il ne me plaisait pas du tout. J'avais vu sa photo et il était clair qu'on en resterait là. Sans commentaire.

Une autre fenêtre du logiciel s'est ouverte avec un « bip ». C'était l'accro.

> Ingenious : Allo! Ne t'en fais pas. Je vais être sage et ne pas dire de conneries…
> LaPoune : C'est correct. Justement, je voulais te parler! Ça va, toi?
> Ingenious : Oui et toi?
> LaPoune : Ça va suuuper top! T'as quelque chose de prévu samedi prochain?

Troisième leçon de drague sur Internet : restez toujours disponible. La fille pourrait se retrouver désespérée à son tour.

Même si mes cousines insistaient, je ne me suis pas levée quand le fameux moment du « lancer du bouquet » est arrivé. Je préférais le statut de célibataire récalcitrante. J'en avais marre de cette robe de demoiselle d'honneur en satin qui glissait sur ma peau. J'ai tiré Ingenious sur la piste de danse. Il était parfait. Il m'appelait « ma chérie » et allait me chercher des verres au bar sans que je le lui demande. S'il jouait le jeu ou s'il était sérieux, je n'en avais aucune idée. Peu importe. Je n'avais pas la force de lui donner l'heure juste. L'heure n'était pas juste, elle était même injuste. L'heure était à la fête, à la célébration des nouveaux époux, à l'abondance de nourriture, aux cadeaux que tous exhibaient pour en mettre plein les yeux à la galerie et aux bagues à cinq mille piastres qui scintillaient de partout.

Ingenious, je l'utilisais pour avoir la paix. La sainte paix. Même principe pour la somme que j'avais glissée dans l'enveloppe destinée aux mariés : cinq cents dollars, gracieuseté de mon pseudo-fiancé et de moi-même. Ils seraient grandement impressionnés. Tout le monde le saurait et on me verrait avec un regard neuf. Foutaises. Mon but n'était pas de leur en mettre plein la vue, mais bien qu'on me foute la paix.

Meringue, salsa, cha-cha-cha. Entre deux services, il fallait se trémousser sur la piste de danse et, bien que mon partenaire eût une petite base en danse sociale, ses pas revenaient toujours au swing, une danse qu'il avait apprise à l'université entre deux cours d'ingénierie. Peu importe, il était parfait pour l'occasion.

J'ai croisé les yeux de ma mère quand les mariés ont coupé le gâteau. Je ne sais pas si c'est l'alcool qui me montait à la tête, mais je pouvais presque sentir dans ses prunelles qu'elle jugeait que ma *date* du moment n'arrivait pas à la cheville de Vittorio. Il n'était pas Italien. Rien n'était à la hauteur de Vittorio, que ma mère adorait. D'ailleurs, selon la version qu'elle racontait à qui voulait l'entendre, c'était moi qui l'avais poussé dans les bras de *cette* Nancy. *Elle n'est jamais contente. Elle est comme son père. Jamais contente de ce qu'elle a.*

Tout le monde était heureux ou faisait semblant de l'être. L'alcool coulait à flots. La *famiglia* chantait en chœur avec l'orchestre: «*Ti volglio bene Angelina I adore you… E volglio bene… Angelina I live for you…*» alors que j'entraînais Ingenious dans les toilettes les plus proches. Ma vieille *nonna*, qui était à moitié sourde et ne voyait plus clair, se trouvait dans la cabine d'à côté.

*E un passione… You have set my heart on fire… But Angelina never listens to my song…*

– Merci d'être venu.

Je lui ai mordu le menton en dégageant sa braguette. Il était parfait. Ce soir.

– Oh! De rien… Vraiment, ça me fait plaisir…

– Hum… Je vois ça!

Longtemps, Ingenious se rappellerait cette fille saoule qui, pour lui témoigner son extrême reconnaissance, lui avait taillé une pipe dans les toilettes d'une salle de réception italienne au son distinct de la trompette. Il se souviendrait également du soulier de la mémé, sans doute pas si sourde qu'elle en avait l'air, qui battait la mesure dans le cabinet adjacent.

*Oh, mamma zooma zooma baccala, oh, mamma zooma zooma baccala, zooma zooma zooma zooma zooma baccala.*

J'étais une demoiselle de déshonneur. J'ai passé le reste de la soirée à boire et à danser comme une perdue, avant de conclure le tout, la tête dans la cuvette des toilettes, cramponnée au bras de Nita, ma demi-sœur qui portait la même robe rose que la mienne et qui avait la manie d'enchaîner l'anglais et le français, comme si je ne pouvais pas comprendre :

– *You're wasted, girl !* T'es vraiment finie !

⏻

Du statut « d'accro », Ingenious a vite décroché et pris ses distances. Les jours succédant ma mésaventure, nos contacts se sont limités à ce que je qualifiais de cyberbanalités (les politesses d'usage, la toujours insatisfaisante météo métropolitaine et un flirt sans enthousiasme). Comme moi, il voulait sauver la face. Je m'en foutais, au fond. Je l'avais utilisé.

Du reste, je savais qu'une page était tournée. Du gouffre, j'en avais vu assez et je n'avais pas l'intention d'y replonger. Il était temps de passer à un autre chapitre.

# CHAPITRE 4

Nous avions reçu une invitation pour le *shower* de Nancy. Je suis arrivée très tard d'un souper avec les filles du bureau. J'ai vu la petite carte placée bien en évidence sur la table de la cuisine, sans doute déposée par Mélo avant que cette dernière aille se coucher. Prévoyante, elle m'avait laissé le reste de sa bouteille de vin, comme pour m'aider à faire passer la pilule. Un peu ivre de l'alcool ingurgité en compagnie de mes collègues, j'ai tout de même porté un toast à la future famille en buvant à même la bouteille et je suis partie célébrer l'événement dans ma chambre. Moi, j'étais libre, après tout…

Le lendemain matin, je me suis réveillée recroquevillée sur la causeuse de ma chambre, éméchée et à moitié nue avec le vague souvenir d'avoir passé une partie de la nuit à clavarder sur Internet. Un alter ego était né, Zazz, avec tout ce qu'il fallait pour vivre dans un cyberunivers : adresse de courriel et fiche de rencontre. J'y avais même ajouté une photo de moi, mais tellement retouchée qu'on n'y voyait que du flou. Que de mystère derrière ce profil de vamp…

Cheveux noirs, jambes de velours. Sauras-tu me séduire ? Je suis ouverte à toutes les expériences…

Sur le Net, encore plus que dans la réalité, le concept d'ouverture sait attiser les feux. Chez l'homme, « je suis ouvert » peut s'appliquer à l'ouverture d'esprit ou à un tempérament accommodant. Mais chez la femme, on n'y voit que l'ouverture des jambes.

J'avais ri de cette idée de fiche, de cette double personnalité inventée. Zazz, une bisexuelle, dominatrice et vêtue de cuir parce qu'immanquablement c'est l'accoutrement qui vient avec. Zazz, qui avait clavardé avec un type soumis manifestant virtuellement ses érections par le suremploi du point d'interrogation. Un individu prêt à toutes les bassesses pour la rencontrer, allant jusqu'à ramper tout nu entre deux plages horaires de son agenda de bisexuelle tellement trop occupée et de bibliothécaire cochonne (pour ajouter au fantasme). Le pauvre avait mordu à l'hameçon (et au fouet!) tout fébrile à l'idée de prendre ce qui restait, après le chum *open* et la maîtresse nympho.

Clara, qui s'était allumé seule un joint réservé aux soirées entre amis et qui avait ri de lui. Clara, qui avait dû rire aussi d'elle-même parce qu'elle n'avait pas réagi à l'abréviation SM (sadomaso). Zazz, qui avait vite rajouté des répliques plus sensuelles pour que le gars n'en puisse plus et qu'il enfonce le point d'interrogation pour de bon. Clara qui avait mangé à grandes poignées des *chips* au vinaigre en pouffant de rire, tout le gros sac, jusqu'à en avoir les lèvres gonflées. Zazz, qui avait les lèvres gonflées de désir et pas juste celles du visage. Clara, qui avait fini par en perdre des bouts et par se réveiller avec des miettes de croustilles dans les cheveux et un soutien-gorge différent de celui porté le jour précédent. Clara, qui avait imploré, en bonne athée, un Dieu capable de renverser le temps et de réparer les erreurs de la veille.

*Pitié, faites que je n'aie pas utilisé la webcam…*

Clara qui n'a, malgré tout, pas supprimé la fiche de la vamp (au cas où…), mais qui a dû manquer le travail le lendemain pour cause de mal de tête carabiné.

Mon désarroi a été remplacé par le désir de faire un pied de nez au célibat, un gros « je m'assume, je retire le maximum de cette aventure, je me mets les mains dedans et je vis ça à fond ». Thelma et Louise en cavale, un *road trip* sans destination, la capote ouverte, les cheveux au vent avec le majeur en l'air, haut et fier à part de ça, ne faisant une halte que pour satisfaire des désirs immédiats.

Si la vie m'avait retiré un gros pansement d'un coup sec et qu'il se trouvait que, des années plus tard, la blessure était encore à vif, l'unique solution était d'y mettre du baume. De badigeonner ça à grands coups de pinceau, à grands coups de bite, s'il le fallait. Pour ne pas avoir mal. Pour me sentir en vie.

Renverser le mode passif pour celui de proactif. Susciter les rencontres. Baisser ses critères… jusqu'à un certain degré. Arriver à croire qu'on peut compartimenter ses relations et qu'on peut se distancier sans risquer de se faire égratigner. Réussir à apposer une étiquette sur le gars au premier coup d'œil : insignifiant, potentiellement intéressant ou amant. Voir dans chaque rendez-vous ce qu'on peut en retirer et comment on peut utiliser la situation à son avantage. Considérer que la déception n'existe pas et qu'on a toute la vie devant soi. Admettre que, dans chaque rendez-vous, il y a une corde de plus à ajouter à son arc, une suggestion de livre ou peut-être simplement un bon restaurant à découvrir. Et si tout va bien, une occasion de s'envoyer en l'air.

— T'as créé un monstre ! a lancé Mélodie en brandissant sa croûte de pizza comme pour incriminer Yan.

— Hé, c'est pas moi la pipeuse qui a « fellationné », et là j'invente le mot, un ingénieur au mariage de la cousine *santa* Maria ! C'est mademoiselle Clara, ici présente, qui a joué du pipeau.

De son index, il m'a pointée et j'ai immédiatement rentré la tête dans mes épaules dans un réflexe d'autoprotection.

– Ah… J'en reviens pas encore. C'est un peu irrespectueux, ce que t'as fait là, a dit Mélodie. Pauvre mèregrand !

Elle savait combien je détestais ma grand-mère. Ce qui m'empêchait de sombrer dans la honte totale, c'était le souvenir très flou que j'avais de cette mésaventure.

– J'étais saoule ! me suis-je justifiée avec un petit rire nerveux.

– Pfft ! Elles disent toutes ça, a soupiré Yan, en roulant des yeux et en parlant la bouche pleine.

– Comment tu peux savoir ce qu'*elles* disent ? a répondu Mélodie, prenant ma défense. Tu n'es pas comme un peu gai, toi ?

Son regard est passé de Mélodie à moi avant de revenir à mon amie. Elle avait elle-même plaidé la surconsommation d'alcool, quelques jours auparavant, après avoir commis l'irréparable : coucher avec un gars à la première rencontre, ce qui était contre toutes les règles de la fille désirant, plus que tout au monde, vivre une relation sérieuse. C'était la règle à ne pas transgresser, écrite noir sur blanc dans les livres psychomochetons du genre *Comment se trouver un mari en 30 jours* et *Rencontrer l'âme sœur et la garder*. C'était anti « règle de trois jours », c'était romantico-suicidaire. Et… c'était bon, si on pouvait mesurer l'ampleur du rouge aux joues de Mélodie. C'était bon, enfin, jusqu'au jour où elle se mettrait à attendre, bredouille, un coup de fil qui ne viendrait pas et qu'elle en arriverait à s'autoflageller d'avoir laissé le désir l'emporter sur la raison.

Yan s'est tourné vers moi pour m'ébouriffer les cheveux. Il ne se montrait pas peu fier, comme s'il avait lui-même quelque chose à voir dans ma « transformation ».

– Répète-moi donc *quiii* tu vas voir ce soir, m'a-t-il demandé en jetant un coup d'œil à Mélodie qui était plongée dans ses pensées.

– Dennis…

Dennis, un beau Portoricain que j'avais rencontré sur Internet, bien entendu. Il dansait comme un dieu et pour le reste… il jouait également dans la ligue des dieux, ce que j'avais pu constater la nuit précédente. En voyant sa photo, Mélodie avait lancé : « Oh, ça va faire des beaux enfants » en faisant référence à nos origines latines respectives. J'avais ri de l'idée considérant que j'avais peu de traits italiens.

– Denis ? Oh ! a lancé Mélodie émergeant de sa torpeur. Le danseur de salsa ?

– Non, pas De-nis ! l'a corrigé Yan. Dennis… Dénisss comme dans pénis. Dennis avec qui elle danse au Cactus de la rue St-Dénisss et qui lui montre son pénis après.

Je n'ai pu m'empêcher de rire devant la boutade de mon ami. Il a ouvert sa paume dans ma direction pour que je tape dedans, geste auquel j'ai répondu avec une sorte de résolution comme si je venais de signer un pacte informel. Mélodie, fidèle à son habitude, lui a lancé un regard faussement outré, ce à quoi notre ami a répondu qu'elle était trop prude.

– Ça va vous mener à quoi d'être obsédés par le sexe ? nous a-t-elle demandé avec un brin de tristesse dans la voix. Pour ce que ça donne…

Ça me faisait tout drôle d'être mise dans le même camp que Yan. Avec mes amis c'était tout ou rien. La recherche de l'amour ou le déni total. Entre les deux, je ne savais où me positionner. Pencher vers le pôle de Mélodie signifiait attendre et espérer l'utopique grand amour et surtout risquer de me faire blesser au passage. Du côté de Yan, c'était l'insouciance pure, saisir les occasions et s'amuser, point à la ligne.

Pour l'instant, je ne savais sur quel pied danser, alors, j'ai opté pour la salsa… avec Dennis.

— Je ne suis pas obsédée par le sexe, Mélo, lui ai-je répondu.

— Et, t'as rencontré combien de gars cette semaine?

— Euh, juste quatre…

Avoir un *fuck friend* ou un ami pour passer le temps n'était pas si facile que je le croyais. L'individu parfait ne devait pas être trop irréprochable. Pour tenir le rôle d'ami occasionnel, il ne devait surtout pas susciter d'admiration. Le piédestal amène une image magnifiée et le magnifique finit par faire palpiter le p'tit cœur avec les conséquences fâcheuses que cela peut entraîner. Être séduisant s'avère le critère numéro un, et au lit, il faut qu'il ait « le tour », sans forcément être l'amant du siècle. Car après avoir créé l'extase, l'amant formidable laisse le vide. Et, avec le vide vient la solitude. Je voulais me prémunir contre tout ça.

Il devait être plus près de la brute que de l'intello. Plus près de l'érudit que de l'abruti. Et surtout, ne pas engendrer de qualificatif tel que « *cute* ». Le *cute* vous donne envie d'écrire son prénom encore et encore, quarante-douze fois dans un p'tit cahier d'écolière, et ça, sous toutes les formes de calligraphie possible. Le *cute* s'imprègne en vous et surgit mentalement à tout instant de la journée. Il s'incruste dans votre vie jusqu'au moment où vous le voyez à vos côtés devant le sapin de Noël sur une photo de Sears. Quel salopard!

Dennis était parfait pour tenir le rôle d'amant. Il était esthétiquement beau, mais peu énigmatique. Rien pour engendrer une obsession. À part sexuellement et sur une piste de danse, le courant ne passait pas. Il savait garder ses distances, ne restait pas pour déjeuner. Pour me faire frémir, il me susurrait à l'oreille des mots auxquels je n'accordais aucun crédit. Je jouais le jeu parce que ça faisait partie du jeu, parce que c'était, en somme, excitant.

Il vient un moment où on arrive à une sorte d'impasse. En rester là ou faire évoluer le tout vers autre chose qu'une relation futile? Je n'ai pas eu besoin de me questionner bien longtemps, car, lors d'une soirée de danse, j'ai atteint mon point de saturation. La meilleure danseuse de la place avait mis le grappin sur Dennis alors que je m'étais détournée pour commander un cocktail. Trop tard. Leurs mouvements se faisaient déjà langoureux sur la piste de danse. J'ai senti le vilain goût trop familier de la jalousie s'infiltrer en moi. Cette fille, elle était plus habile que moi. Elle était sans doute plus belle que moi. Ça m'a frappée: une toute petite partie de moi avait fait de Dennis sa possession. Et ça m'a fait honte.

J'ai compris que la page était tournée. Malgré tout, je suis restée à cette soirée, dansant avec différents partenaires et partageant une autre danse avec Dennis. Lorsqu'il m'a avoué ne pas pouvoir me suivre chez moi parce qu'il travaillait le lendemain, je n'ai pas insisté. J'aurais dû partir plus tôt, la tête haute et deux cocktails de moins dans le corps, mais l'orgueil intact comme prix de consolation.

Une heure plus tard, je cognais à la porte de Yan qui m'a ouvert en me regardant avec des yeux bouffis.

– Qu'est-ce que tu fais là, Poune?

« Poune », c'était pour poupoune. Je n'avais pas le look. Je n'étais jamais trop maquillée, ni habillée avec des vêtements voyants ou trop sexy. Poune, c'était mon surnom depuis toujours. Depuis la première fois où il m'avait vue avec du mascara. C'était il y a longtemps. Je m'étais entêtée à le convaincre que je n'étais pas une poupoune, ce à quoi il avait concédé en m'appelant « Poune ». Le surnom avait perduré que je sois maquillée ou non, à mon meilleur ou carrément malade.

Ce surnom allait m'inspirer un pseudonyme sur Internet. La Poune. Le filtre parfait.

Ce soir-là, sur le pas de sa porte, « Poune » c'était pour ce qui restait de la poupoune qui était sortie et qui avait vu ses yeux charbonneux se transformer pitoyablement en une version raton laveur.

– Est-ce que je peux dormir ici ce soir et te coller ?

Il a acquiescé avec un demi-sourire entendu. Il nous arrivait parfois à Mélodie ou à moi d'aboutir en plein milieu de la nuit chez lui parce que nous étions sorties dans le coin. Il était entendu que si Yan ne répondait pas, c'est qu'il se trouvait avec quelqu'un. Il m'a laissé entrer avec un doigt sur les lèvres, me signifiant de garder le silence. Qu'il n'ait pas d'invité nocturne me surprenait un peu. D'instinct, j'ai regardé aux alentours et vu la jeune fille qui dormait sur le canapé-lit, emmitouflée dans ses couvertures. Noémie devait avoir pris plusieurs centimètres depuis la dernière fois que je l'avais vue.

– Des problèmes avec la mère... pour faire changement..., a chuchoté Yan avec un regard qui en disait long, plus long qu'il ne voulait m'expliquer.

Si, à dix-neuf ans, Yan s'était retrouvé père, c'est qu'il s'en était fallu de peu : un seul et unique spermatozoïde vainqueur, mais essoufflé d'avoir tant essayé de ne pas sortir du garde-robe. La mère de Noémie avait donné du fil à retordre à Yan qui devait lui payer une pension colossale, ce qui expliquait sans doute qu'il ait un appartement si petit. De plus, elle n'avait jamais accepté son orientation sexuelle et faisait tout pour le déprécier aux yeux de leur fille. Il n'y avait rien à faire, la petite l'adorait. Il aurait voulu avoir la garde de Noémie, mais à cause de son diagnostic de bipolarité, et bien que son humeur soit stabilisée par les médicaments, c'était une cause perdue d'avance. La mère avait beau être folle à lier, elle était assez manipulatrice et assez brillante pour limiter ses excès au répondeur de Yan, ce qui n'avait pas de poids légalement parlant. En cour, elle était irréprochable.

— Qu'est-ce qui se passe ? m'a-t-il demandé avec douceur après une brève toilette qui avait consisté à tenter de me démaquiller avec un douteux pot de Vaseline. C'est à cause de Dennis ?

J'ai haussé les épaules. Yan a ajouté des oreillers à son lit et a tapoté la place à ses côtés pour que je m'y installe.

— Je suis un peu découragée et peut-être… un peu déçue…

Je lui ai raconté ma soirée. Il a écouté en hochant la tête, en s'assurant du coin de l'œil que Noémie dormait toujours.

— Tu t'attendais à quoi ? C'est un *sex toy*, le gars ! Une option de plus et il a des piles dans le derrière et la faculté de vibrer.

J'ai ri de l'idée. Le don de vibration.

Yan m'a lancé un de ses t-shirts pour remplacer la robe que je portais. Il n'a pas détourné le regard tandis que je me changeais. Il n'y avait pas d'ambiguïtés ni de fausse pudeur entre nous.

— Je ne sais plus trop comment réagir avec les candidats.

Yan a pouffé de rire. Le nombre de fois où j'avais fait ce lapsus… Et pourtant, je ne mêlais jamais le boulot et les affaires de cœur.

— Je veux dire, avec les hommes, ai-je rectifié. Je sais encore moins comment réagir avec un amant…

— Écoute, ce n'est pas compliqué avec un *fuck friend*, a-t-il ajouté en baissant la voix sur les deux derniers mots. Il faut que ça soit temporaire. C'est soit occasionnel, soit intensif. Et si c'est intensif, il ne faut pas que ça s'étire, sinon t'as deux possibilités… Ou le gars finit par te taper sur les nerfs ou tu finis par t'attacher. Si c'est mutuel, c'est tant mieux… Mais bon, on ne va pas commencer à discuter de ça à deux heures du matin, hein ? Donc, je te dirais, la règle, c'est deux semaines maximum, pas tous les jours et surtout pas trois fois dans la même journée, sinon tu risques d'être accro… ou irritée.

Nous avons étouffé le même éclat de rire.

– Merci, docteur.

Je me suis calée contre lui, en cuillère et j'ai soupiré à la fois d'aise et de fatigue.

– Je t'aime, Yaninou.

– Tu pues la vodka, pauvre Poune.

– Merci !

Une chance qu'il était là. Dans un demi-sommeil, le souvenir de notre rencontre s'est imposé à mon esprit.

C'était l'été 1993…

Kurt Cobain planifiait peut-être déjà son suicide. Mélodie se pratiquait encore à essayer de chanter *I Will Always Love You* popularisé par Whitney Houston, au grand dam de mes pauvres oreilles percées trois fois. Ace of Base était le groupe pop de l'heure, mais on dansait aussi sur *Informer* de Snow à qui on prédisait une grande carrière et enfin sur tout ce qui passait à MusiquePlus, notre véritable gourou. Sinon notre activité principale était de déambuler en rêvassant dans les rues de la Petite Italie. Mélo et moi avions encore pleuré en regardant pour la trentième fois la cassette de *Mon fantôme d'amour*, espérant nous faire adopter par Patrick Swayze ou nous marier avec lui (selon notre humeur du jour). Mais l'événement marquant de l'été a été l'arrivée du petit nouveau dans le quartier.

Il n'était pas très grand, mais plus vieux que nous. Ça nous a frappées quand il est venu se poster devant nous alors que nous étions assises sur un bloc de ciment dans la ruelle, *notre* ruelle.

— Vous avez des cigarettes, les filles ? a-t-il demandé avec une voix grave qui avait fini de muer, mais pas fini de nous impressionner.

Mélodie a esquissé un geste en direction de sa poche et j'ai eu peur qu'elle n'en sorte des cigarettes Popeye. J'aurais crié de honte, je l'aurais ignorée, j'aurais nié qu'elle était ma meilleure amie depuis cinq ans. Je jure que je serais partie en courant avec le pouvoir aérodynamique de mes Converses. Non, Popeye est resté dans son minisac à dos en peluche. Elle a extrait son baume pour les lèvres à la fraise en levant les yeux vers lui, vers le gars.

— Non. On ne fume pas. T'es qui ? Tu viens de déménager ici ? lui ai-je lancé en le toisant du regard, pas près de me laisser impressionner par un garçon, même s'il était mignon.

— Ouin, juste là, a-t-il répondu en pointant une maison qui était perpendiculaire à la mienne. Je m'appelle Yannick, mais j'aime mieux qu'on m'appelle Yan.

— Moi, c'est Clara, mais j'aime mieux qu'on m'appelle Cla ou Cleeeeeuh. Ben non, c'est comme… une *joke*… genre ! C'est juste Clara. Point final. Ben… genre… là.

Je me suis tournée pour laisser la parole à Mélodie, mais elle était béate d'admiration, le baume à saveur de fraises figé en l'air à côté de sa bouche toute grande ouverte. J'ai dû prendre la relève.

— Elle, c'est Mélodie ou Mélo genre. Faut pas que tu l'appelles Mel… Mel, c'est comme Mélanie, tsé là…

Nous avons fixé le sol, la poignée de main n'étant pas d'usage à notre âge.

Deux semaines plus tard, je fumais la cigarette comme une pro grâce aux enseignements de Yan. Mélodie observait la scène en mangeant des bonbons. Bien que nous n'ayons rien demandé, elle s'était vite crue obligée de nous acheter des cigarettes pour se sentir intégrée. Elle tenait également à nous rappeler à intervalles réguliers que si elle se refusait à essayer la cigarette, c'était par choix. Sage Mélodie.

Après avoir partagé les cigarettes, nous sommes devenus intimes. Yan a proposé de passer à autre chose.

– Vous avez déjà «frenché»? a-t-il demandé tout bonnement un samedi après-midi.

Il nous posait toujours des questions à toutes les deux, même si Mélodie répondait rarement. Elle s'est étouffée avec un *gummy bear* pendant que je réfléchissais à la meilleure réplique. Mentir et lui dire que j'avais de l'expérience en la matière aurait préservé mon orgueil. La vérité était que, premièrement, je mourais d'envie d'essayer. Deuxièmement, j'en avais marre de me pratiquer sur mon poing fermé. Troisièmement, j'étais arrivée à court de qualificatifs pour décrire *l'acte* aux copines de mon école qui, elles, étaient toutes passées par là et qui me questionnaient sans cesse : «Comment tu trouves ça, "frencher"? Qui t'as "frenché"? Pis? Pis?»

– J'ai genre jamais fait ça, ai-je fini par avouer, légèrement honteuse, mais tout de même remplie d'espoir.

– OK d'abord. On essaie… genre? m'a-t-il demandé en jetant un coup d'œil à Mélo qui avait reculé sous l'effet de la surprise.

*Wahou! Ça… y… est! C'est le jour J!*

*Je vais enfin «frencher» un gars!*

J'ai approuvé d'un signe de tête et il s'est penché vers moi. Après l'impact de nos fronts qui se sont cognés l'un contre l'autre maladroitement, j'ai cherché des points de comparaison. Un peu mou, juteux, trop de salive, un peu comme embrasser du jambon, mais sans le goût de viande. Juste quand j'ai commencé à aimer ça, il s'est tourné vers Mélodie. Il ne lui avait pas demandé la permission, mais comme elle était en position d'attente, la bouche ouverte et les yeux fermés, il a plongé, confiant et saisissant l'occasion.

J'ai pouffé de rire en voyant qu'elle se tenait raide comme une barre. Mélo a lâché d'une voix aiguë quelque chose au sujet des feux sauvages et de la mononucléose. Après l'avoir embrassée, Yan s'est tourné une fois de plus vers moi pour récidiver avec un tourbillon de langue vertigineux en sens horaire avant de revenir à Mélodie, qui s'est laissé faire à nouveau, les bras ballants, mous comme des spaghettis.

C'était le bon vieux temps. C'était bien avant la mode des *trips* à trois. Pour Yan, c'était avant qu'il ne sache qu'il y avait un garde-robe dont il devait sortir.

L'air découragé, il a haussé les épaules avec un soupir.

– Bon… OK, d'abord… Avez-vous des jeux de société ? Des jeux vidéo ?

# CHAPITRE 5

(Extrait de fiche de FrileuxDesMamelons)
Je suis un gars avec de bonnes qualités et de bonnes valeurs. Dans mes temps libres, je fais de la moto et j'aime bien aller au gym de temps à autre, trois à cinq fois par semaine. Je préfère le soleil chaud à la température froide de l'hiver. Mes intérêts : la moto, le gym, et toi ! Mes valeurs sont : être vrai. Je suis une personne qui aime bien le soleil chaud, mais qui n'aime pas le froid et l'hiver. Mais par temps froid, j'aime beaucoup écouter des films à la grosse chaleur ! Sinon, je suis un passionné des salons de bronzage.

(Extrait de fiche de MégaDICK_69)
Hum… Je vais être FRAN avec toi. Je veux juste du sexe, du sexe et du sexe, mais peut etre un peut d'affections aussi, avec l'été qui s'envient et le temps chaud, les libido augmentes expotentiellemnet.

(Extrait de fiche de LeJackPot)
Il est enfin arrivé sur vos tablettes ! À la demande générale, voici l'homme de vos rêves. Avec lui, vous saurez à quoi vous en tenir. Savant mélange de brute, d'homme rose et d'homme moderne, il saura vous divertir de par sa culture (sans avoir l'air de péter plus haut que le trou), son sens de la répartie et son *sex-appeal*. (Et non sexe-à-piles !) Avertissement : il ne vibre pas, mais fait la job comme il se doit. Hâtez-vous, il n'est disponible qu'en un seul et unique exemplaire.

⏻

LeJackPot : Tu fais quoi ? LÀ ?
LaPoune : Je te « parle » et je rigole…
LeJackPot : Écoute… J'ai envie de te voir là, maintenant !
On se rencontre dans un endroit x. On va prendre un
café ou une bière. On jase et après, on repart chacun de
notre côté, le sourire aux lèvres. Qu'est-ce que tu en dis ?
LaPoune : Es-tu malade ? Un café à minuit ? !
LeJackPot : Alors, une toute petite mini-bière ? Allez…
Dis oui…

Ce que je voulais lui écrire, c'est que c'était tout à fait saugrenu
comme idée, qu'il était sûrement un peu fou ou pire un dépendant affectif s'il était si pressé de me rencontrer. Il était
minuit vingt et je devais me lever tôt quelques heures plus tard
pour aller travailler, mais j'avais passé les trois dernières heures
à rire devant mon écran et à maudire mes doigts qui ne ta-
paient pas assez vite pour tout ce que j'aurais voulu écrire.

Faire un pied de nez à la routine hebdomadaire, un brin
de folie le mardi ? L'idée me plaisait. Pourquoi pas ?

LaPoune (Panique en la demeure ! Je m'habille en pyjama ?) :
OK, l'inconnu… Où ?

⏻

Moins d'une demi-heure plus tard, je poussais la porte d'une
brasserie qui se situait à mi-chemin entre nos deux appartements. Sur la vitrine, montrant fièrement quelques fanions
du Canadien, était aussi annoncé qu'on y servait déjeuner,
dîner, souper et bière, les quatre repas principaux d'une
journée. L'endroit était presque désert, ainsi je l'ai aperçu à la
seconde. Il s'est levé et a ouvert les bras puis les a rabaissés,

me regardant fixement. Était-il surpris? Agréablement surpris? Déçu? Victime d'une crampe oculaire?

– C'est toi LE JackPot?

Il a cligné des paupières et a enfin réagi.

– Je l'espère bien!

Il m'a invitée à prendre place à côté de lui sur la banquette.

– Ah! Je le savais…

– Quoi?

– Que t'étais jolie!

C'était dit avec sincérité et sans flatterie forcée. Et lui, il était mignon, très mignon. Des cheveux noirs très courts, de beaux yeux bruns et un beau sourire. Un beau trio. Nous avons commandé chacun une bière en fût et sans goût et je me suis mise à parler et à répondre à ses questions avec aisance. Enfin, c'était comme si nous étions en terrain connu, un étrange sentiment de familiarité s'étant déjà installé. Tourné dans ma direction, il me regardait intensément, buvant chacune de mes paroles.

– Tu chasses les têtes? a-t-il dit en faisant mine de ravaler sa salive avec un air catastrophé comme si je lui avais révélé que je les coupais en morceaux pour les faire cuire style méchoui.

– Une façon de parler. Je suis agente de recrutement, si tu préfères…

– Et tu aimes ta job?

– Oui, vraiment! C'est un travail top secret, ultra-dangereux.

Nul doute, il était mignon et très amusant. Sa main a agrippé la salière.

– Qu'est-ce que?…

– Ah, ça ajoute des bulles, a-t-il expliqué en secouant la salière au-dessus de sa bière. Aussi, ça enlève le côté amer de la bière.

– Amer ? Hum, t'es sûr ? Il me semble qu'elle ne goûte pas grand-chose, mais bon… Et toi, tu fais quoi dans la vie à part charmer les internautes au petit matin ?

– Je suis avocat.

– Oh ! Intéressant…

Son sourire s'est élargi.

– Intéressant ? La job ou moi ?

– Les deux…

Par-dessus mon verre, j'ai répondu à son sourire. Il passait le test assurément. Beau, professionnel, drôle. Je lui souriais toujours, et lui faisait de même, seulement, il continuait de verser une quantité impressionnante voire inquiétante de sel dans sa pinte de bière. Je suis partie d'un grand rire voyant qu'il ne se rendait compte de rien, tout occupé à me fixer. C'était à la limite flatteur pour moi, mais dangereux pour sa pression artérielle. Il a porté le verre à ses lèvres sans me quitter des yeux.

– Ouais… T'es vraiment jolie…

Puis, il a bu une gorgée qui lui a arraché une grimace. Sans réagir, il a relancé sa ronde de questions, toujours aussi captivé, me laissant interdite à chaque nouvelle gorgée de bière.

Et il m'écoutait comme si j'étais le dalaï-lama en personne.

– Ce n'est pas trop salé ? lui ai-je demandé alors qu'il s'était rendu bravement à la moitié de sa pinte.

– Épouvantable…

Nous avons ri tous les deux, nous rapprochant instinctivement l'un de l'autre. Il a déposé son verre, me regardant bien en face. Puis, il m'a embrassée. Ses lèvres goûtaient le sel.

C'est ce qu'on pouvait appeler une belle rencontre improvisée.

⏻

Monsieur-Monsieur était plutôt grognon, ne voulant pas être délogé du corridor d'où il siégeait pour avoir l'œil sur tout, sans avoir à bouger d'un poil. Il y avait trop d'action pour Grosse Minoune qui, la fourrure du dos hérissée, s'était précipitée sous le sofa du salon en entendant la balayeuse retentir dans un vacarme assourdissant. Recevoir était une excellente raison pour tout nettoyer. Tout y était passé. De toute façon, avec les poils d'animaux partout dans la maison, nous n'avions guère le choix. En plus du grand ménage du printemps, un événement hors du commun se dessinait à l'horizon : une double *date* que nous avions improvisée, un peu à la dernière minute, avec nos candidats respectifs du moment.

Mélodie fréquentait MorduDeToi. Lorsqu'elle mentionnait ce nom pour nous parler du bonhomme qui y était rattaché, elle le précédait toujours d'un « OK, faut pas rire ! ». Mais, vu l'aspect dérisoire du surnom, impossible pour Yan et moi de concevoir que le gars ait un véritable prénom et qu'il fallait en faire usage. Et, bien entendu, nous éclations de rire, à chaque fois.

De mon côté, j'attendais Jack (alias LeJackPot), que j'avais revu deux autres fois depuis notre première rencontre. Nous avions plusieurs points communs que nous prenions plaisir à découvrir. Selon Mélodie, c'était dans la poche. De mon côté, je trouvais l'idée de définir une relation dès le départ tout à fait absurde. Pourquoi fallait-il sortir ensemble au lieu de simplement « dater » ? Parce que nous n'avions pas le terme équivalent en français ? Parce qu'il fallait obligatoirement mettre cartes sur table et s'afficher comme couple après un certain laps de temps de fréquentation ?

Malgré toutes mes réserves, l'idée de revoir Jack m'arrachait un sourire. Je pouvais faire un parallèle avec mon boulot. Vous faites un gros coup, un cadre accepte un poste, ne montrez pas trop votre enthousiasme, car il saura que l'entreprise est dans la merde. Un homme vous plaît? Soyez avare de réactions et ne lui laissez surtout pas croire qu'il pourrait être l'élu parmi le lot d'abrutis qui ont croisé votre route. Parce que de la merde, en amour, il y en a aussi.

Pas d'intoxication à l'horizon. Il était un gars agréable avec qui j'envisageais une possibilité. Donc… Vivre au jour le jour, sans trop de palpitations ou même d'attentes. C'était la situation idéale. Parfait pour moi!

À une heure de l'après-midi, Mélodie était encore en pyjama et chaussée de ses énormes pantoufles Bob l'éponge (cadeau de Noël d'un de ses élèves), alors que j'étais habillée et coiffée depuis dix heures.

– Mélo, grouille! Il faut s'activer! On doit passer à l'épi-cerie!

– C'est déjà fait, a-t-elle dit sans lever le nez de mon portable qu'elle s'était approprié, puisqu'il était là sur la table de la cuisine. J'ai fait une cyberépicerie. Inquiète-toi pas, j'ai commandé tout ce que tu avais mis sur la liste. On va rece-voir ça vers trois heures.

– Trois heures?! C'est de la bouffe réelle, ça? Et puis, c'est quoi l'idée au fait? J'ai une auto et on n'est pas handicapées.

– Bah… C'est juste pour le fun.

Retrouvez vos amis du primaire, faites analyser les lignes de votre main par Internet (le nombre de photos numérisées de sa paume gauche qu'elle avait faites, espérant pouvoir en-voyer une image claire). Cultivez votre jardin virtuel, mais oubliez d'arroser vos vraies plantes d'appartement. Mainte-nant, la cyberépicerie…

– Bon, je vais quand même faire un tour au marché Jean-Talon pour aller chercher de la *vraie* nourriture… fraîche!…

J'ai attrapé mes clefs d'auto en faisant mine de lever le nez sur le site qu'elle consultait. Elle m'a lancé une grimace sonore.

— Pfft, snob !

— Pfft, grosse paresseuse !

⏻

— C'est qui, T.R. ?

— Un *loser*…

Je jonglais avec les casseroles et, de son côté, Mélodie, qui considérait avoir fait son boulot d'assistante en coupant les légumes et en les plaçant dans de petits bols à la manière d'une émission de cuisine, s'était précipitée au premier « blip » provenant de mon portable.

— T'es donc ben pas fine, Clara !

— Il livre du poulet ! Je ne sais pas trop…

— Qu'est-ce que ça veut dire, *T.R.* ?

— Aucune idée…

— Oh ! Mais moi, je suis intriguée ! a-t-elle lancé en sirotant son Bloody Caesar, puis en se rapprochant de l'écran et en plissant les yeux, elle a ajouté : C'est peut-être lui l'homme de ma vie !

— Hum, je ne pense pas…

— Comment ça ?

— Ben… Il n'est vraiment pas beau, je te jure, Mélo !

J'étais presque honteuse d'avouer que l'apparence comptait autant. Peu importe qu'on veuille rencontrer le gars ou non, un verdict finissait par tomber. Il pouvait présenter un texte rempli de verve et d'esprit, mais il suffisait d'une seule photo moche pour faire fondre tout intérêt. Peu importe la photo, j'étais incapable de visualiser un gars en train de se mouvoir et de parler, si bien que je me basais sur l'image figée de son portrait pour y superposer mentalement une

bouche articulée à la manière des marionnettes des ventri-
loques.

— T'as vu sa photo, Clara ? Combien sur dix ?

— C'est vraiment chien de demander ça.

Je me suis inclinée vers elle, le menton appuyé sur son
épaule, et nous avons regardé sa photo dans un silence consterné.

— Ah, pauvre T.R. ! a lancé Mélodie un brin attendrie
comme si l'on discutait d'un chat de gouttière nécessiteux
qu'elle aurait voulu adopter.

— Quand même…

— Tu penses qu'il aimerait ça, rencontrer quelqu'un lui
aussi ?

— Je n'en sais rien.

— Ah ! Mais… pauvre lui !

Puis, elle s'est mise à taper sur le clavier, pendant que je
continuais de préparer le souper. J'ai dû m'enquérir de l'heure
d'arrivée de MorduDeToi à Mélodie, qui rigolait sans pour
autant prêter attention à ce qui se passait devant les fourneaux.

— Il demande si t'as couché avec le gars…

— Pardon ? me suis-je indignée.

— T.R. demande si t'as déjà couché avec le gars… Avec
Jack !

— J'avais compris, me suis-je impatientée. Dis-lui que
c'est pas de ses affaires…

— Il dit, et je le cite, qu'une fille qui invite un gars à souper lui envoie un message clair. Elle veut coucher avec…

— Mais, qu'est-ce que t'es en train de lui raconter, là ?

— Pas grand-chose…

Elle a ri en frappant la table puis a recommencé à piano-
ter sur le clavier.

— Il dit qu'inviter un gars à souper, c'est un code. Parce
que les filles savent que l'estomac est le prolongement de la
bite et que ça fait partie d'un rituel.

J'ai jeté le linge à vaisselle sur le comptoir en haussant le ton légèrement.

– Mais arrête de lui raconter n'importe quoi, là! Et qu'est-ce qu'il en sait, lui?

– Hou, hou, Clara se f… â… che, a répliqué Mélo en se dictant le mot à elle-même. Cla-ra diiiit que…

– Ne lui dis pas mon vrai nom!

– Oups! Trop tard!

Contrariée de m'apercevoir qu'elle tapait tout ce que je lui disais, je me suis dirigée vers elle en une enjambée pour lui fermer le portable directement sur les doigts dans un claquement sec.

– Ouch!

– Arrête Mélo! Sérieusement! C'est pas drôle!

– Il est trop drôle, lui… Je peux l'ajouter à mes contacts?

– Non… oui… et va donc chercher ton ordi, fatigante!

– Mais, le tien, c'est un Mac!

– C'est quoi, le rapport?

– Il me semble qu'un Mac, ça fait plus zen. J'aurais peut-être plus de chances en amour si j'en avais un… ou si tu me prêtais le tien plus souvent, a-t-elle exprimé avec un air de reproche.

– Tu dis n'importe quoi!… C'est quoi? La pensée magique du jour? Ou t'es déjà saoule?

Elle a baissé les yeux vers son verre maintenant vide.

– Oups… oui!

– Mélo, t'as un beau bonhomme qui vient souper. Et, youhou, un «neuf sur dix», à part de ça!

– Oui… bof… Je ne sais pas trop…

– Oh, oh! Je croirais m'entendre. T'es qui? Mon miroir?

Mais, elle n'écoutait plus, elle avait rouvert mon portable et riait de ce que T.R. avait écrit.

73

Je ne suis pas restée dupe des doutes soulevés par Mélodie surtout lorsque MorduDeToi a franchi le seuil de notre appartement avec deux bouteilles d'un très bon vin français et un sourire éclatant comme elle les aimait. J'ai cru voir mon amie se liquéfier sur place quand, du haut de ses six pieds, MorduDeToi s'est penché pour lui donner un doux baiser. Elle s'est vite tournée vers moi, le temps que je me présente et qu'elle me lance dans son dos un « *Oh, my God*!» bien senti. Puis, elle m'a remis les bouteilles en me jetant un regard digne d'*Autant en emporte le vent*, avant le « tombage» dans les pommes. Un phénomène étrange s'était sans aucun doute produit depuis leur dernière rencontre, car, soudainement, elle réalisait qu'il avait du charme… et des yeux bleus absolument envoûtants.

Jack est arrivé quelques minutes plus tard alors que les tourtereaux étaient à l'extérieur en train de lancer la balle à Monsieur-Monsieur. Il est resté sur le pas de la porte en me détaillant de la tête au pied avec un sifflement admiratif.

– Wow! Wow!

– Merci! Merci!

Tout de suite, il m'a embrassée, coinçant son carton de bières entre nous deux.

– J'avais hâte de te revoir, a-t-il avoué avant de me donner un autre baiser.

Définitivement pas de palpitations. Mais il était mignon. Il sentait bon et était exactement ce dont j'avais besoin. J'étais ravie. Je l'ai tiré vers la cuisine.

J'étais peut-être trop difficile ou trop exigeante. Il y avait anguille sous roche. Jack me plaisait. Il était charmant, intéressant et plein d'humour. J'avais envie d'être avec lui. Et pourtant… Comment expliquer alors qu'après le souper, j'avais décidé de rester seule et de ne pas prolonger la soirée à ses côtés?

Qu'il préfère la bière au vin, je pouvais m'y résigner, mais qu'il ait sorti de son sac une boîte de sauce Catelli en me demandant tout sourire: «Ça t'ennuie si je me fais cuire des pâtes?», c'était ce que je pouvais qualifier, de façon poétique, de «bout de la marde». Ce à quoi j'avais répondu, avant de déglutir: «Pas de problème, je m'en occupe.» Alors qu'il y avait un sacré mégaproblème. J'avais eu envie de hurler d'exaspération dans l'écho retentissant et métallique de la casserole destinée à lui faire cuire ses spaghettis.

À table, pour l'effort, il perdait encore des points. Sous nos regards persuasifs, il avait accepté, le teint vert, de prendre une petite bouchée de mozzarella fraîche. Puis, il s'était presque tordu de douleur à la vue de l'assiette de risotto, avait lancé des adjectifs comme mou, gris, visqueux, et s'était plaint que la viande en gros morceaux lui roulait toujours dans la bouche alors qu'en petits morceaux, ça allait.

*Tu veux que maman te cou-coupe ta vian-viande?*

Fidèle à son habitude, parce que, sans aucun doute, c'en était une, il avait saupoudré sa bière de sel. Les sourcils interrogateurs, il avait passé au radar toute la table et avait fini par mettre de la fleur de sel dans son verre. Une gorgée de la curieuse mixture et on entendait ses dents se démener comme si elles s'attaquaient à un sac de croustilles.

– C'est quoi, ça? avait-il demandé.

– De la fleur de sel…

C'est Mélo qui lui avait répondu, car je ne pouvais produire un son tellement j'étais choquée par ses caprices alimentaires. Un grand bébé qui ne semblait pas se rendre compte qu'il était comme un extraterrestre à table avec des adultes épicuriens. MorduDeToi s'amusait follement de la situation.

– Hein? Il y a des fleurs qui produisent du sel?

LeJackPot ou l'art de saboter un souper…

Le vrai de vrai JackPot halluciné dans une légende urbaine près de chez vous. Une fois, c'est un gars qui… À moins que ce soit le début d'une *joke* de *newfie*?…

# CHAPITRE 6

– Mais… comment je vais faire pour avoir confiance en moi après ça ?

– C'est pas de ma faute si MorduDeToi est devenu mordu de *moi*, ai-je lancé à la blague en laissant échapper un rire maladroit qui s'est sitôt éteint devant l'air déconfit de mon amie.

– Ah, là, là ! C'est chien, ça…

Je savais combien il lui en coûtait d'être là, au bout de mon lit, à m'exprimer le fond de sa pensée. J'étais consciente de tous les efforts que Mélodie devait faire pour s'affirmer et pour ne pas éclater en sanglots. Elle était allée en thérapie pendant deux ans pour en arriver à ce stade.

– Excuse-moi, Mélo.

C'est tout ce que j'avais trouvé à faire : accuser le coup, car, selon elle, j'étais coupable d'avoir séduit MorduDeToi lors de notre souper. Devant le fait que LeJackPot s'était montré complètement inculte culinairement parlant, je n'avais eu d'autre choix que de prendre la chose avec un grain de sel… littéralement. J'avais lâché des propos absurdes et Mordu avait renchéri jusqu'à ce que nous nous lancions dans une lutte verbale qui avait fait rire Mélodie, Jack, et même son spaghetti profané de sauce Catelli. Mais, le verdict était tombé. J'en avais trop mis. J'avais pris trop de place, empiété sur son territoire à elle et j'avais séduit Mordu, sans m'en rendre compte.

– Mais on sortait ensemble depuis six jours là, là, m'a objecté Mélodie d'une voix tremblotante. C'est pas rien, ça !

Comme elle me regardait avec insistance, j'étais bien mal placée pour la faire redescendre sur terre et lui signifier que, six jours, c'est bien peu.

– Non… c'est pas rien.

– Tu peux avoir tous les gars que tu veux… Moi, non ! Un coup de foudre par semaine, c'est pas assez pour toi ? Il fallait que tu tombes dans l'œil de Jack ET de Mordu !

– Ben là, mets-en pas trop ! On est loin du coup de foudre ! Et puis, franchement, Mélo, t'es super belle, voyons !

Trois jours après le souper, soit le mardi suivant, j'avais reçu un superbe bouquet de fleurs au boulot. Croyant qu'il venait de Jack, j'avais souri en imaginant qu'il écrivait des excuses du genre : « Je suis tellement con. J'aurais dû naître moins difficile ou souper avec un pince-nez et enfourner le tout comme un grand garçon. Je suis désolé d'être con. Maintenant, je mangerai tout ce que tu veux que je mange, allant du risotto au pouding de caca mou. Oui, je ferai TOUT pour toi. »

Le bouquet n'avait pas eu le temps de se rendre à mon bureau que j'en faisais cadeau à la réceptionniste. J'avais lancé la carte comme si elle était contaminée. Le message disait : « Clara. Je suis tombé sous ton charme. Je suis mordu de TOI. Signé : P. alias M.D.T. xxx. »

– De toute façon, c'est clair qu'il a des problèmes, ce gars-là, ai-je ajouté, voulant lui signifier qu'elle ne perdait rien. Si, du jour au lendemain, il passe d'une fille à l'autre, il n'est pas normal.

En tentant de le déprécier à ses yeux et de l'amener à voir le bon côté des choses, je ne faisais que me tirer une balle dans le pied et lui envoyer malgré moi le message suivant :

*Tu t'es entichée d'un gars qui n'en vaut pas la peine et tu n'es pas capable de t'en rendre compte par toi-même… Et c'est moi, la fille qui est tombée dans l'œil du gars, qui dois te le dire… Hum… Pas fort! Peut-être que tu n'en vaux pas la peine…*

– C'est chien quand même!…

J'avais le goût de lui remettre les pendules à l'heure et de lui rappeler qui j'étais, que je n'étais pas une «Nancy». Je n'étais pas une fille qui vole le chum d'une autre. Les mots sont restés pris dans ma gorge et je me suis détournée sans trouver la force d'argumenter.

– *Nonna* pense te déshériter.

– Ah bon…

Je suivais des yeux ma demi-sœur entre deux étalages de bibelots. Elle m'avait convaincue de l'accompagner dans sa tournée de magasinage. C'était elle qui organisait encore une fois un *shower* de bébé pour l'une de nos nombreuses cousines. Elle cherchait des cadeaux à remettre aux invités.

– Nita, *Nonna* ne m'a jamais aimée, de toute façon. Je le sais depuis le jour où je me suis rendu compte de ce que voulait dire «se faire regarder de travers».

Ma sœur semblait hésiter entre deux petites bonbonnières surmontées d'un poupon dans son berceau, deux sortes de dorures, un choix existentiel crucial. Kitsch ou déco classique? Ici, la ligne était pourtant mince.

– Quand j'ai appris ce que tu avais fait dans les toilettes au mariage de Maria, oh *my God*! Clara, *I was so shocked. What did you think?* Mais, à quoi t'as pensé, *for Christ sake*?

– Penser? *Maybe I was* pas mal saoule, hein? *It has been* pas mal longtemps *that I did* une pipe *to* un gars!

– *Sorry?*

Je me moquais un peu d'elle et de sa fâcheuse manie de passer de l'anglais au français sans arrêt.

Nous étions vraiment différentes l'une de l'autre. Ma sœur, elle, était toujours impeccablement bronzée, coiffée à la perfection. Elle gesticulait, exhibant une manucure parfaite tout en se replaçant constamment une mèche de cheveux derrière l'oreille. J'avais l'air d'une pâle copie de madame à côté d'elle qui soignait son apparence d'une façon presque compulsive. C'était une typique beauté italienne racée. Elle avait, pour compléter le portrait, des traits singuliers, des sourcils très noirs et une épaisse chevelure ébène. Je me consolais en pensant que, bien qu'elle fût ma cadette, je faisais plus jeune qu'elle et plus naturelle.

– Pauvre *Nonna*, a-t-elle continué en riant un peu. Elle en a parlé à toute la famille. *She basically told everyone.* Mais pauvre toi, oui pauvre toi!

Jamais elle n'aurait osé prendre ouvertement mon parti, mais je pouvais sentir dans son ton un brin d'admiration qui m'étonnait.

– Bah, au prochain mariage, je mettrai trois cents dollars dans l'enveloppe, six cents si je suis accompagnée, et là, elle va me respecter.

Elle a étouffé une exclamation devant la véracité de ce que j'affirmais. L'argent. Saint Argent. Elle ne pouvait me contredire. C'était comme ça. Elle-même était impressionnée par une telle somme. J'ai roulé des yeux.

Notre plus gros point commun avait été depuis toujours d'en avoir vu de toutes les couleurs avec notre grand-mère et d'avoir subi silencieusement ses railleries. Si je l'avais insultée en m'adonnant à des actes obscènes dans le cabinet d'à côté, c'était un bon pied de nez, lui donnant raison sur toute la ligne et bizarrement, je n'en éprouvais aucune honte… Pour ce dont je me souvenais de cette soirée.

Ma demi-sœur m'a fait un clin d'œil complice.

— *That guy was cute, anyway,* a-t-elle conclu comme pour expliquer et excuser mon impair. Il est *cute.*

Chère Nita qui essayait toujours de me comprendre sans jamais vraiment y arriver…

Une heure plus tard, nous étions assises à la table de la cuisine de notre mère. Mon beau-père était occupé dans son commerce, comme toujours. Nita avait réussi à me traîner là de force en prétextant qu'il y avait longtemps que nous n'avions pas popoté ensemble (« Et, ça ferait tellement plaisir à maman. ») et en ajoutant que je pouvais toujours rapporter quelques plats pour ma colocataire et moi.

C'était le traditionnel dimanche de la sauce aux boulettes de viande.

— Quand tu te maries ? a fini par lâcher ma mère après non loin de vingt minutes de silence lourdement précédées des politesses d'usage.

Le mariage. Les Italiens n'ont que ce mot à la bouche. C'est un symbole ultime de réussite sociale. De quoi avoir l'impression de manquer le bateau. Ce grand navire rutilant que je regardais souvent passer avec un mélange d'incompréhension et de répulsion.

Elle se tenait obstinément tournée vers le comptoir de la cuisine alors que nous étions, Nita et moi, à table en train de façonner des boulettes.

— Je ne peux pas y croire…, ai-je marmonné dans le col de ma blouse en direction de ma sœur. Elle a vraiment dit ça ?

— Je t'entends quand tu parles dans mon dos, a répliqué ma mère sans pour autant se retourner. Je t'entends tout le temps.

D'où je me trouvais, je pouvais percevoir le léger tremblement de sa tête causé par une nervosité constamment refoulée. Elle a ajouté entre ses dents :

— Tu ne peux pas passer toute ta vie à coucher avec tous les garçons.

J'ai cru l'entendre marmonner «comme une *puttana*», mais c'était sans doute mon imagination qui me jouait des tours. J'ai pris une grande respiration. Avec notre mère, il fallait en prendre et en laisser.

Surtout en laisser.

— Premièrement, je ne couche pas avec TOUS les garçons. Deuxièmement, avant de me marier, il faudrait bien que je rencontre un gars qui a du bon sens.

— *Allora*, pourquoi tu as quitté Vittorio?

— *Mamma*! s'est écriée Nita.

Notre mère s'est retournée pour me fixer durement. Elle a levé un doigt accusateur en l'air. Dans son regard était concentrée toute la puissance d'un cocktail Molotov. Ma seule défense était de détourner les yeux.

Si elle attendait une révélation, elle ne l'aurait pas. Mais bon, tout ce qu'elle désirait, c'était me lancer une autre flèche, ou une brique pour m'assommer et me clouer le bec. L'habitude de la décevoir était installée depuis longtemps. Souvent, ses commentaires me passaient par-dessus la tête, mais à d'autres moments, comme celui-ci, ils avaient le don de me piquer là où ça faisait le plus mal.

— Tu ne sais pas ce que tu veux. À ton âge…, tu DEVRAIS le savoir.

Là, elle n'avait pas tort…

Je n'étais pas à la hauteur. Jamais. Le seul aspect de ma vie sur lequel j'avais son absolution, c'était mon salaire. Pas le fait que j'aie réussi et que j'aie une brillante carrière, non. Elle valorisait l'argent que je faisais. C'était sa fierté, par procuration.

— Vittorio, il était parfait pour toi. Si tu t'étais occupé de lui comme il fallait, tu serais déjà mariée.

Ah non… Ah… non. Pas ça. Surtout, pas… ÇA!

– Bon. Je m'en vais.

– *Please, don't go,* m'a suppliée Nita.

J'avais dû changer de teint, devenir livide. Mes oreilles se sont mises à bourdonner. Elle a dû voir des flammes en sortir, car elle s'est immédiatement ravisée. Elle s'est levée et m'a tendu mon manteau avec empressement.

– On se voit au prochain mariage? ai-je demandé entre mes dents.

– Un *battesimo*! a tranché notre mère.

– Ouais, c'est ça. Au prochain baptême, alors! Ciao, la *famiglia*!

– Ouch… Ça fait mal.

– T'es coincée de partout…

Yan venait de toucher un point sensible. Mon premier réflexe avait été de me précipiter au spa où il travaillait pour recevoir un massage thérapeutique. Souvent, il nous massait, Mélodie et moi, à la maison sur une table portative que nous hébergions pour lui étant donné que l'espace de rangement manquait dans son petit appartement. Le tout se déroulait de façon bien informelle avec des éclats de rire et un verre de vin en main. Cette fois-là, en sortant de chez ma mère, je n'avais pu attendre. Tant pis, j'avais trop besoin de mon ami et j'étais prête à payer le plein prix pour me faire masser.

– Je lui aurais arraché la tête à ma mère! Franchement! Elle a le don de me faire pogner les nerfs. C'est inhumain. In-hu-main!

Il m'a demandé de me retourner sur le dos en plaçant professionnellement la couverture comme paravent entre nous deux. Je tremblais encore de toute la rage contenue plus tôt.

– Essaie de te détendre!

— Tu sais que t'es drôle de me dire ça, toi ?

— Abdomen ?

J'ai acquiescé et il s'est mis à me masser le ventre pendant que je lui donnais moult détails sur ma mésaventure familiale.

— La morale de cette histoire : sois jamais vache avec ta fille, Yan !

— Vache non, mais elle me dit des fois : «Ah, Papa ! T'es donc ben chien !»

— Déjà la préadolescence ?

— Ouais. Ça grandit vite, ces petites bêtes-là, a-t-il dit avec un soupir.

Il m'a fait remarquer, sur fond de musique zen et d'arômes d'huiles essentielles antifamille italienne, que mon foie était engorgé et que c'était sûrement dû à l'alcool ou carrément à la colère.

— Et Mélo, ça va mieux avec elle ? s'est-il enquis.

— Moyen… Je sens qu'elle rumine encore l'histoire de Mordu. Ça fait une semaine que c'est arrivé et elle m'en veut encore. Tu sais qu'elle est partie sur un *trip* feng shui ? Soyez heureux en amour grâce au feng shui ou quelque chose du genre !

Il a contenu un petit rire avant de se verser une généreuse quantité d'huile dans les paumes.

— Oui, elle m'a raconté ça, mais tu sauras qu'il y a des principes pas fous dans le feng shui…

— Là, elle est en train de replacer les meubles dans la maison. Il paraît que ça lui prend une pivoine rouge dans sa chambre. Elle a enlevé tous les portraits de femmes seules, tu sais, les images de princesses médiévales vraiment kitsch ? Puis, il y a tous les éléments en double qu'elle doit disperser un peu partout parce que ça favorise le couple. Le pire dans tout ça, c'est qu'elle a l'air convaincue que ça peut fonctionner.

Yan en était à me masser les pieds quand j'ai ajouté, un peu gênée :

– Je pense qu'elle est venue modifier des trucs dans ma chambre.

– Qu'est-ce que tu veux dire? Tu parles de sabotage? a-t-il demandé, l'idée le faisant sourire.

– Je ne sais pas... En tout cas, elle devrait être rassurée depuis que je suis déterminée à continuer de fréquenter Jack pour lui montrer que je ne suis pas une menace pour elle.

– Déterminée à?... Wow!

J'étais officieusement avec Jack, c'est-à-dire qu'il était dans ma vie sans avoir de statut particulier. Il avait des croûtes à manger et devait se départir du titre de M. Catelli. Et, comme ses croûtes, il ne les mangeait pas...

Mais ce n'était pas tout...

– Clara, ça, vraiment, je ne comprends pas, s'est-il exclamé. Il est *fucking* «nounomane», ton M. Catelli!

Yan avait élevé la voix, sans s'en rendre compte, traumatisant les clients en état potentiel de relaxation qui pouvaient l'entendre dans les pièces adjacentes.

– Il n'est pas normal, a-t-il ajouté, se reprenant et chuchotant. Même si c'est sûrement «un bon Jack»!

Jack et sa passion du cunnilingus... Jack qui n'en avait que pour mon bas-ventre et qui pratiquait l'acte sans grande expertise jusqu'au moment où je finissais soit par feindre l'orgasme, soit par essayer de faire dévier son centre d'intérêt vers n'importe quelle autre partie de mon corps qui n'était pas irritée par le mouvement régulier et presque douloureux de sa langue pointue.

– Oh, et Yan... tu sais quoi? J'ai appris qu'il a une maladie appelée la langue géographique! Ça explique en partie ses caprices alimentaires...

– Euh... Quessé ça?

– C'est une maladie d'origine génétique qui altère les papilles gustatives et peut perturber le goût. La langue a l'aspect d'une carte géographique et ça peut entraîner des fissures à la longue.

– Allo, Wikipédia !

– J'ai fait mes recherches.

– Oh que j'aurais le goût de le « frencher » à ta place !

– C'est pas si pire ! ai-je dit en m'étirant d'aise sur la table de massage. Il embrasse bien et maintient une haleine fraîche. Aussi, il a vraiment de belles qualités.

– Arrête, tu vas me faire pleurer. Ton romantisme est trop beau à voir. Et au lieu de t'amener au septième ciel, il pourrait te faire voir du pays... à petits coups de langue géographique.

– OK, vu comme ça... Ouache !

Dans un dernier espoir d'ouvrir les papilles de l'antiguerrier culinaire, je l'avais traîné à l'épicerie. J'étais la Mère Teresa des langues perturbées, attaquant les allées avec conviction et proposant un produit ou un autre à Jack, bien sceptique à la possibilité de se voir converti aux plaisirs de la table et à la fine cuisine. Il semblait avoir l'esprit ailleurs et répondait par monosyllabes. J'ai compris, une fois dans la voiture, ce qu'il avait en tête depuis une heure. Je n'avais pas démarré qu'il se penchait vers moi pour me murmurer à l'oreille :

– Je veux te manger...

– Quoi ?!

– Je veux te manger...

En couchant avec lui, j'avais libéré le démon. Nous n'avions plus de conversations. Il ne pensait qu'à ÇA !

– Maintenant ? ai-je dit affolée en bouclant ma ceinture de sécurité.

– Oui.

Il a continué de m'embrasser dans le cou en dégageant le foulard de ma nuque. J'imaginais mal comment la manœuvre était possible avec mon manteau et quelle position contorsionniste serait nécessaire pour que la chose se fasse avec un minimum de classe.

– Jack, on doit sortir du stationnement, l'épicerie est dans le coffre, c'est dimanche, jour du Seigneur et…

– Clara, s'il te plaît, laisse-toi faire…

– Si je te disais que je ne suis pas à l'aise?

– S'il te plaît…

– Et si je te dis, non, je n'en ai pas envie?…

– S'il te plaît…

*Bon sang…*

– Et si je t'avouais qu'en réalité, j'aime pas *ça* et qu'une grande majorité de femmes n'aiment pas vraiment *ça*?

Surtout quand la manœuvre est exécutée avec la délicatesse d'un malaxeur…

– Allez, s'il te plaît…

– Et si je te dis que je ne suis pas propre?

– C'est pas grave, ça.

*Mayday! Mayday!*

Il a ri de mon malaise, comme si je jouais à la coquette ne cherchant qu'à se laisser désirer. Je me suis dégagée en imaginant une caricature de moi-même lui balancer à la tête une incantation répulsive du genre: «Veux-tu que je te fasse un dessin? Je pue de la noune, bon! Peux-tu comprendre ça?» J'aurais ajouté en le regardant se contorsionner de douleur devant le sevrage de cunnilingus: «*Vade retro, Satanas del cunnilingus!*»

Chez Costco, tu trouveras l'ensemble-cadeau: *Le sexe pour les nuls*, *L'art du cunnilingus pour les nuls* et, en bonus, tu obtiendras *Origami avec ton zizi pour les vraiment vraiment nuls*.

J'ai démarré en appuyant à fond sur la pédale de gaz. J'aurais fui grâce au siège éjectable si ma voiture avait eu cette fonction.

Et pourtant, une fois chez moi, il a su se montrer convaincant. Après une douche salutaire, après l'amour (enfin, le sexe) nous étions nus et enlacés sur mon lit. Il me caressait les cheveux, pas peu fier d'avoir réussi sa manœuvre. À cet instant, j'ai cru qu'en creusant un peu je trouverais un potentiel exploitable dans cet étrange candidat. Peut-être juste un... amant... très... temporaire?...

– Je veux rencontrer tes parents, Clara.

J'ai sursauté et ouvert la bouche bien grand pour lui témoigner ma stupéfaction. Il y avait des limites à ne pas franchir. Il n'aurait pas pu tomber plus mal.

– En fin de semaine, tu rencontres les miens, d'accord?

Je me suis levée en prenant soin de m'enrouler dans le drap, ma pudeur soudainement revenue. Et d'un ton calme, j'ai conclu l'affaire :

– Non... Jack, je suis désolée, mais ça ne peut pas marcher nous deux.

(Extrait de fiche de LeJackPot)
Message aux filles qui ne veulent pas s'engager sérieusement : si votre passé n'est pas réglé, s.v.p. passez votre tour. J'ai assez donné! Je cherche une femme qui saura apprécier ce que j'ai de plus précieux à offrir.

# CHAPITRE 7

LaPoune : Regarde sa photo… Tu le trouves de ton goût ?

YinYang : C'est plutôt ton genre à toi, non ?

LaPoune : Peut-être… Et lui ?

YinYang : Bof… On va souper où ce soir ?

LaPoune : Attends, je vérifie. Portugais ? Vietnamien ? Thaï ? Pas de l'italien, pitié !

YinYang : J'ai le goût de manger du piquant… Miam ! Miam ! *Mucho mucho caliente.*

(Mélodrama vient de se joindre à la conversation)

Mélodrama : Qu'est-ce que vous faites à jaser sur le Net, vous deux ?

YinYang : *Long time no see* ! Quoi de neuf, chérie ?

LaPoune : Coucou beauté !

YinYang : Mélodrama ? Quessé ça ? Change de pseudo et vite ! Si ça, c'est feng shui en amour, je suis une poule et j'ai des dents.

Mélodrama : Euh, allo ? Et LaPoune, han ? C'est mieux ça ? Eille ! Je vous ai pas raconté ça ! Hier, j'ai vu Monsieur-Monsieur et Grosse Minoune en train de se zigner. Ouache !

LaPoune : C'est techniquement impossible, ça !

Mélodrama : Ben, c'était pas vraiment ça, mais Clara, je pense quand même que ton chien est aux chats…

YinYang : Coudon ! On est les seuls à ne pas baiser ?

LaPoune : Ouais…

YinYang : C'est le printemps pour de vrai !
Mélodrama : Bon ben, c'est très intéressant tout ça, mais c'est pas pour ça que je venais vous jaser. Quelqu'un peut m'apporter du papier de toilette, s.v.p. ?
YinYang : J'arrive à la rescousse, dame en détresse.

— Dans la grande armoire à droite, lui ai-je indiqué en pointant dans la bonne direction.

Yan s'est levé et m'a fait une révérence avant de s'exécuter, prenant la pose du superhéros prêt à décoller. J'étais en train de passer en revue le répertoire des restos «Apportez votre vin et bourrez-vous la face pour pas cher» quand Mélo est sortie des toilettes.

— Depuis quand tu traînes ton portable aux toilettes ? lui ai-je demandé.

Elle a ignoré ma question d'un geste de la main, a déposé son ordinateur sur une chaise et s'est exclamée :

— Eille ! On fait vraiment, mais vraiment dur !

YinYang : Nous sommes en effet assez pathétiques, merci !
LaPoune : Autant se tirer une balle dans la tête maintenant.
YinYang : Ou rappeler tous nos ex-candidats mésadaptés, c'est pareil.
LaPoune : Ou pire... S'inscrire à Facebook !
YinYang : Oh non ! Pas ça ! Veux-tu qu'on ait OFFICIEL-LEMENT plus de vie ?!

— OK, arrêtez, là ! a presque crié Mélodie en prenant place entre nous deux et en faisant mine de refermer nos portables respectifs. Ce soir, on sort voir du VRAI monde !

Puis, nous avons abouti à La Distillerie coin De Lorimier et Mont-Royal. J'en étais à analyser les ingrédients de mon savoureux mojito. Jamais ceux que nous concoctions n'étaient à la hauteur de celui-ci. Il devait nous manquer un coup de baguette magique ou l'intervention du barman que Yan voulait épouser dans le seul dessein de satisfaire nos exigences alcooliques.

— Voulez-vous bien me dire depuis quand tout le monde dans les bars est devenu jeune? a demandé Mélo avec un signe de la main à la ronde. Et aussi, pourcuoi on est les seuls à ne pas s'être fait demander nos cartes?

— Parce qu'on est devenu des trentenaires dépassés, ai-je répondu.

— Et que ça va nous prendre huit jours pour cuver nos gros cocktails, a enchaîné Yan en levant son pot Mason bien haut. Huit jours et un *six pack* de tisane d'artichaut et de radis noir pour la crise de foie.

À la table d'à côté, une jeune fille ayant à peine l'âge légal de consommer de l'alcool s'est mise à rigoler des blagues d'un garçon à la chemise à carreaux qui venait de se présenter à elle. Il s'est assis et s'est calé dans sa chaise, enchaînant avec une autre boutade qui a entraîné un nouvel éclat de rire. Nous avons roulé des yeux. Trop facile.

— On s'entend que ça ne peut plus nous arriver, ça, ai-je affirmé en buvant mon cocktail à grandes gorgées. Se faire aborder dans un bar, c'est plus de notre génération. Entre les jeunes qui commencent à sortir et les hommes qui ont le démon du midi, il y a un gros trou. Il faut se rendre à l'évidence, les gars de notre génération sont tous en couple ou mariés.

— Ah, toi et tes théories… T'es donc ben déprimante, a lancé Mélo en me balançant un coup de coude. J'y crois encore moi, bon!

— Les filles, vous pensez que je peux me taper un jeune cégépien ambivalent, à la fin de la soirée, si jamais je suis mal pris?

Mélo a grimacé. Et j'ai dit:

– À ce rythme-là, je pense que la fin de la soirée s'enligne pour être… à la prochaine gorgée.

Nous avons ri et nous nous sommes mis à nous trémousser sur notre chaise sur le rythme d'une vieille chanson du groupe The Cure. Enfin, nous n'étions pas si dépaysés! Au deuxième round, Mélo buvait la Poire Asiatique, un martini succulent. Yan, lui, avait commandé un Cucumber Rickey, une variation à base de gin. J'avais choisi le Castro Flambé, un délice… déroutant! Et puis, nous avons joué au cocktail musical, faisant fi du lendemain. Tout à coup, Mélo a sursauté en regardant vers l'entrée.

– Ah, mon Dieu! Ah, mon Dieu!…

Elle a rentré la tête dans les épaules, nous intimant l'ordre de nous incliner vers elle. Devant nos airs interdits, elle a marmonné entre ses dents :

– Ma *date* de l'autre jour… Le gars… vient d'entrer.

Elle s'est positionnée de façon à se trouver face au mur et s'est mise à siphonner son cocktail avec urgence comme s'il avait le pouvoir de la faire disparaître ou de la rendre invisible.

Yan et moi nous sommes retournés dans un même mouvement pas très subtil alors que notre amie vociférait en vain : «Re-gar-dez pas en même temps! Oh non, il m'a vue!»

Il était facile à reconnaître. L'image exacte que Mélo nous avait décrite. Un gars branché, avec des vêtements branchés et toute l'assurance qui vient avec. Bien entendu, elle l'avait rencontré, comme tous les autres, via Rencontres-Montréal. Leur premier et dernier rendez-vous s'était terminé quand il était venu la reconduire en voiture. Le clou de la soirée : il lui avait demandé cinq dollars pour l'essence.

Il s'est avancé vers nous, vers Mélo, à notre plus grande consternation.

– Ah ben, Mel! Comment tu vas?

– Euh, je… euh, bien…, et toi?

Il lui a fait la bise et Mélodie a rougi. Yan, qui avait le derrière du gars en plein visage, ne s'est pas gêné pour le reluquer et faire des grimaces suggestives à notre amie dans le dos de celui-ci. J'ai dû enfouir mon nez profondément dans mon pot Mason pour masquer mon rire.

– Ben, on refera ça. Je t'envoie un *e-mail*. OK ?

Elle a hoché la tête avec un sourire ravi tandis qu'il s'éclipsait pour aller rejoindre ses amis. Yan l'a couvé du regard.

– Il est *cute*, han ? Vous avez vu ses beaux yeux bleus ? Ah, oui, il est beau ! Vous pensez qu'il va me réinviter ?

– Non, Mélo, lui ai-je répondu. *Don't call us, we'll call you.* Ça ressemble à ça, en version française.

– Mais… il est venu ME voir, a-t-elle objecté. Et il a dit : on refera ça !

– Pour être poli.

– Ah non, ne me dis pas qu'il est poli en plus d'être beau comme un cœur. Je vais le regretter.

– Tu trouves ça poli, un gars qui fait payer son gaz à la fille ? a demandé Yan, son regard toujours fixé sur les fesses du gars.

Notre amie s'est rembrunie et a agrippé son cocktail avec dépit.

– Yan ! Peux-tu arrêter de lui regarder le derrière, s'il te plaît ?

– Minute… C'est dans un but purement scientifique !

Nous avons suivi la direction de son regard un moment sans trop saisir. Sa manœuvre manquait carrément de subtilité. Cela en était presque embarrassant. Après un long moment, il a levé les bras en l'air en signe de victoire.

– Bingo ! Eh non, MOI, je ne « checke » pas les fesses pour rien… Les jeans ? Diesel ! Le t-shirt ? Dolce & Gabbana ! Et ses souliers ? Pas sûr de la marque, mais c'est du cuir italien de très grande qualité… Et le *cheap* t'a demandé cinq piastres pour le gaz ! Pouah !

Surprises, Mélo et moi avons ouvert la bouche en même temps.

— Yannick Légaré, est-ce que tu nous parles bien de linge? lui ai-je demandé en riant.

— Mais, t'es donc ben GAI de dire ça! s'est exclamée Mélo.

Yan a haussé les épaules avec une grimace et nous avons tous les trois éclaté de rire.

(Extrait de fiche d'Hétéro_450)
J'aime les femmes de 30 à 50 ans, les hommes de 25 à 35 ans et j'aime aussi les couples. Du moment que c'est sensuel au départ et après… Hum… Ce que je veux? Rencontrer occasionnellement des femmes, des hommes et des couples. Je veux des soirées chaudes et sans lendemain.

(Extrait de fiche de GarsSérieux007)
Je suis un gars sérieux. Je cherche une fille qui a le sens de l'humour et qui acceptera mon petit côté rebelle au grand cœur.

(Vous avez reçu un message préfabriqué de: PasTropSubtil)
Tu ne me connais pas. Je t'écris pour te proposer un massage gratuit et sans arrière-pensées. Si tu es intéressée, n'hésite pas. Tu ne le regretteras pas.

(Vous avez reçu un message personnel de: PasPlusSubtil_MaisOhCombienMalPris)
Bonjour! J'espère que tu ne me trouveras pas effronté de t'écrire en privé. Je te trouve belle. Tu as l'air ouverte d'esprit, alors, je tente ma chance. J'ai 26 ans. Je suis relativement de belle apparence et propre de ma personne. Je suis encore

vierge et je cherche une femme, une amante qui voudra bien m'apprendre les joies de l'amour.

**⏻**

Le temps s'est écoulé, puis le printemps est arrivé officielle-ment. Il y avait foule sur la rue Sainte-Catherine, en plein cœur du centre-ville. Il s'agissait qu'un seul pied se pose en bas du trottoir pour entraîner un mouvement de masse et pour qu'une horde de piétons traverse l'intersection au feu rouge, au grand déplaisir des automobilistes. Si la marmotte avait vu son ombre, le colon québécois et l'Anglo primitif, sortant de leur torpeur hivernale, s'étaient mis à gueuler cha-cun de leur côté (et à leur façon) en apercevant les voitures sport qui vrombissaient dans les rues. Le Frappuccino de Starbucks avait refait son apparition pour enfouir sa paille dans toutes les bouches assoiffées d'été et de chaleur. C'était le retour de la petite jupe. Non, pas de la mini, qui n'était plus tendance, mais le petit genou à la chair de poule était là pour rester, car la saison estivale se laisserait encore un peu désirer.

Avec le printemps, oh! vent de renouveau avec toutes ses promesses, c'était pour moi le retour de l'inlassable man-tra: «Je suis bien, seule. Oui, je suis bien, seule.»

J'y croyais vraiment. Tellement.

J'y croyais avec une ferveur égale à celle de Mélodie qui, elle, poursuivait sa quête assidûment comme pour se convaincre que tout n'était pas vide de sens. Comme si In-ternet ne nous laissait pas l'amère impression d'être spec-tateurs d'une vie rêvée, en plus de nous faire perdre du temps.

Après Jack et après quelques aventures où j'avais réussi à parfaire l'art du sexe sans attaches, j'avais délaissé le site de rencontre que je ne consultais qu'à l'occasion. À quoi bon?

J'avais dû me rendre à l'évidence que cela ne m'avait donné que l'impression de ne pas faire du surplace.

Alors, je me suis replongée corps et âme dans mon travail.

⏻

T.R. (occupé) : On fait un show samedi prochain. Tu viendras, si je vous donne des billets ?

LaPoune : C'est que je suis pas mal occupée avec le boulot et tout. Parles-en à Mélo. Elle ira peut-être, même que ça lui fera plaisir, je crois.

T.R. (occupé) : Mais tu ne penses pas que ça serait cool de pouvoir se jaser en vrai un de ces jours ? Depuis le temps qu'on se jase sur Internet !

LaPoune : :-)

T.R. (occupé) : Hum... Petit sourire virtuel poli et mon p'tit doigt (virtuel lui aussi) me dit que ça te tente plus ou moins. Me trompé-je ?

LaPoune : Je ne veux pas que tu te fasses des idées, T.R. ! :-)

T.R. (occupé) : Ben voyons, c'est quoi cette histoire-là ? On ne peut pas juste jaser et prendre un verre entre copains ?

LaPoune : J'ai assez d'amis comme ça.

T.R. (occupé) : Je ne savais pas qu'on pouvait quantifier l'amitié et arrêter ça à un nombre fixe... Dis-moi, tes amis et toi, vous pensez seulement à vous matcher ?

LaPoune : Je suis pressée. Je dois y aller. Désolée... Bye !

T.R. (occupé) : OK. Bye.

⏻

Tout ça s'est déclenché d'une drôle de manière. Au moment même où une douce brise printanière commençait à souffler sur Montréal et que je délaissais Internet pour les terrasses et le grand air, une de mes collègues s'est mise à s'intéresser de près à mon cas. Comme je m'étais échappée sur la question de mon célibat, elle est venue à ma rescousse. Rescousse étant un mot un peu fort considérant que j'avais fait une croix sur les rencontres.

– Clara, m'a-t-elle lancé en me suivant dans le corridor de l'agence. J'aurais peut-être quelqu'un à te présenter.

– Brigitte, je ne sais pas trop…

J'avais retrouvé mon rythme de croisière. Il semblait que, depuis les dernières semaines, j'avais redoublé d'efficacité au bureau. Une fois les nuits blanches terminées, et sans tous les tracas qui en découlaient, il ne me restait plus qu'à me consacrer à mon travail où j'arrivais gonflée à bloc et bien décidée à tout donner. Par le fait même, l'idée de faire des rencontres était sortie de mes priorités et de mes pensées.

– Il serait parfait pour toi! Écoute, c'est mon ami depuis longtemps. Tu ne cracheras quand même pas sur un gars qui vient avec une bonne référence?

La «bonne référence» m'a gratifiée d'un grand sourire convaincant. En bonne entremetteuse et chasseuse de têtes, Brigitte m'a dressé un bref portrait très vendeur de son ami. Elle en a dit assez pour piquer ma curiosité et me faire flancher. Oui, bien sûr, j'acceptais comme une folle dans une poche, comme une fille qui y croit. Il fallait bien montrer un tant soit peu d'enthousiasme à l'occasion, sous peine de passer pour la vieille fille de service, une lesbienne refoulée et non assumée ou pire encore, un cas fini.

Alors, j'ai ravalé mon scepticisme derrière un gros sourire tout plein de dents et j'ai consenti à sa proposition.

Erreur…

Deux jours plus tard, je l'attendais dans un café. Et il ne s'est jamais pointé. Jamais. J'ai observé la porte, je l'ai détaillée, j'ai tenté de déceler d'avance le moindre mouvement pouvant indiquer qu'elle s'ouvrirait, cette vilaine porte. Le café était presque désert et moi, je suis restée là, comme une conne, un jeudi soir, à attendre en vain que «l'ami de...» arrive.

Pourtant, c'était prometteur. Nous avions échangé quelques courriels, histoire de faire connaissance avant de nous rencontrer. Professionnel : *check*! De la conversation : *check*! Sens de l'humour : *check*! Voix incroyablement chaude au téléphone : *check*! De ce que j'avais pu voir, il passait le test haut la main. Désireuse de jouer le jeu jusqu'au bout, j'avais refusé de lui envoyer une photo de moi et je lui avais demandé de faire de même. De toute façon, Brigitte m'avait assuré qu'il était vraiment bel homme, et, bien qu'elle n'eût aucune idée de mes goûts, elle avait ajouté que je ne serais nullement déçue en l'apercevant.

J'ai patienté un café à la main pour me donner une contenance. J'ai fini par le boire en le savourant. J'ai enfilé le deuxième pour passer le temps, pour avoir quelque chose en main à son arrivée et surtout ne pas avoir l'air d'attendre. À la fin du troisième double espresso, j'aurais hurlé de rage avec un vibrato gonflé à la caféine. J'ai marmonné : «Ben oui, merde, hein ? Merde...» entre mes dents en ramassant mes affaires. «Une *blind date*... Je dois être aveugle parce que je ne le vois pas, le maudit!»

Tant pis si je parlais seule... Le café était désert si on ignorait le vieil homme qui sirotait le même café froid depuis des lustres en lisant son journal. J'étais prête à partir quand j'ai vu l'indicateur de message de mon cellulaire qui clignotait. Tout absorbée par mon attente, je n'avais pas pensé à y jeter un coup d'œil.

C'était lui. Je m'attendais à un message d'excuses, ce qui était «presque» le cas.

« Salut Clara ! C'est Pierre-Luc, l'ami de Brigitte. Désolé de te laisser un message comme ça. Écoute, j'ai vu ta photo et, malheureusement, je n'ai pas eu le déclic. Moi, j'ai vraiment besoin d'un *kick* avant de rencontrer une fille. J'aime mieux être honnête et ne pas te faire déplacer pour rien. J'espère que tu n'es pas partie. En tout cas, je te souhaite bonne chance dans tes démarches. »

Mes démarches ? Mes démaaaaarches !

Tremblante de caféine et d'humiliation, j'ai tout de suite compris que Brigitte lui avait montré la seule et unique photo qu'elle avait de moi, une photo peu avantageuse datant du dernier party de Noël du bureau.

Je suis arrivée chez moi en coup de vent, laissant Mélodie interdite. Elle était en train de se préparer des petits gâteaux.

– Oh ! Mauvaise *blind date* ? a-t-elle demandé, la cuillère pleine de glaçage, figée en l'air à mi-chemin de sa bouche. Attends ! Laisse-moi deviner ce que tu vas me dire... Un autre con ?

– Sans commentaire ! Vraiment-pas-de-commentaire !

Je suis entrée dans ma chambre en envoyant valser mon manteau sur mon lit. J'ai ouvert mon portable et la porte de ma penderie presque simultanément.

Changer de jupe, mettre d'autres souliers. Peut-être que Dennis le pénis serait libre ce soir ? Le soutien-gorge *push-up* et *up* pour l'estime de soi qui suit la remontée forcée de la poitrine. Et si je relançais LeJackPot, juste pour une soirée ? Non, mauvaise idée.

Personne en ligne, sauf...

T.R. (autre show dans 2 sem.) : Pourquoi... t'es « en joual vert » ?

LaPoune (en joual vert) : Salut… J'ai pas le temps de te parler. Je suis occupée.

T.R. (autre show dans 2 sem.) : Bien sûr que tu es trop occupée pour me parler… :-) T'as encore des problèmes avec les maudits zzzhommes ?

Bon… Qu'est-ce qu'il voulait encore, lui ?

LaPoune (en joual vert) : J'aime mieux ne pas en parler. Je pars… LÀ !

Les cheveux détachés, y mettre du volume rapidement. Direction : salle de bain. Mélodie m'interpellait depuis la cuisine :

– Tu te souviens de la super-bonne recette de glaçage au citron pour les *cupcakes* ? Je ne la retrouve pas sur Internet ! Allo ? Clara ?

Comme si j'avais annoncé que je rentrais chez les sœurs, j'ai lancé une déclaration-choc :

– Non… Je m'en vais me pogner un gars dans un bar !

– Hein ?! QUOI ?!

– Oui, Mélo ! Je vais me pogner un gars !

– Ah, mon Dieu ! T'es sérieuse ? Dans un BAAAAR ?

Elle s'était exclamée parce que l'idée était saugrenue, parce que rien de tel ne m'était jamais sorti de la bouche. Parce que ça sonnait presque « rétro ».

Pour toute réponse, j'ai grogné depuis la salle de bain.

Humidifier, ébouriffer les cheveux, corriger son maquillage, sourire de toutes ses dents comme pour se jurer que, loin d'être une connerie monumentale, ce sera un exutoire pour se défouler et pour se rassurer sur ses capacités de séduction. Mon orgueil en avait pris un sale coup. J'étais bien consciente que ma réaction était immature, mais je devais agir et faire quelque chose pour me débarrasser de l'affreux sentiment que m'avait causé ce rendez-vous avorté.

Juste pour se sentir un peu en vie. Juste… pour ne plus se sentir rejetée.

— Je sors, ai-je annoncé en retournant précipitamment à ma chambre.

— Hein?! a lancé Mélo qui ne décollait pas de la cuisine et de son inséparable portable. Mais… qu'est-ce qui se passe?

T.R. (autre show dans 2 sem.): Où tu t'en vas comme ça?
T.R. (autre show dans 2 sem.): Allo?… Clara?…
T.R. (autre show dans 2 sem.): Es-tu partie?

Dernière vérification dans le miroir. Tout semblait en place. J'étais à mon meilleur, la frustration et la colère avaient allumé un nouvel éclat dans mon regard. Je me sentais séduisante et en pleine possession de mes moyens, du moins extérieurement.

*Mais… qu'est-ce qu'il veut?*

LaPoune (en joual vert): Quoi?!
T.R. (autre show dans 2 sem.): Je peux te donner un conseil de gars?
LaPoune (en joual vert): Non!
T.R. (autre show dans 2 sem.): La nuit porte conseil. Ah non, tiens, ça, c'est un conseil de grand-mère. Ha! Ha!
LaPoune (en joual vert): Je peux te donner un conseil de fille?
T.R. (autre show dans 2 sem.): Bien sûr!
LaPoune (en joual vert): Mêle-toi de tes affaires!
T.R. (autre show dans 2 sem.): Ha! Ha! C'est bon ça! OK… où tu vas?
LaPoune (en joual vert): Bye!

# CHAPITRE 8

Je me dirigeais vers le Bily Kun d'un pas décidé, propulsée par l'excès de caféine, quand il s'est posté devant moi, à deux pas du métro Mont-Royal. Directement dans ma bulle, il a lâché un «Bouh!» qui m'a fait sursauter.

J'ai pensé que ça y était, que je me faisais attaquer par un itinérant schizo alcoolo qui voulait me poignarder, me voler ma sacoche, m'entarter ou simplement continuer de gâcher cette soirée de merde. J'ai presque vu ma vie *flasher* devant mes yeux tellement j'ai cru mourir à cet instant et, s'il ne m'avait pas retenue par le bras, je serais tombée à la renverse. Chute qui aurait propulsé mon soulier dont le talon pointu aurait atterri bien enfoncé entre ses deux yeux, le tuant du coup d'une hémorragie plus que sanglante au cerveau, rien de moins, et lui réglant son cas en moins de deux. Ba-da-bing!

– Excuse-moi! J'y suis allé un peu fort! a admis le sans-abri d'une voix grave.

J'ai vivement dégagé mon bras de l'étreinte de l'itiné-rant qui n'en était pas un. En fait, il était propre de sa per-sonne. J'ai détaillé l'intrus de la tête aux pieds. Fin vingtaine, grand, des cheveux bruns qui semblaient n'en faire qu'à leur tête, des yeux clairs et rieurs, un veston noir sport sur un t-shirt gris, un jean bien coupé.

… Et beau.

– Mais qu'est-ce que?…, ai-je balbutié, déboussolée par ce qui venait de se passer.

Comme pour répondre à ma question laissée en suspens, il a haussé les épaules et a dit :

– Je n'allais quand même pas te laisser aller comme ça. Tu n'avais pas juste l'air en joual vert sur le Net, mais en beau joual vert !

J'ai ouvert la bouche sans qu'aucun son n'en sorte. Le choc. J'ai regardé autour de nous les passants, en quête d'une réplique, en quête d'oxygène, comme s'ils pouvaient réagir à ma place. Les idées se bousculaient dans ma tête. Je comprenais tout et je ne comprenais rien. Paradoxalement.

– Bon, OK, ce n'est pas du tout ce que j'imaginais comme entrée en matière, a-t-il dit en orientant son regard vers la pointe de ses souliers. J'ai manqué mon coup, je pense.

Il m'a regardée, tentant un sourire dans ma direction et espérant sûrement une réaction. Lorsque j'ai retrouvé l'usage de la parole, mes cordes vocales ont produit un son faible.

– T... R ?...

Son sourire s'est élargi. Il s'est passé une main dans les cheveux.

– Ouais... si on veut...

Il a haussé les épaules à nouveau avant d'éclater de rire devant mon air ébahi.

– Quoi ? Mais qu'est-ce que ?... Je... Quoi ? Mais c'est quoi... C'est une blague ? C'est une... mauvaise blague...

Sur ces divagations remplies de profondeur et de contenu, j'avais gesticulé, secouant les mains devant son visage comme pour l'encadrer.

Je l'ai observé. Je l'ai toisé. Je l'ai détaillé. Je l'ai examiné. J'ai posé sur lui toutes les variantes de regards possibles.

Du charme où se mêlaient la nonchalance, la confiance. Un côté brut, mais distingué. Du style sans être pour autant branché. Oui, du charme. Et, pour couronner le tout, un sourire désarmant.

Celui qui était en face de moi n'avait rien à voir avec le « T.R. » que j'avais vu sur le Net. Rien à voir.

Eeeeeuuuh-rien-à-voir.

– Mais, tu n'es pas… mais…

– Oui, c'est moi, a-t-il dit en me regardant sérieusement. Je suis T.R.

J'ai ouvert la bouche réalisant du coup qu'il était là pour me rencontrer et que le hasard n'était pas en cause. Les mots ne me venaient pas, alors, j'ai tourné les talons, décidée à poursuivre mon chemin et à ne pas attendre d'explications. Dans ma fuite, il a vu une invitation à me suivre.

– C'est Mélo qui m'a dit où tu allais, a-t-il justifié, en me rattrapant d'une grande enjambée. En toute innocence, j'ai réussi à lui faire cracher le morceau.

Donc, le scénario était clair maintenant : pendant que je me préparais à sortir un peu plus tôt, Mélodie, à la barre de son portable, renseignait T.R. sur mes faits et gestes et lui donnait les coordonnées de ma destination. Rien d'étonnant au fait qu'elle n'ait pas bougé de la cuisine tandis que j'étais en pleine crise existentielle.

J'ai pressé le pas pour traverser la rue et il me talonnait toujours.

– Hé ! Je ne suis pas un maniaque !

– En toute quoi ? Innocence ?! ai-je protesté, ignorant son objection. Tu n'as pas le droit de faire cracher le morceau sur mon compte à Mélodie ou à qui que ce soit.

J'avais appuyé sur le prénom de mon amie pour qu'il saisisse qu'une quelconque familiarité à son endroit n'avait pas sa place. Mélo ceci, Mélo cela. Mélo qui lui avait tout dévoilé, et quoi encore ? Tout ça sous prétexte qu'il n'était qu'un simple copain d'Internet à qui on pouvait jaser de tout. Et où s'en va la copine qui a été laissée en plan avant une *blind date* ? Pourquoi ne pas lui révéler tous les détails de son itinéraire en toute innocence, tiens ? C'est beau, l'innocence !

— Eh bien, ce n'est pas vraiment comme ça que ça s'est passé. Je n'ai pas eu à lui extirper grand-chose à Mélodie parce qu'elle est assez volubile en ce qui te concerne. Et elle ne savait pas que j'allais venir te voir, a-t-il ajouté comme pour répondre à mes pensées.

J'ai traversé la rue Saint-Denis, T.R. me suivant toujours à la trace. Il n'arriverait pas à me faire dévier de ma destination : le Bily Kun. J'ai continué de presser le pas, mes talons cliquetant sur l'asphalte mouillé.

— Tu me laisses m'expliquer... un peu... au moins ? a-t-il supplié en me saisissant doucement le bras avant que j'entre dans le bar.

— Mais quoi ?!... Expliquer quoi ?

— Houla, quel caractère ! a-t-il rétorqué en levant les deux mains en l'air. T'es toujours comme ça quand t'as bu trop de café ?

Bon sang ! Mais Mélo lui avait vraiment tout raconté !

— Non !

Il a ri. C'était énervant. Il était franchement énervant !

Mais, j'ai abdiqué et marmonné un faible « d'accord »... À voir l'air qu'il avait, il n'avait pas fini d'insister.

S'il ne m'avait pas tenu la porte du Bily Kun pour que j'y entre, je jure que j'aurais cherché un moyen de l'assommer avec. J'étais fâchée parce qu'il s'était trouvé sur mon chemin alors que je ne m'y attendais pas, parce qu'il avait forcé la note même si je lui avais dit, de façon explicite, que je ne voulais pas le rencontrer. Mais ce qui me troublait par-dessus tout, c'était qu'il n'était pas celui qu'il avait prétendu être. J'avais l'impression d'avoir été dupée. Et puis, malgré le fait que j'étais ébranlée par ce qui venait de se passer, une part de moi était intriguée par celui qui se trouvait devant moi.

Faute de dénicher une table, nous nous sommes installés au bar. J'ai retiré mon manteau que j'ai déposé sur le tabouret et je me suis assise dessus. T.R., qui se tenait les coudes appuyés au bar, a alors coulé un long regard vers moi, étudiant ma nuque, mes épaules. Une ultime seconde et ses yeux n'ont pas raté au passage mes cuisses avant que je ne me décide à tirer nerveusement sur ma jupe trop courte et franchement inappropriée à la situation. Même les têtes d'autruches empaillées au mur me dévisageaient avec insistance.

— Tu veux boire quoi? m'a-t-il demandé, ne manquant pas mon malaise et détournant aussitôt les yeux.

Il a froncé les sourcils, absorbé par l'étude de la carte des vins affichée au mur. Nous avons commandé dans un silence masqué par la musique du D.J. et le brouhaha des conversations. J'ai siroté mon verre de vin, risquant un coup d'œil vers lui. Comme il regardait fixement devant lui entre deux gorgées de bière, j'ai tourné la tête, fixant mon attention sur mes mains aux ongles fraîchement rongés. Sans tarder, j'ai senti son regard revenir sur moi et me brûler la nuque. Je me suis retournée subitement. Il a cligné des yeux et les a écarquillés, surpris.

— OK… merde! C'était qui sur la photo si c'était pas toi? ai-je fini par dire avec impatience.

— Tu ne m'as pas laissé m'expliquer, a-t-il répondu pour sa défense.

— Justement! Explique! Maintenant!

De façon désinvolte, il s'est passé une main dans les cheveux et j'ai vu une mèche prendre une dangereuse position horizontale et puis rester figée en l'air.

— Le gars sur la photo, c'est J-P, mon coloc. Son ordi est dans notre salon et tout le temps ouvert. T'as *chatté* trente secondes avec lui. Sans blague! Après, c'est toujours à moi que t'as parlé.

— Mais c'est quoi, votre petit jeu?

— Il n'y en a pas, m'a-t-il assuré en prenant une autre gorgée de sa bière. Mon coloc, il s'en fout un peu de jaser

avec des filles sur le Net. Qu'est-ce que tu veux que je te dise ?
La fenêtre de *chat* a fait «pop», t'étais là, j'ai trouvé ton pseudo
très drôle et je t'ai parlé. C'est tout.

Il a ajouté :

– La Poune…, puis il a souri, perdu dans ses pensées, un
court instant.

– Mais je pensais que… que t'étais… *lui*… Ton coloc !

Comment lui exprimer ma surprise sans me mettre carrément les pieds dans les plats ? Sans passer pour la reine des
superficielles ?

*T. R., avoir su que tu n'étais pas moche… que tu es… vraiment…*
*Vraiment… mais vraiment…*

– Déçue ?

Il m'a servi un petit sourire de côté, attendant une réponse qui ne venait pas. Je me suis contentée d'avoir l'air
absorbé par la contemplation du fond de mon verre.

Il a insisté :

– Allez… combien sur dix ?

– Ah…

J'ai avalé une gorgée de travers et je me suis mise à rica-
ner. J'avais un vague souvenir de lui avoir déjà mentionné
cette vilaine manie. Oh, la gaffe…

– Non, mais, je veux savoir ! s'est-il impatienté en par-
tant à rire. Allez, toi et Mélo, vous êtes des pros ! C'est quoi,
ma note sur dix ?

– Pfft…

J'aurais voulu le rembarrer, mais il était là à me regarder,
sans aucune arrogance, ses yeux scrutant les miens, guettant
une réponse, comme s'il tenait mordicus à ce que je lui dise
comment je le trouvais.

Bon sang ! C'était d'une évidence plus qu'évidente : coloc
laid. Toi beau.

Miroir, oh miroir… As-tu bien fait ton boulot comme
il le faut ?

— Puisque tu poses la question, ai-je fini par dire en m'éclaircissant la voix. Moins quarante-deux... parce que des questions comme ça, ça ne se pose pas!

— Ouch... Moins quarante-deux! Donc, c'est ça que tu penses de moi?

Il a haussé les épaules, son doigt caressant son verre de bière.

— Non, je pense que t'es un imposteur.

Le lendemain matin, je suis arrivée plus tard qu'à l'ordinaire au boulot. C'était le vendredi donc je pouvais transgresser mes habitudes matinales. De plus, j'avais mal dormi, fixant le plafond une bonne partie de la nuit avant de finir par trouver le sommeil à deux heures. J'étais à peine installée à mon bureau que Brigitte y entrait et se confondait déjà en excuses.

— Je suis tellement désolée! Il est con! Il est vraiment con!

Comme Brigitte tenait des dossiers sous le bras, je me suis demandé de quel client elle parlait et ce qui l'affectait autant. Elle continuait de tenter de justifier la débâcle de son ami et j'avais de la difficulté à la suivre, mes pensées étant à mille lieues de là.

— Je lui ai dit: «Gros niaiseux, tu ne peux pas te fier à une photo! Elle est magnifique Clara. Elle a un visage d'ange!»

— Ah... ton ami, ai-je fini par comprendre. Ce n'est pas grave ça, Brigitte!

J'avais complètement oublié cette histoire.

— Crois-moi, Clara, c'est ce que je lui ai dit. Et je pensais vraiment que ça cliquerait entre vous deux, mais là, j'ai honte d'avoir même pensé à te le présenter. Il est tellement superficiel! S'il se fie à une seule photo avant de rencontrer une fille, c'est pas fort...

— Non, c'est pas fort…

J'avais répété cela dans un murmure. Se fier à une photo, effectivement, ce n'était pas fort… J'aurais franchement pu en rire à gorge déployée tellement l'idée faisait écho en moi.

Brigitte a fini par prendre congé toujours en s'excusant. J'ai tenté de me remettre le nez dans mes dossiers, mais rien à faire. Je regardais fixement l'écran de mon ordinateur, incapable de me concentrer sur mon boulot et envahie par le souvenir de la veille.

Merde, merde, merde, merde…

— Ouch… Moins quarante-deux! Donc, c'est ça que tu penses de moi?

— Non, je pense que t'es un imposteur.

Et nous avons pris un autre verre. Était-il dupe de ce pointage peu favorable? Il n'en a rien laissé paraître.

— Je ne te connais pas vraiment, ai-je fini par concéder après un moment.

— Ben oui, tu me connais…

— Ah oui?

— Tu sais que j'étudie en cinéma, que je fais de la musique et que mon cœur balance entre les deux. Tu sais que j'ai un voisin complètement fou qui cogne au plafond avec son balai quand Windows démarre sur mon ordi et que c'est encore pire quand je joue de la guitare. Tu sais aussi que je suis célibataire depuis un an et demi… à peu près…

Il a soutenu mon regard après cette dernière affirmation. J'ai lancé un presque désinvolte et détaché «Ah…» et, gênée, j'ai pris une gorgée de vin.

Et, il m'a fait part de tout ce dont il se souvenait me concernant. J'ai été étonnée. Il avait une excellente mémoire.

Pour le reste, c'est-à-dire toute tentative pour relancer nos conversations du Net, je demeurais évasive, sur mes gardes, comme s'il pouvait me piéger au détour et jouer avec ma mémoire sélective. La vérité était que je n'avais tout simplement jamais accordé d'importance à nos interactions.

Mon cerveau ne retrouvait aucun souvenir, aucun mot échangé. Mon cerveau n'avait en ce moment qu'une seule fonction : le regarder. Mes yeux revenaient sans cesse vers le petit trou qui s'ouvrait sur le col de son t-shirt. Un brin négligé, mais sexy. Et à quelques centimètres de là, une ligne de mâchoire anguleuse qui se crispait quand il semblait plongé dans ses pensées.

Et ses yeux à lui qui m'effleuraient dès que je tentais de braquer mon attention ailleurs. J'en étais à calculer mes gestes, consciente de la tension qui grandissait entre nous. Ma tension montait en flèche. Trop, trop de caféine.

Embarrassée par ce chassé-croisé de regards furtifs, je me suis levée avec un peu trop d'empressement.

– Je vais aux toilettes !

– OK.

J'ai ramassé mon sac à main et je me suis dirigée vers le fond du bar en prenant bien soin de jeter des coups d'œil intermittents par-dessus mon épaule.

*Il va regarder mes fesses !*

*Il va tellement me reluquer les fesses. Ha ! Ha !*

Mais non ! Il regardait droit devant lui en dégustant sa bière, l'air complètement absorbé par ses pensées. Et pourtant, aussitôt que je me retournais, je pouvais jurer que... mais non. Ça devait être le fruit de mon imagination.

Je m'en suis sentie vexée puis aussitôt honteuse d'avoir accordé une quelconque importance à cette théorie du rituel de rencontre. Bon, ce n'est pas comme si c'était une *date*.

C'était... autre chose.

Je me suis réfugiée dans les toilettes avec deux besoins essentiels à combler: m'appliquer du *gloss* illico et envoyer un texto à Yan. Malheureusement, la pile de mon cellulaire était à plat.

– Merde!

– Tu veux mon cellulaire? m'a proposé une fille qui sortait de la cabine.

– C'est vraiment trop gentil, merci!

J'ai laissé un bref message à Yan, un message sans queue ni tête, avant de raccrocher. Je n'avais jamais saisi d'où venait cette solidarité qui naissait entre les filles dans les toilettes d'un bar. D'ordinaire, les filles ne croisent pas le regard, sauf en fin de soirée. Comme s'il fallait avoir consommé de l'alcool pour enfin se parler et se côtoyer dans cet espace obligé. Un regard complice, «as-tu du papier de toilette?», et une connivence s'installe le temps de satisfaire quelques besoins hygiéniques ou esthétiques.

– Moi aussi je suis venue avec un gars, m'a dit l'inconnue tandis que je lui faisais une place pour qu'elle puisse se laver les mains.

– Hum? ai-je répliqué, pas certaine de comprendre.

– Ton mec, il t'attend derrière la porte.

– Han? Quoi?

J'ai fait volte-face et laissé tomber mon brillant à lèvres sur le sol. J'ai sursauté quand le curieux sèche-mains auquel je m'étais cramponnée s'est activé avec un bruit qui donnait plus l'impression d'aspirer que d'envoyer de l'air. Testé. Certifié. Hygiénique. Mais. Qu'est-ce que. Quoi.

Mon mec?!

De mèche, elle m'a lancé un clin d'œil, a ouvert la porte et est sortie sans prendre la peine de se sécher les mains.

T.R. était effectivement de l'autre côté. Il s'est incliné, a risqué un bref coup d'œil à travers le petit hublot de la porte et, voyant que la voie était libre, il a jeté un dernier regard circulaire avant d'entrer dans les toilettes.

– Euh… C'est les toilettes des filles, ici.

Il a ignoré la remarque d'un geste de la main, m'a tendu ma coupe de vin que j'avais laissée au bar, puis s'est appuyé contre la porte, les bras croisés.

– Je n'ai pas mis de GHB dans ton verre, a-t-il dit en riant. T'inquiète pas.

– Franchement!

J'ai vite déposé ma coupe sur le comptoir derrière moi sans toutefois en prendre une gorgée supplémentaire. Il s'est incliné, a ramassé mon brillant à lèvres et me l'a remis en souriant. Je l'ai rangé avec agacement dans mon sac à main.

– Donc, si j'ai bien compris, t'es sortie ce soir pour *rencontrer* un gars.

Rencontrer étant ici un code. Il m'a servi un regard entendu et d'un geste de la main, il a désigné ma tenue, l'air d'ajouter «à ce que je vois». Mais je savais pertinemment à quoi il faisait allusion. Rencontrer, comme dans «me pogner un gars», un gars avec qui baiser.

– C'est *tellement* pas de tes affaires!

Il en savait trop. Décidément, j'aurais deux mots à dire à cette chère colocataire à la cyberlangue un peu trop bien pendue.

– Et, tu crois que ça va effacer ta *blind date* manquée? Tu ne trouves pas ça un peu excessif comme réaction?

En ce moment, l'ami de ma collègue et la colère qui avait suivi le désistement de ce dernier étaient bien loin derrière… Bien loin.

– Mais pourquoi ça t'affecte comme ça? Je ne comprends pas…

Il avait ajouté cette question, songeur, s'adressant plus à lui-même qu'à moi.

– MAIS!… Qu'est-ce que Mélodie t'a raconté sur moi?

Excédée, j'ai étouffé un grognement et aussitôt planté mon regard dans le sien. Voilà. Je devais le confronter immédiatement. Dans ce rendez-vous improvisé, plusieurs éléments m'échappaient et, déjà, j'en avais assez de tous ces non-dits.

– Pourquoi t'es venu me rencontrer, T.R.? Pourquoi ce soir?

Il a haussé les épaules et s'est mis à fixer la pointe de ses souliers, l'air de réfléchir. Une minute, il était frondeur, puis carrément timide. Il passait d'un pôle à l'autre. C'était absolument déstabilisant.

C'était... charmant.

J'ai suivi la direction de son regard. Au sol, on pouvait voir un T majuscule tracé par les petites tuiles de céramique. T comme pour T.R. Un second marquait le plafond. Amusant...

– Disons que j'ai senti la demoiselle en détresse en toi. T'avais pas l'air dans ton assiette, a-t-il tenté.

– Tu ne la connais pas, mon assiette.

– Ha! Ha! Bien joué, a-t-il acquiescé. Mais, tu sais, j'avais un honneur de gars à défendre. Si tu penses que tous les gars sont des salopards qui abandonnent les filles avant une *blind date*, c'est pas vrai, ça. Et... j'allais pas te laisser coucher avec n'importe quel con.

J'ai fait un pas vers lui comme pour mieux le cerner, comme si, en créant une proximité, j'arriverais à saisir ses intentions.

*Mais qu'est-ce que tu cherches à me dire? Es-tu venu à ma rencontre dans l'idée de me protéger, de me prémunir contre une autre rencontre infructueuse? Ou... es-tu venu me rencontrer pour me... RENCONTRER?...*

Alors, j'ai plongé, tant qu'à parler par codes:

– Es-tu un con?

Il a relevé la tête, ébouriffant ses cheveux d'une main, l'air mi-embarrassé, mi-taquin, encore dans un entre-deux déroutant tandis que j'attendais une réponse qui semblait suspendue dans l'air.

– Peut-être un peu...

Et v'lan! Nouvelles palpitations cardiaques, mais cette fois-ci, l'excès de caféine n'était pas en cause.

… Donc… il est venu à ma rencontre pour me REN-CONTRER.

Il s'est mordu les lèvres puis a ri de nouveau avant de lancer une tirade de clichés :

– Viens-tu souvent ici ? C'est quoi, ton signe ? On s'est pas déjà vus quelque part ? Qu'est-ce que tu manges en hiver ?

– Ah, euh…, ai-je balbutié à court de mots.

*Minute, minute, minute…*

Puis, il est redevenu sérieux. L'air grave, il a franchi d'un pas la distance qui nous séparait. J'ai tout de suite senti sa main envelopper doucement mon coude, son souffle sur le dessus de ma tête. Quand j'ai relevé les yeux, j'ai pu voir dans les siens des teintes de vert, de bleu et de gris. Il était tout près, trop près, délicieusement près, son visage à quelques centimètres du mien. J'ai retenu ma respiration. Ses paupières se sont baissées, son regard s'est fixé sur mes lèvres puis s'est soudé au mien comme s'il attendait mon signal, dans une supplication silencieuse.

Il m'a semblé que ma vie avait basculé en l'espace de quelques secondes, comme si, prise dans un tourbillon, j'étais arrivée là en coup de vent, sur le bord de la falaise. Lui qui devenait soudainement mon port, ma bouée, mon souffle.

Et merde, oui, je voulais l'embrasser. Tellement. Je voulais…

Je le voulais.

Je.

Le.

Voulais.

Alors, j'ai paniqué.

– Mais, tu livres du poulet !

Et, il s'est immobilisé.

Avec cette riposte maladroite, j'avais laissé échapper la première chose qui m'était passée par la tête. Un détail futile et stupide, et c'est cette information précisément qui avait jailli des limbes de ma mémoire sélective. Bravo. Autant lui dire : « Tu n'es pas à la hauteur. Tu n'es pas assez bien pour moi. » De quoi le castrer dans tous les sens du terme.

Mais, bon Dieu, il me plaisait. Tellement. J'en étais virée à l'envers.

J'étais sens dessus dessous et, tout ce qui était sorti de ma bouche, c'était... ÇA : « Tu livres du poulet ! »

Sa main a relâché mon coude et son regard s'est légèrement obscurci avant qu'il ne me serve un petit rire triste et vaincu.

– Ouais, mais, pas vraiment, a-t-il soufflé. Bon...

Il a reculé. J'aurais voulu qu'il revienne tout près. Faire marche arrière et retirer mes paroles.

*Non... ne t'en va pas. Allez, je te donne quatorze sur dix. OK... moins un pour le poulet, mais, on s'en fout du poulet !*

*Prends ma cuisse, ma poitrine.*

*Prends... moi.*

– T. R., je...

Il a entrouvert la porte, prêt à s'esquiver. Une autre fille s'est faufilée entre nous deux, gênée, comme si elle n'était pas en droit d'être dans les toilettes, et elle est entrée précipitamment dans une cabine.

Il a hoché la tête.

– Ça m'a fait plaisir, Clara.

Il venait de me faire comprendre qu'il concluait ainsi notre soirée, mais avant de refermer la porte derrière lui, il a ajouté :

– Ou... je devrais plutôt dire : ça m'a fait plaisir... Zazz !...

Et, j'ai cru mourir sur place.

Merde, merde, merde, merde, merde !...

# CHAPITRE 9

«Yan, c'est moi. Je suis dans un bar. Il vient d'arriver quelque chose de... en tout cas, c'est vraiment... bizarre. Une fille m'a prêté son cellulaire parce que le mien est mort. Bon... Tu n'es pas là, hein? J'avais besoin de ton avis... Laisse faire. Merci, t'es vraiment fine de m'avoir prê...»

Le doigt de Yan venait d'interrompre mon babillage en appuyant sur le bouton arrêt de son répondeur. Il me regardait fixement.

– Bon, tu veux m'expliquer ce qui s'est passé? T'as revu Vitto? C'est ça?

– Non, non... ben non!

Pourquoi aurait-il fallu rejouer le même disque à répétition jusqu'à ce que la dépression s'en suive (ou s'en re-suive)? Il existait des raisons, autres que revoir mon ex, pour que je me retrouve chez mon ami un samedi soir en quête d'une oreille attentive... Une rencontre... particulière, entre autres... c'en était une, bonne raison.

Je me suis raclé la gorge, ramenant mes jambes sous moi et lui faisant face sur sa causeuse tandis qu'il m'observait avec curiosité.

– Supposons qu'un soir tu t'inventes un profil de nymphomane, juste pour le fun...

– OK... Nymphomane? a interrogé Yan en levant un sourcil. Moi?

– Je te donne un exemple, là. Admettons que tu te crées un alter ego et que tu dérives un peu dans le cyber-sexe. T'as trop bu, t'as fumé aussi. Et bon, t'en perds des bouts. Le lendemain, les preuves sont là. Tu te réveilles avec un soutien-gorge différent et la possibilité que le petit film de ton striptease circule sur le Net. Et aussi, il y a la grosse grosse possibilité qu'un gars supposément laid t'ait vu nu.

Nouveau haussement de sourcil de sa part. J'ai poursuivi avec précipitation :

– Comment ça se fait que tu t'es déshabillé devant le faux gars laid ? Personne ne le comprendra jamais… C'était peut-être par pitié ? Mais vu qu'il n'est pas *vraiment* laid, on a vu pire comme drame… Seulement tu ne sais pas trop quoi penser de la situation…

– OK, j'ai eu un conflit cognitif sur le moment où je me réveille avec un soutien-gorge.

– Niaiseux ! me suis-je exclamée en lui donnant une petite claque sur le bras.

Nous sommes partis à rire tandis que mes dents s'entre-choquaient douloureusement sur la tasse de porcelaine. Imaginer Yan en soutien-gorge était une image trop délurée. Du tissu rose sur les muscles et le poil ? Non…

– C'est que t'es franchement pas facile à suivre, Poune ! OK, donc il y a un faux gars laid dans cette histoire ?

– Oui, mais le faux gars laid, tu finis par apprendre un jour qu'il est… qu'il… Ouf !…

Je me suis interrompue, prenant conscience que je pédalais à relater cette histoire. Ça me mettait les nerfs en boule. J'éprouvais de la difficulté à m'exprimer et je me retrouvais incapable d'en venir aux faits, comme à mon habitude.

– Oui ? a fait Yan, toujours aussi patient. Donc, *je* me rends compte qu'il est un *VRAI* faux gars laid ?

– Exactement…

J'ai pris une gorgée de thé et me suis enroulée dans une couverture toute douce, en quête d'un certain réconfort. J'ignorais si Yan était atteint d'une déformation professionnelle ou s'il appliquait les principes zen à son appartement, mais chaque bout de tissu portait l'odeur d'une huile essentielle particulière. Là, je pouvais humer la fraîcheur vivifiante du citron vert.

J'ai poursuivi :

— Avec du recul, tu te rends maintenant compte qu'après la soirée où il t'a vu nu, c'est drôle, mais il était là presque tous les soirs à vouloir te jaser en ligne. Il était peut-être un peu trop insistant même. Mais toi, tu le rejetais… parce que tu pensais qu'il était… laid !

— Mais JE suis donc ben un superficiel et un écœurant !

En souriant de toutes mes dents, je lui ai fait un doigt d'honneur.

— Quand vous finissez par vous rencontrer…

— Il t'a reluqué les fesses ?

— Mais non, même pas… J'avais l'impression que oui, mais je ne pense pas…

— Il n'est peut-être pas du type « fesses ».

— Plus cuisse ou poitrine… ou sauce…

*Tu livres du poulet !*

Yan a grimacé pour montrer son incompréhension.

Et j'ai poursuivi mon récit, avec le même jeu de pronoms, laissant un flot de paroles sortir de ma bouche :

— Il montre clairement qu'il est attiré par toi et qu'il voudrait coucher avec toi, ou enfin, c'est l'impression qu'il te laisse. On s'entend que tu lui as donné un petit aperçu de ta pseudo-nymphomanie qu'il a dû prendre comme une invitation… dans toute sa… candeur de faux gars laid.

Yan était tourné vers moi et pinçait les lèvres pour ne pas rire. Malgré un hochement de tête qui mimait l'écoute parfaite, je pouvais deviner dans ses yeux un flot de questions restées sans réponse.

— Mais disons que, sur papier, il n'est pas ton genre. Sans vouloir être snob, tu peux voir qu'il… fait partie d'une autre catégorie de gars de ce à quoi t'es habitué et que…

*Mais, tu livres du poulet! Mais, tu livres du pou-laaaaaAAAAAAAA!*

— Il est *hot*? m'a-t-il interrompue en m'envoyant un clin d'œil calculé.

Je me suis sentie rougir, ou peut-être était-ce la tisane qui était trop chaude? Il me semblait que nous avions eu mille discussions du genre par le passé et je considérais que j'avais largement franchi, Dieu merci, la période de l'adolescence. Pourquoi ça me gênait? J'en avais vu d'autres pourtant.

— Oui, quand même, ai-je dit d'un ton que j'espérais détaché.

Yan se montrait rarement inquisiteur, sauf pour les détails de parties de jambes en l'air, ce dont il raffolait. Jamais il ne cherchait à me soutirer des paroles que je n'étais pas prête à dire contrairement à Mélo qui, elle, avait tendance à tout décortiquer et analyser.

Mais… rien n'échappait à Yan.

— Bon, ben, il n'y a pas de problème, a-t-il conclu en cognant sa tasse contre la mienne pour trinquer. C'est réglé. Couche avec!

Je me suis frappé le front avec une main, comme si l'idée ne m'avait pas effleuré l'esprit. Qui est-ce que j'essayais de mener en bateau comme ça? Yan ou moi-même?

— Bien sûr! C'est simple…

Je me suis parlé à voix haute, me répétant les leçons données par Yan quelques semaines auparavant sur le thème de «Comment maîtriser l'art divin de trouver un *fuck friend* sans que ça perturbe ta vie»: «Une fois, deux fois… trois…

pas plus. Et juste pour le fun. » Ce à quoi mon ami a répondu d'un hochement de tête approbateur.

J'ai laissé mon regard dériver vers l'objet gris qui était caché sous un amoncellement de magazines d'actualité et de factures non payées.

– Essaie encore, a fini par dire Yan suivant la direction de mes yeux.

Un moment plus tôt alors qu'il s'était affairé dans la cuisine, j'avais mis précipitamment la main sur son portable. Il avait dû y placer un détecteur de mouvement sinon comment avait-il fait pour deviner à distance ce que je complotais ? Je n'avais malheureusement pu me connecter sur Internet, le fournisseur n'étant plus en service. Yan n'avait pas dû payer sa facture, pour faire changement…

Le réseau sans fil n'était toujours pas accessible.

– Tu dois essayer de te brancher sur le réseau d'un des voisins, a-t-il expliqué en me lançant un petit sourire gêné.

Ainsi, j'ai cliqué sur la fenêtre pour apercevoir une panoplie de réseaux tels que El Rrréseau del Pepito, OhSoSexy-CatWoman69 et Pénis-qui-cuit. Prudente, je me suis connectée sur Réseau2.

T.R. était toujours hors ligne. Il l'était en fait depuis quarante-huit heures, à la minute près. Depuis notre rencontre. Deux jours de silence virtuel. Pas son habitude. Je n'avais pas vérifié à toute heure du jour, mais j'avais espéré le voir en ligne et pouvoir lui glisser un mot, ne serait-ce que pour m'excuser.

Mais m'excuser de quoi ? De l'avoir rejeté pour cause de «*livraison* de poulet» ? Car lui, de son côté, avait riposté en m'envoyant un «Zazz» bien senti. Enfin, si je ne voulais pas m'excuser, je pouvais du moins lui tendre une perche pour essayer de dissiper le malaise qui s'était installé.

J'ai vérifié mes courriels à tout hasard et il était là, dans mes contacts. Il m'avait écrit un message, ce qu'il n'avait jamais fait auparavant. Quelle surprise! C'était déconcertant de constater qu'il pouvait appartenir à un univers virtuel autre que celui du clavardage. Prudente, j'ai pris une gorgée de thé et tenté de ralentir le spasme de mon doigt qui désirait cliquer là, maintenant, tout de suite.

J'ai ton manteau. Tu l'as oublié au bar l'autre soir. Il faudrait trouver un moyen…

T.R.

Il faudrait trouver un moyen?
C'est tout?
Les yeux plissés, j'ai lu et relu le petit courriel dans l'espoir d'y décrypter un message secret et codé. Et s'il y avait un sens à ces points de suspension, mais vraiment un SENS caché?
?…
Il faudrait trouver un moyen… de se voir sans se sauter dessus?
Il faudrait trouver un… motel?
Il faudrait trouver un moyen… oui.

⏻

J'étais la même fille, celle qui s'impatientait derrière les piétons nonchalants, et qui demeurait pressée, efficace et profondément indépendante. En surface, du moins. Imperceptiblement, quelque chose commençait à basculer en moi. Sinon comment expliquer le fait que cinq jours après ma rencontre avec T.R. je n'avais toujours pas affronté Mélodie et sa grande langue, moi qui réussissais si bien à mettre les points sur les « i » d'habitude?
Je l'observais à son portable et la curiosité me rongeait. Est-ce qu'elle clavardait avec lui? Lui avait-il parlé de notre rendez-vous improvisé? Étaient-ils devenus proches au point

de se confier l'un à l'autre? Avait-elle seulement la moindre idée que l'avatar du gars joufflu, à moitié chauve et au sourire ornementé d'une dentition inégale, n'avait rien à voir avec lui? Peut-être avait-elle rencontré le véritable T.R. elle aussi? Si oui, avait-elle craqué pour lui? Pouvait-elle deviner que j'essayais d'épier leurs échanges depuis le comptoir de la cuisine?

– Tu veux que je lise ton horoscope?

– Euh, non.

– Ben franchement, Clara... Pourquoi tu restes plantée là, d'abord?

Et toujours ce silence virtuel qui perdurait...

Pas de nouvelles. Pas de réponse. Alors, je me suis enfin décidée à répondre à son courriel:

D'accord... Oui, il faudrait trouver un moyen...

C'est ce que j'ai écrit, rien d'autre, ajoutant quelques points de suspension en réponse à son pseudo-code.

J'ai fouillé mon portable pour y rechercher les conversations sauvegardées. Je me suis repassé les quelque soixante séances de clavardage que nous avions en historique T.R. et moi, depuis les huit derniers mois. J'ai tenté de lire entre les lignes et de trouver un quelconque indice laissant deviner qu'il n'avait rien à voir avec le gars de la photo. Non, aucun moyen. Si ce n'est que, de façon récurrente, il avait relancé les invitations. Et dire que je les avais refusées les unes après les autres... Bravo, mais bra-vo!

Nous avions eu plusieurs discussions intéressantes, mais j'ai dû maudire l'indifférence et la condescendance que j'avais montrées à son égard au cours des semaines précédentes. Notant qu'il s'était révélé de plus en plus insistant à la suite de ma phase «Zazz», j'avais cru bon de me distancier. Quelle manie avais-je eue de l'interrompre constamment, de prétexter que j'étais trop occupée? Que je devais partir dans l'urgence comme si un tremblement de terre m'obligeait à sortir en courant sans prendre mon portable.

Je n'ai pas le temps de te parler. / Je dois partir. / C'est pas de tes affaires. / Ouin, ouin. Bien sûr. En tout cas… / Excuse-moi, mais je n'ai pas le temps pour ça. / Écoute… Ne te fais pas d'idées, OK? / J'aime mieux te le dire tout de suite, t'es pas mon genre. Ça ne t'enlève rien. Ne le prends pas personnel. / J'ai assez d'amis comme ça.

Pour ce qui était de Zazz et de son historique à *elle*, aucune trace. J'avais choisi en me créant un compte de ne pas archiver les conversations web. Un savant coup de fouet virtuel côté sauvegarde. Super!…

⏻

Quand il a fini par se connecter quelques jours après notre première rencontre, j'étais au travail. Dans un moment d'égarement, j'avais téléchargé MSN, ce dont j'étais peu fière. Moi qui n'avais jamais voulu traîner ma vie privée au bureau, voilà que j'avais l'option clavardage à portée des doigts. Ainsi donc, Mélodie m'envoyait des messages instantanés à toute heure du jour. C'était pire dans son cas puisqu'elle s'était fait installer le logiciel sur l'ordinateur de sa classe. Elle courait donc vérifier ses courriels sous les yeux de ses élèves qui n'y faisaient plus attention, se contentant de lever un sourcil entre deux «w» cursifs bien tracés. De toute évidence, nous aurions pu gagner un prix pour notre professionnalisme. Installer MSN pour épier un gars: pathétique.

À ma plus grande consternation et sans que j'y sois préparée psychologiquement, mon cœur a fait un bond lorsqu'une petite fenêtre est apparue avec la mention: «T.R.

vient de se connecter. » Devant mon propre affolement, j'ai poussé un grognement où se mêlaient la surprise et l'exaspération.

– Franchement! me suis-je dit à voix haute.

En attente, j'ai ouvert la fenêtre de MSN, ne sachant trop ce que j'allais écrire. Je devais lui parler en premier ou pas? J'ai fixé les deux lettres qui m'avaient causé un émoi, le curseur clignotant et battant la mesure du temps qui passait de seconde en seconde, marquant le cybersilence.

– Merde de merde!

Non franchement. Je devais arrêter cette folie maintenant. J'ai poussé le clavier de l'ordinateur d'une main rageuse et repris avec empressement le dossier sur lequel je travaillais.

Bromont & Bloom Financial se cherchent un directeur général. *Pourquoi il ne me parle pas?* L'ancien directeur manquait de transparence. Il y a peut-être eu fraude. *Merde, merde… mais pourquoi tu ne m'écris pas?* L'entreprise a besoin d'un candidat expérimenté qui a fait ses preuves et qui arrive avec un certain bagage, de quoi les mettre en confiance. *Espèce d'indépendant! Tu ne vois pas que je suis en ligne?!* Pourquoi pas Serge Dupuis de Soma Finances? *OK, T.R., je veux juste mon manteau.* Il semblait ouvert à la gestion active de carrière même s'il est chez Soma depuis dix ans. Je l'ai senti un peu blasé la dernière fois au téléphone. *Oh et puis va te faire foutre, maudit innocent!*

T.R. : Mais où est passée LaPoune, cette délicieuse princesse au pseudonyme si évocateur? J'arrive trop tard? Un prince est déjà venu l'embrasser?

Oh!… C'était cucul. Cucul de chez Cucul et fils inc. Et pourtant, j'ai rougi comme une folle.

Merde…

J'ai compté jusqu'à dix avant de lui répondre, essayant d'avoir l'air virtuellement au-dessus de mes affaires. Si seulement je pouvais ne rien trahir…

Clara : Ah, allo. Ça va ?

Jouer la carte du détachement… Sans point d'exclamation.

T.R. : Super bien. Et toi ?

Dix, neuf, huit, sept, six, cinq, quatre, trois, deux, un…

Clara : Oui merci. Tu étais où ?
Clara : Tout ce temps ?

OK, ce n'était pas très subtil de ma part…

T.R. : On a fait une petite tournée dans quelques bars en région. C'était cool. Et toi ? Qu'est-ce que tu fais en ligne en plein jour et toute vêtue de ton vrai prénom ?

J'ai souri au mot « vêtue » en imaginant avec grivoiserie le contraire et j'ai cherché une justification pouvant expliquer ma présence en ligne.
Dix, neuf, huit, sept, six, cinq, quatre, trois, deux, un…

Clara : Je suis au boulot. J'essaie un nouveau truc pour le recrutement, soit de remplacer le téléphone par Internet. Je me dis que ça serait peut-être moins offensif que d'appeler les cadres directement dans l'entreprise pour laquelle ils travaillent.

Ce qui était un mensonge fraîchement monté de toutes pièces… mais pas une si mauvaise idée après tout. J'ai agrippé un post-it pour en prendre note.

T.R. : Je n'en doute pas. Hé! J'ai ton manteau en passant.

Dix, neuf, huit, sept, six, cinq…

Clara : Je sais…
T.R. : T'es partie vite!

Dix, neuf…

Clara : Tu ne m'as pas retenue!
T.R. : Il aurait fallu?

J'étais sortie des toilettes du Bily Kun après cinq minutes, ce qui m'avait semblé une éternité. J'avais pensé me creuser un trou dans le sol pour m'enfuir ou m'éclipser subtilement par la porte de derrière. Sortie d'urgence seulement. Merde! Finalement, devant l'absence d'un passage secret, j'avais pressé le pas et filé vers la porte principale. Il était toujours au bar, le dos tourné. J'avais senti son regard qui me suivait et les yeux vitreux des autruches empaillées qui n'en revenaient pas. Bien sûr… Mature comme réaction. Très anti moi-même. Top affirmatif. Une chiure de mouche aurait fait mieux.

Clara : C'est que… notre… discussion s'est terminée abruptement…
Clara : Avec un gros malaise…

Bon… Soyons honnêtes et lisons entre les lignes. Je ne parle pas de discussion ici. Je parle d'un autre genre d'activité buccale… Ta bouche demandant la mienne et pour toute réponse, une réplique assassine.

Silence virtuel de son côté. Puis pendant un long moment, l'avertissement : «T.R. écrit un message» s'est affiché.

T.R. : Je veux juste te dire que oui, j'ai livré du poulet quelques fois (j'ai fait 3 000 autres jobines, en passant) pour arrondir les fins de mois et pour financer mon long-métrage. Je travaille comme un malade là-dessus. Je ne vais pas te mentir et m'inventer une job de chirurgien ou de P.D.G. de *whatever* pour que tu me trouves intéressant. Et, je ne suis pas un menteur chronique, même si c'est ça que tu penses de moi.

Clara : Non, ce n'est pas ce que je pense de toi. J'étais juste surprise de voir que tu n'étais pas celui que je croyais…

T.R. : Donc, tu me pardonnes d'avoir pris l'identité de mon coloc?

Clara : Oui, c'est sûr. Mais tu peux faire quelque chose pour moi?

T.R. : Quoi ça?

Clara : Changer ton avatar et peut-être ton pseudo? Vu que tu n'es pas lui…

La photo affichée était pire que pire. Une silhouette de dos exhibait fièrement une craque de fesses susceptible de rendre jaloux le plus accroupi des plombiers, et qui était surmontée d'un précieux bourrelet. Le coloc, sans aucun doute.

T.R. : Ha! Ha! Tu n'aimes pas?

Clara : Au secours!

T.R. : OK… attends…

J'ai dû patienter quelques minutes avant qu'un nouvel avatar n'apparaisse, une photo de lui en noir et blanc, un portrait. Les cheveux indisciplinés, la gueule pas rasée, le demi-sourire, le regard clair et vif. J'ai gloussé en me mordillant un doigt.

T.R. : Là, c'est mieux? C'est plus ressemblant?

Clara : Pas pire…

T.R. : Tu ne me laisses pas de chances, toi !

Clara : Jamais ! Et le pseudo ? Comment tu t'appelles au fait ?

T.R. : Ça, ça ne changera pas. Désolé ! J'ai le droit de revendiquer le T et le R dans l'alphabet, autant que mon coloc du moins. Nous sommes des T.R. tous les deux !

Clara : Qu'est-ce que ça veut dire, T.R. ? Trois-Rivières ? Techniquement Responsable ? Très Rigolo ?

T.R. : Tranche Radis…

Clara : Sérieusement ? Très Riche ?

T.R. : Désolé de te décevoir… mais non.

Clara : Je cherche un jeu de mots grivois, mais je ne trouve pas…

T.R. : Toujours Raide…

Clara : Vraiment ?

T.R. : Dès que possible… quand il le faut… allez hop !

Clara : Trop Rouarrrr…

T.R. : Continue… J'aime ça…

J'avais rougi tout d'un coup. Ça commençait mal. Ça commençait bien. La suite de la conversation, je la voyais déjà venir et elle était susceptible de faire sauter un bouton de blouse ; de ressortir l'éventail ramassé dans le quartier chinois par une oppressante journée de canicule ; de m'écarter les jambes et de déchirer ma jupe ; d'envoyer valser un talon aiguille et… de terminer le tout dans un soupir repu.

Bon, ça y est. On est carrément en train de flirter…

J'avais oublié où je me trouvais. Mon téléphone avait sonné et je ne l'avais pas décroché. Mais bon, il y avait d'autres priorités. Puis, mon cœur a manqué un battement…

T.R. : Hum… Zazz… es-tu là ?

Dix, neuf, huit, sept, six, cinq, quatre, trois, deux, un…
un… un…

Zazz : Oui… on se connaît… à ce qu'il paraît ?
T.R. : Un peu… à ce qu'ils disent…
Zazz : MERDE !!! « ils » ???
T.R. : Est-ce que ça se peut que tu ne te souviennes de
rien ? Je te dis ça comme ça… Ha ! Ha !
Zazz : S.t.p. ! Dis-moi ! Qui ça « ils » ?
T.R. : Ha ! Ha ! Non, t'inquiète pas. Il y avait juste moi.
Zazz : Et tu m'as vue sur la webcam ?

Dix, neuf, huit, sept, six, cinq, quatre, trois, deux, un…
dix, neuf, huit, sept, six, cinq, quatre, trois, deux, un… dix,
neuf, huit, sept, six, cinq, quatre, trois, deux, un… *Mais
réponds !*

(T.R. écrit un message…)
T.R. : Oui.
Zazz : Nue ?
(T.R. écrit un message…)
T.R. : Oui…

Mon Dieu, mon Dieu, mon Dieu…
C'était officiellement confirmé dans le domaine de la
confirmation de la chose. Devais-je être insultée ? Ma mémoire, aidée par le savant mélange cannabis et alcool, n'avait
rien conservé de cet épisode. Ou alors, si je me retrouvais
dans cet état, allumée par l'idée de *la chose*, était-ce parce que
j'étais dépravée ?

Zazz : Et… tu as aimé ce que tu as vu ?
T.R. : Hum… À ton avis ?
Zazz : J'ai l'impression que oui…

Il faisait chaud. Il faudrait peut-être réajuster l'air conditionné.
J'allais devoir faire une requête au service d'entretien…
Nouveau post-it… pour faire diversion.

Clara : Est-ce que c'est pour ça que tu voulais me rencontrer ?

T.R. : Disons que j'avais au moins trois bonnes raisons de te rencontrer…

Clara : ???

T.R. : Deux seins magnifiques et un…

Clara : QUOI ?!

T.R. : Relaxe, je niaise. Je voulais te rencontrer parce que j'étais intrigué.

Je l'avais intrigué…

T.R. : Et, je n'ai presque rien vu ! Ça n'a pas duré long-temps…

Zazz : « Presque » ? « Pas longtemps » ?

T.R. : Oui, bien dommage…

Je l'imaginais souriant devant son ordinateur, avec un pe-tit soupir pas loin. Mon imagination allait bien plus loin…

Zazz : Et… devant la webcam, est-ce que je ?…

T.R. : Est-ce que tu ?…

Zazz : Est-ce que je me suis… euh… tu sais quoi ?

T.R. : Hum…

On a frappé à la porte. En retenant un spasme, j'ai éteint l'écran de mon ordinateur, honteuse, mortifiée, prise au piège et émoustillée. Je faisais face à la porte, mais craignais qu'on voie ce que je tramais. J'ai pensé à des espions réseau et à un congédiement prochain. Honte, désespoir, chômage pour cause de cybersexe à deux heures trente de l'après-midi parce que c'était rendu au stade méga-porno-au-boulot. Enfin... dans ma tête.

C'était Marie, la réceptionniste, qui voulait s'assurer que j'étais en mesure de prendre un appel. Le rouge aux joues, je me suis excusée d'avoir été si concentrée sur mon « travail » que j'en avais oublié de répondre au téléphone.

Ben bravo... Bra... vo !

J'ai rallumé mon écran d'un doigt tremblant qui, avec l'aide de ses neuf congénères, est arrivé à taper au clavier malgré la nervosité.

Zazz : T.R... Je dois me déconnecter. Je suis occupée !
T.R. : Oui, oui, c'est ça... Ha ! Ha ! :-)
Clara : Mais c'est vrai ! Je suis au travail !
T.R. : Moi aussi... Je suis dans le labo de l'université. Oups...

J'avais envie de lui donner un rendez-vous Internet ou mieux, en chair et en os ; de lui en dire plus, de le questionner, de retirer mes paroles ; de me sauver à toutes jambes ou de les rouler autour de son cou ; de faire tout ce qu'il n'aurait surtout pas fallu que je fasse, mais que j'aurais dû faire si je n'avais pas été folle.

Clara : On se reparle ?
T.R. : Oui, bien sûr.
Clara : À la prochaine alors ?
T.R. : D'acc... À la prochaine.

# CHAPITRE 10

— Vous ne trouvez pas qu'il a l'air un peu trop gai ?

— Mais, Yan, t'es gai, lui a rappelé Mélodie.

— Tu sais ce que je veux dire… Moi, le genre moineau, ça ne me fait pas triper, a-t-il dit en mimant, sans conviction, un mouvement de battement d'ailes. Regardez ça !

Nous nous sommes penchées vers son portable et avons posé chacune de notre côté la tête sur l'épaule de notre ami pour avoir une meilleure vue. Sous nos yeux brillait de tous ses feux la fiche de présentation d'un certain gars dont Yan avait fait la connaissance quelques jours auparavant.

— Je ne trouve pas qu'il a l'air si gai que ça, ai-je dit plus par dérision que pour le rassurer.

— *Come on* ! Mégamoune !

S'il fallait ignorer le chandail moulant en filet, les sourcils trop épilés ainsi que la moue boudeuse, l'énergumène s'en sortait en théorie pas si mal côté présentation, révélant contre toute attente sur sa fiche qu'il aimait le hockey. Un leurre ? Une attrape mâle ? Du reste, je n'avais qu'une question aux lèvres, mais Yan, lisant dans mes pensées, m'a répondu sans que j'aie eu à demander quoi que ce soit.

— Je sais, je sais. C'est pas mon genre. Je m'ennuie, que voulez-vous… J'avais rien à faire, je l'ai rencontré. Pis c'est ça… On va se marier, s'acheter un bungalow, un caniche puis adopter un enfant africain.

Sans l'ombre d'un sourire, il avait lancé ça, mi-amer et désabusé tout plein. Mélo a hoché la tête, compréhensive et empathique, car ce qu'il disait faisait drôlement écho en elle. Cet ennui, cette peur de la solitude, elle connaissait. J'avais tiqué sur le mot «ennui», mais pas pour les mêmes raisons qu'elle. Ce n'était pas le genre de Yan, de s'exprimer ainsi. Je ne doutais pas qu'il puisse se sentir seul par moments, mais d'en parler de cette façon, avec tant d'aigreur, ça ne lui ressemblait pas.

– Je comprends tellement. Je me remets en question, ces temps-ci. Je veux dire… Pensez-vous que je suis dépendante affective?

– Non, Mélo, t'as juste pas été chanceuse jusqu'à maintenant…

– Je serais victime, d'abord? Dis-moi, ce que t'en penses, Yan!

Dans son ton suppliant, elle quêtait la vérité. S'il avait été un arbre à fruits, elle l'aurait secoué jusqu'à ce qu'il en tombe quelque chose, comme s'il détenait la clef pouvant l'aider à recoller les morceaux…

– Pourquoi tu ne serais pas juste toi tout simplement, chérie? a-t-il répondu, fin psychologue peu convaincu.

Il a pris une gorgée de sa bière. J'observais, de mon côté, les autres tables de la terrasse, les groupes d'amis qui riaient ou jouaient aux cartes malgré la brise qui menaçait de les emporter, les couples d'amoureux, les collègues en plein cinq à sept. Tout ce beau monde en train d'inaugurer le printemps. J'ai laissé mes pensées dériver tandis que Mélo étalait encore ses doutes et ses insécurités. Il y avait dans ses suppositions beaucoup trop de théories qui dépassaient nos capacités d'analyse, les miennes surtout. Yan, avec une patience infinie, l'écoutait et essayait de la rassurer, comme toujours. Dans le brouhaha des conversations et l'intarissable flot de paroles de Mélodie, je me suis rendu compte qu'il était plus cerné que d'habitude. Il avait réussi à se faire oublier.

– T.R. me dit que je m'en fais trop avec ça.

Boum!

Comment sortir des vapes? Comment redescendre sur terre? Citez de but en blanc des initiales mystérieuses.

Mon cœur avait fait un bond. Encore. La surprise, ce n'était que l'effet de la surprise. Qu'elle le mentionne tout bonnement dans un monologue et plus particulièrement dans une de ces réflexions qu'elle nous lançait, à voix haute, c'était un choc.

Boum! Et ma concentration était revenue en flèche. Assurément.

– Ah oui? Il a dit ça? ai-je demandé avec le plus de désinvolture possible, surveillant la tonalité de ma voix qui menaçait de monter d'un cran et, par le fait même, de me trahir.

Trempant les lèvres dans ma bière, j'ai masqué un sourire. J'avais essayé d'opter pour un ton neutre, un brin amusé, car quoi de plus normal que quelqu'un quelque part dise à mon amie qu'elle s'en faisait trop. Nous n'arrêtions pas de le lui répéter, et ce, depuis des années.

– C'est qui, T.R.? a demandé Yan distrait à son tour.

– Un ami sur le Net.

– Oh, oh… un ami? l'a taquiné Yan avec un clin d'œil complice mais strictement de routine.

– Yan, il est laid. Fin de l'histoire.

Le nez enfoncé dans mon verre, j'ai réprimé un hoquet, réaction qui n'a pas échappé à Yan et à laquelle il a répondu par un regard coulant.

– Laid, comme dans un *vrai* laid? a-t-il demandé à Mélodie. Pas un *faux* gars laid, toujours? Parce que les maudits bâtards de faux gars laids, là… Eux autres, c'est les pires!

– Qu'est-ce que tu veux dire? a répliqué cette dernière, un peu agacée par ce jeu de mots qui lui échappait et me confirmant par la même occasion qu'elle n'avait aucune idée de ce dont T.R. avait l'air en réalité.

– Bien sûr qu'il n'est pas beau. J'ai vu sa photo. ON a vu sa photo, hein, Clara ?

Elle a fait un geste de tête dans ma direction tandis que j'écrasais subtilement le pied de Yan sous la table, ce à quoi il a réagi en m'écrabouillant l'orteil à son tour.

10-4. Message reçu.

– Je suis mal à l'aise de dire ça, a-t-elle ajouté en baissant le ton comme si les occupants des tables voisines pouvaient l'entendre. Ce n'est pas de sa faute. Il doit être beau… mais, en dedans, tu comprends ?

J'en aurais ri à m'en taper les cuisses. Le laid, le beau. Les rôles, les malentendus. La curiosité de Yan s'en trouvait piquée. Il a commandé une autre tournée de bières, tout captivé par le tournant que prenait la conversation.

– S'il a au moins la beauté intérieure, c'est déjà ça, a dit Yan.

– Et vous jasez souvent, T.R. et toi ? ai-je demandé innocemment à Mélodie.

– Oui. Presque tous les jours.

Yan a poussé un sifflement admiratif tandis que je me renfrognais. Mauvais. Mauvais. Mauvais parce que leurs liens semblaient se solidifier. Mauvais parce que je ne le voyais que rarement en ligne. Avec moi, il prenait ses distances, mais avec Mélodie, ils en étaient au clavardage quotidien ? Me bloquait-il ? Oui… mauvais.

– Et tu penses le rencontrer un jour ? a demandé Yan.

– Pour quoi faire ? Il ne m'intéresse pas.

Devant sa réponse, je n'ai pu m'empêcher d'émettre un sourire satisfait. Malgré toute l'ouverture aux autres dont elle faisait montre et qui la mettait souvent dans l'embarras, Mélodie venait de me confirmer que je n'étais pas la seule à faire preuve de superficialité. Étais-je soulagée d'apprendre qu'elle n'avait pas l'intention de le voir ? Peut-être un peu… Depuis la mésaventure avec MorduDeToi, une ombre planait sur notre amitié et la dernière chose dont nous avions besoin était d'un autre gars entre nous deux.

— On fait juste *chatter* comme ça, a-t-elle ajouté. Ça ne veut rien dire. J'aime lui jaser sur le Net et c'est suffisant pour moi. Mais toi, tu ne lui parles plus?

J'ai haussé les épaules nerveusement, ne sachant que répliquer. J'ai fait mine d'être désintéressée du sujet et d'être absorbée par la bière froide qu'on venait de poser devant moi. Mélodie me regardait avec insistance et je ne répondais toujours rien. Yan de son côté se rembrunissait, ses pensées dérivant ailleurs. Et comme pour meubler l'inconfortable silence, il a pris la parole:

— Vous savez, je commence à être écœuré d'Internet. Des fois, je me dis que je vais bizouner sur mon ordi quelques minutes. Et puis, une chose mène à une autre, je ne peux pas décoller de l'écran, je relève la tête et je me rends compte que ça fait quatre heures que je perds mon temps. Ça n'a pas de bon sens! C'est ce que je me dis toutes les fois. Pourtant, je recommence chaque jour. Chaque jour!

— C'est vrai qu'on passe beaucoup trop de temps sur Internet, a approuvé Mélodie.

— Hum…, ai-je fait.

— Sinon, a ajouté Yan, comment expliquer qu'on ait choisi d'être sur une terrasse avec Wi-Fi? Je veux dire… *Fuck*… On est même plus capables de se parler!…

Il m'a coulé un autre regard en douce, faisant silencieusement allusion aux morceaux de casse-tête du cas T.R. qui manquaient à Mélo et que je n'étais pas prête à lui livrer.

— On fait dur, a-t-elle soupiré.

Je me suis étirée, souriant au soleil printanier.

— Vous êtes donc bien intenses, aujourd'hui, vous deux. Deux vraies faces de carême! Il fait beau, il fait chaud. C'est le printemps. Tout le monde est content.

— Beau poème, a grogné Yan.

Il a cogné sa pinte de bière contre la table en la reposant un peu trop brusquement : « Merde. Internet, c'est trop. Je ne fous rien de mes soirées, vous comprenez ça ? »

Mal à l'aise, j'ai dégluti et tiré sa pinte de bière vers moi.

— OK. Mollo avec l'alcool. Yan, sérieusement. Alterne avec de l'eau, OK ?

— Eille ! Veux-tu bien me laisser du lousse un peu ? Je peux consommer de l'alcool avec le lithium. C'est OK. Mon doc m'a donné le feu vert, la pharmacienne aussi !

— Oui, mais Yan…

— Il n'y a pas de « oui, mais Yan… » ! Si je peux être normal deux secondes, faire comme tout le monde, boire comme tout le monde… Je vais le faire, bon !

Il m'a toisée du regard en reprenant sa pinte de bière. J'ai dû émettre un petit sourire en guise d'excuse.

Pour faire diversion, Mélodie a lancé ce qui sonnait comme l'idée du siècle :

— On devrait faire un sevrage d'Internet ! Oui ! Couper ça net et sec.

— Ça pourrait être thérapeutique, a dit Yan en hochant la tête.

— Oui, on pourrait réapprendre à « cruiser » en vrai. Sur le terrain ! Il doit y avoir des livres là-dessus.

— Ou ben avoir une vie, tsé ! Décoller d'Internet, apprendre le macramé, revenir aux valeurs essentielles comme la culture de la terre et jouer de la cuillère en famille ou chanter du Beau Dommage autour d'un feu de camp.

— Ben, voyons… qu'est-ce que vous racontez là ?

— Clara, on sait bien, toi t'es pas accro, donc ça va être facile pour toi. Oh ! J'ai une idée ! On devrait même se désabonner de notre fournisseur Internet !

— Non ! Mélo ?! T'es en SPM ou quoi ?!

Non… Juste quand je commençais à m'amuser un peu sur Internet. Non!…

– Ah, c'est vrai, t'en as besoin quand tu travailles à la maison.

– Exactement! Et toi aussi, Mélo!

– D'abord, on s'inscrit à Facebook! s'est-elle écriée avec enthousiasme. Allez, allez! On n'est sérieusement pas à jour!

– Facebook… Non, a tranché Yan. Je ne veux pas perdre encore plus de temps!

– Inscris-toi donc si ça t'intéresse. Nous deux, ça ne nous branche pas.

– Mais, a-t-elle objecté en dernier recours, si je n'ai pas mes VRAIS amis sur Facebook, ça n'a pas de sens.

Changement de sujet amorcé. J'ai exhalé un discret soupir de soulagement. Pas dupe, Yan m'a lancé à nouveau un regard par-dessus la table.

Nous étions une joyeuse bande de mésadaptés sociaux. Accros d'Internet. Prêts à sacrifier notre jeunesse, à lever le nez sur le beau temps et à s'abrutir devant un écran qui ne nous renvoyait que le reflet de nous-mêmes.

– C'était quoi les cachotteries tantôt?

Nous étions au dépanneur, en quête de ravitaillement pendant que Mélodie nous gardait une place sur la terrasse, reluquant sans aucun doute la faune masculine dans l'espoir de mettre en pratique ses nouvelles résolutions de « drague dans la réalité ». Les bras pleins de munitions telles que croustilles, réglisses, boissons désaltérantes, j'ai stoppé devant Yan, devant la caisse, devant le fait accompli.

– T.R., hein? a questionné Yan en se grattant le menton. Pourquoi tu lui caches ça à Mélo? Pis, veux-tu bien me dire ce que ça veut dire T.R.?

– Je sais pas. Touche Ronron? Je ne veux pas la mêler à ça.

– Tranche Rotative? Comment ça?

– Je la sens fragile ces temps-ci. Trop Roro.

– Euh… Quessé ça? Tu veux la protéger de quoi? De ton *kick*? Voyons Clara! T'as peur qu'elle te le vole ou quoi? T.R.? Oh… Top Rotoculteur!

– J'ai pas de *kick*, ai-je protesté en ramassant quelques friandises. Je la sens déprimée, c'est tout. Parlant de déprime, toi, ça ne va pas fort?

– Change pas de sujet. Revenons à Top Roteux… Et, excuse-moi d'insister, mais je ne comprends pas l'idée de faire des secrets avec ça.

– T.R. Trop Sexe!

– Mauvaise lettre! En rut et dyslexique en plus? OK, ton T.R. Truc machin ra-re-ri-ro-ru, tu le veux comme amant pour toi toute seule, je comprends, mais ce n'est pas une raison pour tenir Mélo à l'écart comme ça. En plus, elle le connaît! T'as jamais été discrète là-dessus avant, je ne vois pas pourquoi…

– Euh, *hello*? Top *Rush*, icitte! s'est impatienté le caissier en sautillant sur place derrière le comptoir et en coupant court à notre dialogue nébuleux.

J'ai vu mon ami lui lancer un regard noir teinté d'un mépris surprenant. Toute «zénitude», qui d'ordinaire était accompagnée d'huiles essentielles, de professionnalisme et de musique de méditation, avait pris le bord. Exit.

– Eille, la grande folle, on se CALME!

– QUOI?! a gueulé le principal intéressé faisant exploser le peu de muscles que laissaient deviner son mince torse et son t-shirt rose moulant. Ta gueule! Mais… TA gueule!

– Ta gueule toi-même! Tu *nous* fais honte! HONTE!

Sous mes yeux ébahis, deux pôles s'affrontaient. Le Yin et le Yang. L'efféminé et le mâle. J'ai vu le rouge monter au visage de mon ami et son poing s'abattre sur les gratteux de

Loto-Québec tandis qu'en signe de riposte, les mains du caissier se sont mises à papillonner avec énervement et à foutre des claques dans le vide. Prestement, j'ai déposé vingt dollars sur le comptoir, fourré les aliments camelotes dans mon grand sac et entraîné Yan à l'extérieur sous les vociférations du caissier qui menaçait d'appeler la police.

Vite, passez la porte avant que ça dégénère ou agitez un drapeau arc-en-ciel en guise de trêve.

Yan s'est mis à arpenter le trottoir, évitant de justesse des piétons ébahis.

– Yannick Légaré! C'était quoi, ça? Homophobie *the 13th*? Mais, qu'est-ce qui t'arrive?

Comme il ne répondait pas et ne ralentissait pas la cadence, j'ai dû le rattraper en courant derrière lui.

– Yan!

Il s'est arrêté, se prenant la tête à deux mains. Je ne savais que faire, ni quoi ajouter, alors je me suis postée devant lui, en attente. Lorsqu'il m'a regardée après quelques secondes qui ont semblé aussi longues que des minutes, son teint avait pâli, toute trace de colère avait disparu. Un grand gaillard déchu.

– C'est quand la dernière fois que t'as pleuré, Clara?

– Qu'est-ce que tu veux dire?

Langage obscur quand on est une personne assumée, indépendante qui a été, oui, brisée par le passé, mais qui a appris à se détacher de tout ce qui pouvait lui faire mal. Sa question m'avait prise au dépourvu. J'ai ravalé ma salive, levant les yeux vers lui. Yan n'allait pas bien et ça me revirait complètement à l'envers. C'était lui, notre port, notre pilier. Mon ami, mon miroir.

– C'est quoi, notre vie? On joue une *game*, on est déconnectés, on est… on est désespérés, tu ne trouves pas? a-t-il demandé alors que son ton démontrait plus une constatation qu'une interrogation. Pourquoi on se retient tout le temps et qu'on se fait croire qu'on a besoin de personne? Je veux dire, merde, t'as le droit de tomber en amour avec ce gars, si c'est ça que tu veux!

– Mais de quoi tu parles? ai-je soufflé, déstabilisée.

Il a secoué la tête tristement.

– Il n'y a rien de... vrai. Où est-ce qu'on s'en va, Poune?

Du coq à l'âne, c'était dans cet ordre, mais je comprenais son raisonnement, même si je préférais faire comme si je n'arrivais pas à saisir. Il a répété sa question d'une voix faible: «Où est-ce qu'on s'en va?» Pour détendre l'atmosphère, j'aurais voulu répliquer avec une remarque pleine d'esprit ou totalement futile, mais tout ce que j'avais en tête était: «Nulle part... On s'en va nulle part.»

J'ai ravalé mes paroles et lui ai servi mon sourire le plus réconfortant en lui frottant le dos.

– Je pense que t'es en phase de dépression. Tu vas aller voir ton médecin cette semaine?

Il a hoché la tête et, l'air fatigué, a lâché un «ouais...». Incriminons le houblon maléfique et le lithium mal dosé pour cet excès de lucidité. Et voilà où nous en étions, à quelques milligrammes du bonheur! Ce qui réglait tout.

– Promets, Yan!

– Oui, oui. T'inquiète pas pour moi. Ça va aller.

⏻

Monsieur-Monsieur n'a pas bronché quand j'ai sursauté devant l'écran. Il a appuyé sa tête lourde sur mes genoux.

T.R.: Tu n'es pas couchée, toi?
Clara: Salut. Je travaille sur un rapport.

Ce qui avait été le cas deux heures auparavant, mais j'étais restée plantée là à l'attendre, à espérer qu'il se connecte aux alentours de vingt-trois heures. Comme à son habitude… Mais bon, ça, c'était AVANT notre rencontre lorsque je me chargeais de l'éconduire assez sèchement et que je coupais court à toute longueur dans la conversation. Ironiquement, maintenant que je souhaitais qu'il soit en ligne, il se faisait rare. Insaisissable. Et pour ça, je m'en mordais les doigts.

> T.R. : Je ne te dérangerai pas plus longtemps…
> Clara : Non, non… ça va.
> T.R. : OK! Quand je t'ai vue en ligne, je pensais que Zazz était de service ce soir.

Encore *elle*! Décidément, le personnage l'avait marqué, plus que je ne le croyais. Bien plus que moi? Bon, je n'allais tout de même pas être jalouse de mon alter ego d'un soir…

Je me suis efforcée d'ignorer la mention «de service». S'il préférait m'étiqueter comme telle, j'ai supposé que ça allait simplifier les choses.

> Clara : À propos de ça… J'aimerais savoir ce que tu as vu exactement.

Autant avoir l'heure juste. Je voulais me faire une idée des ravages causés, car je n'avais aucun souvenir de m'être montrée à T.R. Et, il aurait pu y avoir d'autres cybernautes impliqués avant ou après lui, ce qui s'avérait encore plus horrifiant.

> T.R. : C'est un peu gênant de dire ça.
> Clara : Ça TE gêne… TOI? Eille! C'est moi l'exhibitionniste! Toi, tout ce que tu as à faire, c'est de me raconter ce que tu as vu.
> T.R. : Touché! Les joies d'Internet!
> Clara : Alors?

T.R. : Hum… Ça a duré dix secondes… Tu m'as fait une petite danse langoureuse devant ta webcam, avec quelque chose qui ressemblait à une ceinture de cuir… C'était… charmant.

Je me suis mordu la lèvre inférieure. Aïe! La ceinture de mon jean?

Clara : Tu disais l'autre jour que tu m'avais vue nue…
T.R. : Est-ce que le soutien-gorge pigeonnant et la culotte à froufrous, ça compte pour du nu? En tout cas, moi, je n'y ai vu que du feu.
Clara : Donc une danse et rien d'autre?
T.R. : Quoi ça, rien d'autre?
Clara : Tu sais de quoi je parle! Ne fais pas l'innocent.
T.R. : Ha! Ha! Juste une petite danse… rien d'autre.
Clara : Une minute, je reviens…

Fébrile, je me suis levée et Monsieur-Monsieur a roulé sur le côté en émettant un grognement en guise de protestation. J'ai dû le faire sortir en le poussant avec mon pied en direction du couloir, et il s'est exécuté de mauvaise grâce. «Ouste! Ouste!» S'il avait pu le faire, mon chien m'aurait dit de ne pas refermer la porte de ma chambre.

Clara : OK. Tu veux voir encore?

Silence Internet. Lourd. Long. Les secondes se sont écoulées. Je me suis pris le front dans la main. Quelle idée? Et lui qui ne répondait rien… Il réfléchissait? J'allais taper un «Laisse faire!» rageur quand il a fini par écrire :

T.R. : Tu me demandes si je veux te voir, toi? Faudrait que je sois fou pour dire non!

Clara : OK…

J'ai cliqué sur l'option de webcam, lui montrant une vidéo de trois secondes.

T.R. : Ah… ça, c'est pas gentil, ni joli… Ha ! Ha !

Je lui avais envoyé une image de mon majeur dansant devant l'écran.

T.R. : Euh… Tu m'en veux pour quelque chose ?
Clara : Non, je déconne !
T.R. : Euh… Ouf !…
Clara : Mais… ça sera tout ce que tu auras de… cyber-sexe… pour ce soir…
T.R. : C'est tout ? Cyber ?… Sérieusement, dans mon frigo, il y a le vieux pepperoni passé date de mon coloc et c'est plus affriolant que ça. Et puis, tu veux que j'aille dormir avec l'image d'un doigt d'honneur dansant ? Tu sais que je pourrais faire des vilains rêves de haine et de guerre. Et si je restais pris dans ce cauchemar ?
Clara : OK, alors…

J'ai fait pivoter mon portable pour que la webcam capte un gros plan de mon pied. D'un clic de souris, j'ai stoppé l'image afin qu'il ne puisse en voir plus.

T.R. : Quoi ?! Un pied ? Qu'est-ce que tu veux que je fasse avec ça ? T'es pas correcte ! Ha ! Ha !

En vraie gamine, je jubilais devant mon portable, retenant un gloussement sonore qui aurait pu réveiller Mélodie à l'autre bout de l'appartement. Je me le représentais, secouant la tête et articulant un « quoi » muet suivi d'un éclat de rire.

Une main dans les cheveux ébouriffés. Cette image de lui qui me venait à l'esprit m'a fait frissonner.

Craquant. Fantasme.

Je. Voudrais. Que. Tu. Sois. Devant. Moi.

T.R. : Tu ne peux pas me montrer un p'tit bout de peau ? Juste un p'tit bout ?…

Nouveau frisson. J'ai pouffé de rire, les joues enflammées. Il était une heure du matin, tout le monde était couché, sauf lui et moi. Nous étions seuls. Il n'y avait pas de mal à ça. Zazz était née d'une soirée d'abus et, moi, j'étais là, à jeun.

Mais si je laissais tomber mes inhibitions… Si je laissais tomber mes vêtements au sol et que… et que…

Je pourrais dire adieu à une nuit de sommeil réparateur.

Clara : Je suis en pyjama !…
T.R. : Bah, au naturel, j'aime ça.
T.R. : Juste un p'tit bout de toi…
T.R. : Sans artifices…
Clara : Sans le soutien-gorge pigeonnant, tu veux dire !
T.R. : Juste toi. Je veux te voir toi.

Un clic et mon image était de retour à l'écran dans un petit encadré montrant mes cheveux emmêlés, un pyjama plus confortable que présentable. J'ai positionné la lampe de bureau pour offrir un meilleur éclairage, consciente de son regard sur moi, j'ai modifié ma posture, souriant coquettement à la caméra, étudiant mes gestes et lui dédiant quelques battements de cils caricaturaux.

T.R. : Bonsoir, vous !
Clara : Toi, as-tu une webcam ?
T.R. : Non… désolé. Trop vieux, l'ordi.

Clara : Donc…
T.R. : Mais… juste de te voir, je suis déjà…
Clara : Arrête !

Gênée, allumée, je me suis caché le visage dans les mains. J'ai ensuite obstrué le trou de la caméra d'un doigt tandis qu'il s'affolait virtuellement :

T.R. : Nonnnn ! Mais j'ai « rien » vu encore… Allez… un p'tit bout de peau… un coude peut-être ?

J'ai retiré mon index de la caméra et reculé pour m'appuyer confortablement contre le dossier de ma chaise. Sans ajouter quoi que ce soit, j'ai défait le premier bouton de mon pyjama, fixant le minuscule trou de la caméra. J'imaginais son regard, le même qu'il m'avait servi en s'inclinant vers moi dans les toilettes du bar, attendant la permission de m'embrasser. Consentement que j'avais été folle de lui refuser, je m'en rendais compte maintenant, alors que je m'en mordais les doigts, que j'étais prête à me montrer à lui.

Nerveuse, je n'arrêtais pas de me répéter mentalement : « Je ne peux pas croire que je vais faire ça. Je ne peux pas croire que je vais faire ça. »

T.R. : Oh…

Pourtant, je ne lui avais rien montré si ce n'était qu'une infime partie de mon cou. Le souffle court, le cœur battant, j'ai défait le deuxième bouton et puis le troisième dévoilant une épaule et la naissance d'un sein. J'ai laissé un doigt glisser lentement sur ma peau nue en direction de l'ultime bouton.

T.R. : T'es belle… merde…

146

Je lui ai servi un regard à la fois gêné et séducteur. Hum… Jusqu'où aller avec ce petit jeu? J'ai arrêté mon geste pour revenir au clavier.

J'étais en train de taper avec un air coquin et calculé : « Et moi, qu'est-ce que j'ai en échange si je t'en montre plus? » quand il a écrit :

T.R. : Excuse-moi, je dois partir. Bonne nuit.

(T.R. a quitté la conversation)
— Quoi?! ai-je hoqueté en me redressant sur ma chaise. Tu me niaises!

⏻

Le lendemain matin, dans une séquence modifiée; dodo, métro, boulot, j'étais d'une humeur pétillante malgré les événements de la veille. Pourtant, la somme d'une ébauche de cybersexe et de trois misérables heures de sommeil aurait dû égaler à une nuit de frustrations…

Certains pourraient croire à un alignement des planètes, à une machination du destin. D'autres s'expliqueraient cette rencontre fortuite par la théorie du hasard et de la synchronicité. Lui, il a pensé que c'était voulu.

Je ne sais quel phénomène a joué pour que je décide ce matin-là de prendre les transports en commun. Pourtant, avec l'arrivée du beau temps, j'avais repris possession de ma voiture et de ma place de stationnement du centre-ville. Qu'est-ce qui m'a poussée à sortir à la station de métro Berri-UQAM (ce que je ne faisais jamais), au lieu de descendre à McGill comme d'habitude? Pourquoi cette idée soudaine de parcourir le reste de mon itinéraire à pied? Je ne sais quel hasard nous a amenés à monter l'escalier en même temps, chacun provenant d'une direction opposée… Comment avons-nous fait pour aboutir au même moment, à une distance quasi égale du banc rond, ultime point de rencontre où se croisent des centaines sinon des milliers d'usagers du métro chaque jour ?

Il y a dans la synchronicité un phénomène inexplicable.

Il s'est avancé vers moi, alors que j'étais clouée sur place, avec pour seule bouée de sauvetage mon porte-document auquel je me cramponnais. Et lui, la main dans les cheveux, et en ce qui m'a semblé n'être que deux enjambées rapides et fluides, s'est posté devant moi, ignorant la cohue matinale qui nous bousculait et ma mâchoire décrochée qui gisait par terre.

– Je n'arrive pas à y croire, a-t-il dit de sa voix grave en laissant les écouteurs de son iPod tomber sur ses épaules. Mais, tu me suis ou quoi ?

– Tranche Radis…

Et c'est tout ce que j'avais trouvé à lui répondre. J'admets que c'était plus réussi que : « Mais, tu livres du poulet ! »

– Euh, quoi ?!

Il a éclaté de rire.

Qu'il occupe mes pensées était une chose, mais de l'apercevoir au moment même où je revivais mentalement et dans un tourbillon exaltant notre étrange rendez-vous improvisé, notre conversation de la veille parsemée d'images relevant plus du fantasme que de la réalité, était plus que saisissant. J'aurais pu croire à une hallucination, si ce n'était son odeur fraîche de savon et de dentifrice qui était bien réelle, bien concrète.

Nous étions mercredi matin. Et T.R. se trouvait devant moi, tout sourire.

J'ai dû retrouver l'usage de ma mâchoire, car il était là à attendre que je réagisse.

– Qu'est-ce que tu fais ici ? lui ai-je demandé.

– UQAM, a-t-il dit en pointant l'entrée de l'université derrière lui. École des médias. Cinéma. Et ce matin, cours de montage. Et toi? Où tu vas comme ça?

*Je pars avec toi où tu veux…*

– Au travail. Je voulais marcher un peu ce matin. Je vais travailler. Je… veux dire… je travaille près du métro McGill sur la rue Metcalfe… près du métro McGill, tu connais? J'avais le goût de marcher un peu avant d'aller travailler… au bureau. Le bureau est sur la rue… Euh, c'est ça…

– Drôle de hasard…

Comme s'il y avait matière à réflexion, il a hoché la tête en plissant les yeux, notant sûrement la redondance de mes propos et le fait que j'étais complètement perplexe.

Drôle de hasard, oui.

Il regardait tout autour de moi, les pancartes, les journaux offerts gracieusement et roulés sous le bras des passants, le haut plafond, le contrôleur de métro et les ascenseurs si peu fréquentés. Il détaillait tout… sauf moi. Puis, sans que j'aie le temps de peser mes mots, je lui ai demandé:

– T'as bien dormi… finalement?

Il a gratté d'une main sa barbe naissante, a poussé un «Ha! Ha!», m'a transpercée de ses yeux pers l'espace d'une ultime seconde, puis s'est absorbé dans la contemplation de ses souliers.

– Disons que, oui… j'ai bien dormi… et toi?

J'ai hoché la tête. Ce n'était pas du tout le cas. J'avais passé une bonne partie de la nuit à essayer de comprendre pourquoi il s'était déconnecté aussi vite, avant de sombrer dans des rêves tourmentés qui avaient fini par basculer dans l'érotisme.

– Hier, je…, a-t-il commencé avec l'air de chercher ses mots.

– Oui?…

– Je m'excuse d'être parti et… de t'avoir laissée en plan. C'était pas fort…

J'ai levé un doigt accusateur vers lui, en m'exclamant: «Effectivement!» Son regard s'est fixé par-dessus mon épaule avant qu'il ne poursuive en plissant les paupières:

– Mon coloc est arrivé... par surprise...

– Ah... OK...

J'avais le scénario en tête. Sur l'ordinateur du salon délabré de l'appartement bordélique de deux célibataires, l'image d'une fille se préparant à faire un effeuillage en direct pour le plus grand plaisir du gars qui n'avait rien demandé, ou presque. Quant à savoir si le gars en question avait été pris la main dans le sac, je n'osais pas laisser mon imagination élaborer là-dessus, mais l'idée me rendait complètement folle.

– J'ai dû couper la conversation vidéo, tu comprends? Je devais avoir la face du p'tit gars pris la main dans le bocal de biscuits... Alors, je suis retourné bien sagement dans ma chambre.

Il a ri. J'ai rougi.

Bien sagement?... Le bocal, le sac.

*Et, moi..., j'ai mordu l'oreiller en pensant à toi, T.R.*

– Merci d'avoir protégé ma «web» réputation...

– Normal...

Si nous avions été en ligne, je l'aurais taquiné. Je lui aurais dit des conneries. J'aurais fait bifurquer la conversation sur une note grivoise, mais je n'osais pas. Était-ce le nouveau contexte dans lequel nous nous trouvions qui était en cause, une gêne matinale ou ce trouble que je ressentais comme jamais? Et nous étions là, plantés l'un en face de l'autre, embarrassés.

Mais pourquoi ne me regardait-il pas?

– Tu dois te demander ce qu'un gars de vingt-sept ans fait encore à l'université, a-t-il lancé, les mains enfoncées dans les poches.

– Non, pas du tout.

Ce n'était pas ce que j'avais en tête. Tout ce à quoi je pensais était d'arrimer son regard au mien.

– Je t'expliquerai ça un jour, si tu veux bien, a-t-il ajouté doucement, avant de s'exclamer avec un sourire:

– Hé! J'ai pas ton manteau!

Il a tapoté une à une ses poches, celles de sa chemise et de ses jeans, comme si mon manteau avait pu s'y glisser de lui-même.

– C'est pas grave. J'en ai pas besoin aujourd'hui. Il va faire chaud.

– Oui, il paraît…

– Ça change d'hier…

– Tellement…

– Super, maintenant la météo!

Encore plus intimidés, nous avons ri tous les deux, lui, en direction de ses souliers et moi les yeux fixés sur ses cheveux.

Je pouvais voir les mots entre nous deux. Des mots plus francs. Des sous-entendus. Le jeu de la séduction. Du désir, surtout. Et puis hier, quand je lui avais écrit que j'étais en pyjama, il avait répondu: «Au naturel, j'aime ça. Juste un p'tit bout de toi… Sans artifices… Juste toi.» Ces mots qui flottaient entre nous deux maintenant, je les avais lus et relus pour les apprendre par cœur. Ces mots, je les revoyais. Je revoyais surtout comment il avait conclu cette supplication:

«Pour que je m'endorme heureux…» C'est ce qu'il avait écrit.

D'habitude, je ne me laissais pas ébranler par ce que les gars racontaient sur Internet. Mais là…

Quand il a relevé la tête, nos regards se sont soudés. Il a souri doucement.

– Je dois y aller. Je suis en retard.

C'était lui qui avait parlé ou moi? Ou peut-être nous deux. Aucune idée. J'ai levé la main en signe d'au revoir.

– On se jase sur le Net ? lui ai-je demandé quand tout ce que je voulais savoir, c'était si nous allions nous revoir, et surtout quand.

Et puis, comme pour répondre à mes questions, il a dit :
– Ouais. C'est sûr.

Il a pivoté sur ses talons et franchi les tourniquets, emporté par l'heure de pointe et la foule d'étudiants pressés. Derrière lui, deux mots flottaient : « Bye, Clara. »

Il avait dit mon prénom. Mon prénom. Et j'aimais comment ça sonnait à mes oreilles.

Au même moment, j'ai aperçu un équilibriste dans le couloir menant à la sortie Saint-Denis et de Maisonneuve. Hissé sur de longues échasses, il déambulait dans la cohue de gens pressés en jouant de la flûte traversière. Ses pas hésitants et presque tremblants donnaient l'impression qu'il était sur le point de tomber à tout moment.

Mais, qu'est-ce qu'il foutait là, cet hurluberlu, en pleine heure de pointe ?

Incroyable.

*Mais, tu vas te faire mal ! Descends de là ! Tu vas te faire mal !*

J'allais l'interpeller, prévenir une chute fatale et le traiter d'imbécile fini. Peu importe dans quel ordre. Puis, la vérité m'a frappée. Cette petite voix qui invectivait, qui voulait mettre en garde, ne s'adressait à nulle autre qu'à moi-même.

*Descends de là. Tu vas te faire mal.*

En guise de réponse, j'ai haussé les épaules et j'ai pris le chemin du boulot, le pas un peu plus léger que d'ordinaire.

# Chapitre 11

Quelques jours plus tard, au moment où je rentrais à la maison après avoir fait quelques heures supplémentaires, il était là. Chez moi. Dans mon entrée. Je n'en croyais pas mes yeux qui, de leur côté, ne me croyaient pas non plus. Je l'ai touché du bout des doigts pour m'assurer de sa présence matérielle, que c'était bien lui, et non une projection de mon imagination. De façon assez saugrenue, j'ai poursuivi l'exploration en le reniflant.

Ainsi, Mélo et *lui* s'étaient rencontrés. Sinon, qu'est-ce qu'il faisait là ? Il était accroché à sa place habituelle, près de mon parapluie. D'abord témoin d'une rencontre imprévue et ensuite gardé en otage par la force des choses, il était de retour sur son crochet. Alors que j'en palpais encore le tissu, la tête de Mélodie est apparue dans le cadre de la porte de sa chambre.

– T'avais oublié ton manteau quelque part ? a-t-elle demandé avec un large sourire.

– Je... euh... oui.

Il y avait sans doute plusieurs explications au retour dudit objet, mais j'étais tout simplement stupéfaite. Ils s'étaient rencontrés. T.R. lui avait remis mon manteau et lui avait tout raconté. Mais quoi précisément ? Tout ? Rien du tout ?

– Il était dans un sac, accroché à la boîte aux lettres, a-t-elle dit, me procurant, par cette information, une bouffée instantanée d'oxygène. Tu l'avais oublié chez qui ?

– Hum… un gars que j'ai rencontré.

Et voilà que je pouvais lui répondre sans mentir.

– Ah oui ? Qui ça ?…

Enfin presque…

– Un gars insignifiant, ai-je grogné en lui indiquant d'un geste de la main que le sujet était clos. Qu'est-ce qu'on mange ?

Je l'ai suivie à la cuisine avec deux questions en tête. Un : comment T.R. avait-il fait pour avoir mon adresse ? Deux : comment est-ce possible qu'un gars intéressé par une fille ne saisisse pas l'occasion de la revoir alors qu'il avait le prétexte parfait pour le faire ?

La réponse à la première question n'a pas tardé. Le lendemain, j'ai vu à travers les rideaux une ombre se profiler sur le balcon. Il était vingt-deux heures et des poussières. Quand j'ai entendu le bruit métallique de la boîte aux lettres qui se refermait, j'ai bondi du sofa, poussée par la logique ou par une quelconque intuition. C'était lui. Je le savais.

À la volée, j'ai ouvert la porte. Il n'y avait personne. En pyjama et en pantoufles, j'ai descendu en courant les quelques marches qui menaient au trottoir et je l'ai vu au loin qui s'éloignait avec des longues enjambées, les mains enfoncées dans les poches. J'ai failli l'interpeller, mais j'ai réalisé, en ouvrant la bouche, que je ne connaissais toujours pas son prénom et que crier « T.R. ! » aurait sonné comme « théière ». Alors, j'ai poussé en vain un faible : « Eille ! » qui s'est perdu dans les bruits de la ville. Il a tourné le coin de la rue et a disparu. Zut !

En courant, j'ai grimpé les marches qui menaient à mon appartement sous le regard du voisin qui se berçait du matin au soir sur son balcon, trouvant plus palpitant le mouvement de notre quartier que les péripéties des feuilletons télévisés. Dans la boîte aux lettres, T.R. avait déposé un CD avec une petite note écrite à la va-vite. «Pour Mélo. Tel que promis. T.»

– T.? ai-je grogné entre mes dents.

Il y avait des limites à utiliser le diminutif d'un pseudonyme de deux lettres. Pourquoi tant de mystères? J'ai refermé la porte, agacée. Donc, c'est Mélo qui lui avait donné notre adresse pour qu'il dépose un CD. Voilà qui expliquait la livraison de mon manteau la veille. Subtilement, je suis retournée à ma chambre sur la pointe des pieds afin de ne pas réveiller mon amie qui dormait à poings fermés comme d'habitude. J'ai inséré le disque dans le lecteur de mon portable.

Guitare acoustique. Une compilation de chansons. Rien que des chansons d'amour. Copier. Éjecter. Au bout d'une minute, après un tour de passe-passe, le CD était de retour dans la boîte aux lettres, comme si de rien n'était.

J'ai refermé la porte de ma chambre, écœurée. Mélo, en pâmoison, se repassait le CD en boucle et chantait à tue-tête entre deux soupirs. *Creep* de Radiohead et *Moondance* de Van Morrisson. Et moi, j'étais jalouse. J'avais eu un plaisir coupable à écouter en douce la liste de lecture dans mon iPod, mais je devais me rappeler qu'elle ne m'était pas destinée. Je ne comprenais plus rien. J'avais sûrement tout imaginé… Et Mélo qui se retrouvait mêlée à *notre*… histoire…

*You float like a feather*
*In a beautiful world*
*I wish I was special*
*You're so fuckin' special*

*But I'm a creep*

⏻

T.R. : Hé ! Salut toi !
Clara : Salut.

Pas de point d'exclamation. Rien d'autre à ajouter. Je fulminais intérieurement devant l'écran de mon portable.

T.R. : T'as eu ton manteau ?
Clara : Oui.

J'ai ouvert plusieurs fenêtres de mon navigateur pour me donner une contenance virtuelle et l'illusion d'être occupée ailleurs. Recettes, potins de vedettes, astrologie, actualité, Torrent, MétéoMédia, *enlarge your penis* avec LA crème miracle. Et, je me suis mise à taper avec une colère qui me surprenait moi-même.

Clara : Oui, j'ai mon manteau, merci. Tant qu'à faire, tu aurais pu m'envoyer ça par Purolator, si tu tenais tant que ça à m'éviter…
T.R. : Euh… Qu'est-ce que tu veux dire ?
Clara : Je ne comprends rien à ton p'tit jeu…
T.R. : Mon p'tit jeu ?
Clara : Mélo a eu ton CD. Merci bien. Elle est accro et l'écoute sans arrêt. Ça t'amuse de séduire deux filles en même temps ?
T.R. : Séduire ?
Clara : Laisse faire ça !

Et voilà, c'était sorti. En m'emportant, je laissais tomber mon masque. Je m'avouais sous son charme, à la limite désespérée. Très peu indépendante, la fille. Très… pas moi.

Je me suis levée et me suis mise à faire le ménage de ma penderie, tâche que je repoussais depuis des mois. Vraiment, cette histoire allait me faire perdre la boule. Je n'arrivais plus à gérer mes mensonges. Mélodie ne se doutait de rien. D'ailleurs, je n'aurais su quoi lui dire. Et lui, il paraissait jouer sur deux tableaux, profiter du silence qu'il y avait entre mon amie et moi, créer un lien avec elle, s'éloigner de moi, ce qui me rendait folle.

Pourquoi ? Pourquoi ? Pourquoi ?

J'ai dû prendre plusieurs respirations profondes avant de retourner devant mon portable avec un semblant de contrôle.

T.R. : Primo, je ne comprends pas pourquoi t'es fâchée pour ton manteau. Il est à toi et je me suis dit que tu en aurais besoin. Je voulais te le redonner sans plus attendre.

T.R. : Deuxio, je ne joue pas de *game*. Je ne t'évite pas. Désolé si ça ressemble à ça.

T.R. : Tertio, Mélo et moi, on jase de musique, donc j'ai pensé qu'elle apprécierait sûrement une petite compilation. Et non, je n'essaie pas de la séduire. Elle est une copine. On *chatte*, rien de plus.

T.R. : OK, j'essaie de justifier quelque chose, là. Je ne suis pas sûr de comprendre moi-même de quoi je parle…

T.R. : Allo ?

Alors, j'ai osé…

Clara : Tu dis que Mélo est une copine sur le Net. Et moi, je suis quoi ?

Je m'en mordais les doigts. Quelle question pathétique ! Mais j'avais besoin de mettre les choses au clair, tellement que j'étais prête à perdre virtuellement la face. Tous ces non-dits me rongeaient. J'avais dû me faire des illusions sur toute la ligne. Pourtant, j'avais eu l'impression qu'il s'intéressait à moi. Ces choses-là se sentent. Je l'avais vu dans ses yeux quand nous nous étions rencontrés la première fois. Dans le métro, je l'avais senti dans l'intensité de son regard qui se dérobait au mien. Pourquoi devais-je compter les jours avant qu'il réapparaisse en ligne ? Pourquoi ne cherchait-il pas à me revoir ? À m'inviter ? Et moi, étais-je vieux jeu au point d'attendre qu'un gars fasse les premiers pas ?

> T.R. : Toi, tu… es… Zazz !
> Clara : Mais, arrête avec ça !
> T.R. : Désolé. Mauvaise blague.
> Clara : Donc, tu me vois comme la fille qui fait des effeuillages sur le Net ?
> T.R. : Non… mais j'avoue que l'image est assez marquante…
> Clara : Sois clair ! Tu veux qu'on couche ensemble ? Oui ou non ?

Je n'arrivais pas à croire à mon audace. Pourtant, j'avais l'habitude d'être directe. Avec lui, je perdais toute mon assurance. En personne ou sur Internet, c'était du pareil au même. Il me fallait crever l'abcès et surtout arrêter de patauger dans cette histoire qui me troublait plus que nécessaire. J'attendais sa réponse, le cœur battant, fâchée de mon propre émoi. Avec un peu de courage, en tapant vite et sans réfléchir, je pouvais retrouver mon sens de la répartie. Réintégrer mon ancien moi.

> T.R. : Je ne suis pas sûr que ça se demande, ce genre de choses…
> Clara : Je m'excuse de vous avoir offensé, mon cher.

T.R. : Non, non, ce n'est pas ça. (Mais quel caractère tu as, toi !) Je veux dire que ce n'est pas un truc qui se planifie ou qui se demande. ÇA se fait… Tu ne crois pas ?

Clara : Oui, ÇA se fait. Mais explique-moi une chose… Quand tu es venu livrer mon manteau et le CD pour Mélo, tu n'as pas pensé cogner à ma porte, entrer et « prendre un café » ?

T.R. : Tu m'aurais invité à « prendre un café » ?

Clara : Oui, un café… et tout ce que tu veux…

T.R. : Wow !…

Je me suis enfoui le visage dans les mains. Ma peau était brûlante. Encore ici, je ne parvenais qu'à lui parler par codes. Mais qu'est-ce qui m'arrivait ?

T.R. : Est-ce que je comprends ce que je dois comprendre ?

Clara : Oui.

T.R. : Donc… l'invitation « prendre un café » ou « prendre autre chose » est lancée officiellement ?

Clara : Oui… Quand tu veux…

T.R. : Re-wow !…

Clara : Alors ?

T.R. : OK.

J'ai gémi d'agacement et de frustration. Jamais il ne m'est passé par l'esprit de clarifier le tout, de lui proposer de s'expliquer au téléphone. J'étais là, figée devant mon écran à attendre et à essayer de décoder et de lire entre les lignes. Les joies d'Internet… Un univers d'une incroyable clarté !

Clara : Mais qu'est-ce que tu veux dire par « OK » ?

T.R. : Je veux dire… un « o » et un « k ». Dans le sens de « oui ». Je suis d'accord. Je pense que le café pourrait être bon.

Clara : OK…

J'ai poussé un petit cri que j'ai étouffé dans ma main.

> T.R. : Mais… toi… qu'est-ce que tu veux dire par «OK»?
> Clara : Je pensais à la sorte de café…
> T.R. : J'aime ça velouté, mais quand même corsé.
> Clara : Moi aussi…

J'étais à deux doigts de l'inviter chez moi. Là, maintenant. J'imaginais la tête de Mélo, en plein milieu de son ménage se demandant ce qui me valait une visite en plein après-midi et qui était ce beau gars dont elle n'avait jamais entendu parler…

> T.R. : Je te demanderais bien une petite image webcam, mais le coloc est derrière moi sur le sofa. Alors, je vais répondre à ta question initiale…
> T.R. : Qui tu es pour moi…
> Clara : Oui?…

J'ai retenu mon souffle. Le cœur battant. Pleine d'espoir. Le petit cri aigu pas loin des lèvres.

> T.R. : Tu es… la fille qui va regarder tout de suite dans la poche de son manteau. Ha! Ha!
> Clara : Hein?
> T.R. : Maintenant! Va voir!

J'ai ouvert la porte de ma chambre en coup de vent pour tomber nez à nez avec Mélo qui époussetait les moulures du passage. Elle a éclaté de rire et Monsieur-Monsieur qui la suivait au pas a levé un regard canin vers moi.

– T'es donc ben rouge!
– Excuse-moi, ai-je dit en la contournant.

J'ai refermé la porte derrière moi pour masquer mon portable à sa vue, comme si elle avait un œil bionique capable de capter à distance le pseudonyme de la personne avec qui je clavardais. Une fois dans l'entrée, j'ai fouillé les poches de mon manteau pour y trouver deux billets pour un spectacle de musique électronique. Son groupe.

Enfin! Une invitation!... Et cette fois-ci, je n'allais pas la décliner.

T.R. : Tu vas venir? C'est demain soir.
Clara : Peut-être...
T.R. : Tu pourrais venir me faire un coucou *backstage*...
Clara : Un coucou?... On verra...

# CHAPITRE 12

Quand l'éclairage du bar est devenu tamisé pour mieux révéler la scène illuminée et que de chauds applaudissements ont retenti, j'ai serré les fesses sur mon tabouret et rentré le ventre. Dans l'espoir de ne rien laisser paraître de mon engouement, j'ai observé l'assistance principalement composée d'adolescents et de jeunes adultes. Nous étions, Yan et moi, de toute évidence les plus vieux de l'endroit. Nos vêtements noirs et classiques contrastaient avec les t-shirts à l'effigie de personnages Kellogg's, les couleurs primaires des Life Savers et les calottes inclinées sur le côté dans un angle étudié. Nous étions immédiatement devenus la cible du serveur qui s'empressait de nous approvisionner en cocktails et qui y allait de ses suggestions au grand plaisir de Yan qui ne se gênait pas pour le dévorer des yeux.

Le *band* a commencé à jouer et j'ai été surprise d'entendre un amalgame de genres. Je n'y connaissais rien à ce style de musique électronique hybride, mais le tempo était accrocheur. Un brin de *lounge*, de funk et de jazz.

Je regardais tout, sauf l'objet principal de ma présence dans cet endroit, celui qui m'avait invitée. T.R. se trouvait sur scène, à une dizaine de mètres de moi. D'un rapide coup d'œil circulaire, j'ai pu dénombrer six membres au groupe. À la batterie, entre autres, comment ne pas manquer le bedonnant colocataire avec qui j'avais cru clavarder pendant des mois et qui faisait des grimaces à la Kiss plus dignes d'un *band* rock que d'un groupe de musique électronique. Comment s'appelait-il déjà ?

J'ai laissé mon regard dériver vers la scène, vers ses souliers à lui qui se sont mis à battre la mesure. Je les reconnaissais mêmes dissociés du tout puisqu'il s'était appliqué à les fixer tant de fois. N'observer que ses pieds. Parce que je ne pouvais pas le regarder, lui. Enfin, pas encore. J'ai feint un air semi-détaché, semi-blasé, semi-préoccupé, semi-séductrice. Dans le « semi » résidait le peu d'emprise que j'avais sur ma fébrilité de plus en plus grandissante. Il ne fallait pas qu'elle soit trop évidente, après tout j'aurais bien pu atterrir là par hasard, passant après une visite chez ma vieille tante qui habitait à vingt minutes de là. D'accord… en y pensant vraiment fort et en me faisant des illusions, j'aurais pu mettre cela sur le compte du plus pur des hasards.

– T'as presque réussi à me faire croire que tu m'invitais pour me changer les idées, a dit Yan dans mon oreille.

– Quoi ?! ai-je fait avec une innocence calculée.

– Le bassiste qui n'arrête pas de te regarder et que tu fais semblant d'ignorer… Hum, t'es ici pour lui, je suis sûr de ça.

Gênée, j'ai enfoui le nez dans mon verre, ce qui m'a permis de boire quelques longues gorgées salutaires. J'aurais dû venir seule. Avec mon ami dans les pattes, c'était d'autant plus intimidant.

À cet instant précis, je pouvais presque sentir le regard de T.R. sur nous, comme s'il savait que nous parlions de lui. J'ai repoussé une mèche de mes cheveux derrière mon oreille et j'ai souri à Yan, calculant mes gestes.

Il y avait de l'électricité dans l'air.

– Ça se peut…

Quand j'ai fini par relever la tête vers la scène, T.R. jonglait d'une main avec sa basse et de l'autre, avec la console de son. Il enregistrait des échantillonnages, la voix de celui qui faisait office de chanteur et repassait le tout en boucle. Entre deux transitions, il m'a regardée une longue seconde, peut-être deux ou trois. Puis, il a levé deux doigts de son instrument en signe de salut et a hoché la tête, marquant le tempo. J'ai entendu Yan pousser un : « *Hot...* »

Je me suis sentie rougir. T.R. m'a répondu à distance par un sourire craquant et j'ai tout de suite détourné la tête.

*Arrête ça, veux-tu... Bien sûr que je suis venue le voir. Arrête. On ne va pas en faire tout un plat.*

– Ah... Je comprends là !

– Quoi ça ?

– Est-ce qu'on a devant nous, Mesdames et Messieurs, le fameux, le mystérieux, le fantasmatique T.R. ?

Mon ami était dans une forme éclatante, à des années-lumière de ses états d'âme des dernières semaines. C'était de bon augure. En fait, peut-être pas pour moi. Il me talonnerait. Il n'allait pas lâcher le morceau jusqu'à ce que je crache le mien.

– Oui, c'est lui, ai-je dû avouer en prenant une autre gorgée de margarita.

– T.R. comme dans Touche Ronron et Trop Ragoûtant ? a demandé Yan en jonglant avec la carte des cocktails et des bières. Oh, attends une minute...

Il a brandi les billets de spectacle qui se trouvaient encore sur la petite table rendue collante au contact de nos boissons sucrées.

– Tadam ! s'est-il exclamé en donnant un grand coup juste à côté de son verre. Regarde ça !

L'évidence même ! J'avais un billet à quelques millimètres du nez. La pièce du casse-tête qui m'avait manqué. Et je n'avais pas fait le lien !

– Toxic Robot ! me suis-je écriée. Le nom du groupe ! T.R. !

– Bingo, hein, ma Poune ? a dit Yan de sa grosse voix. Bin-go !

Ainsi donc, tant de mystères pour arriver à cette réponse. Le pire dans tout cela était que j'avais maintenant le vague souvenir d'avoir demandé au principal intéressé ce que ses initiales signifiaient. Il fallait croire que j'avais relégué ces informations dans la catégorie des données sans importance.

– Il ne fait pas un peu ado? ai-je interrogé Yan en détaillant discrètement les vêtements de T.R. qui portait une tuque noire enfoncée sur la tête, un t-shirt gris ajusté avec des logos indéchiffrables.

Et que dire des filles qui poussaient des cris et qui réagissaient à ses petits solos et à ses expressions faciales. Bon sang, il était la coqueluche des adolescentes de la place! J'hésitais entre rire ou avoir honte. Un n'empêchait pas l'autre...

– Clara, je «tripe» sur Tintin, je mange des Froot Loops chaque matin, est-ce que je suis ado pour autant?

– T'es retardé mental, c'est pas pareil!

– Je peux te dire que ce gars-là... il te veut. C'est clair...

Cette fois-ci, je me suis sentie rougir. Voyant que Yan me dévisageait avec insistance, je me suis caché le visage dans les bras. Il s'amusait à me pousser avec les siens qui étaient appuyés sur la table. J'ai secoué la tête et lui ai mordu l'épaule avec un petit gémissement de honte.

– Mais non... pas tant que ça...

– Oh, il regarde encore par ici.

– Arrête ça, Yan!

Il m'a frotté le dos doucement comme pour me réconforter.

– Pauvre Poune, tu vas survivre. T'as juste un gros *kick* sur le gars.

– Je n'ai pas de *kick*! ai-je objecté en lissant distraitement ma robe. Un flirt, peut-être, mais un *kick*? Non. Les *kicks*, c'est pour les ados. Voyons donc... toi!

D'un mouvement de la main, je lui ai désigné le groupe de filles agglutinées devant la scène. Notre serveur est réapparu pour s'enquérir de nos commandes. Comme il nous avait approvisionné régulièrement, je commençais à ressentir les effets de l'alcool. J'avais carrément oublié de souper avant de rejoindre Yan et de stationner ma voiture chez lui. Quand le serveur s'est éclipsé avec un dernier clin d'œil à Yan, j'ai poursuivi, me sentant obligée de lui donner des explications ou de me justifier :

— Oui, il m'intéresse… d'une certaine façon, ai-je hésité en pesant mes mots. Mais, on s'enligne pour être amants, vois-tu ? On en a parlé.

— En parler ? Quoi ? Es-tu en train de me dire que vous n'êtes pas encore passés à l'horizontale ? !

— Non… pas encore.

— Eh, ben !

Yan secouait la tête en rigolant et répétait : « en parler… en parler » comme s'il ne pouvait concevoir l'idée. Je me suis sentie d'autant plus honteuse et j'ai cru bon ajouter « sur Internet… » d'une voix faible, ce qui a fait rire Yan encore plus fort.

— On dit n'importe quoi sur Internet. N'importe quoi ! *Amuse-toi*, ma Poune, c'est tout ce que je peux te dire. Qu'est-ce que t'attends ? Soulage-toi ! Couche avec lui, une fois pour toutes !

*Soulage-toi… Couche avec lui.*

Je n'arrivais plus à comprendre Yan. Une semaine auparavant, il semblait se torturer à l'idée que je passais sans aucun doute à côté de quelque chose. Il était même allé jusqu'à insinuer à mon grand désarroi que j'étais amoureuse de T.R. et, maintenant, tout ce qu'il me suggérait était de m'envoyer en l'air… « à la Yan ».

— Ne te pose pas de questions, a-t-il ajouté comme pour répondre à mes pensées. T'as ma bénédiction. Il est *hot* comme dans *HOT*.

Du menton, il a fait un mouvement en direction de la scène. Comme T.R. regardait ailleurs, j'ai pu m'intéresser au spectacle que le groupe donnait. Si j'avais eu une quelconque crainte d'être déçue, mes doutes s'avéraient non fondés. La musique de Toxic Robot était excellente. Le bassiste l'était particulièrement.

Yan marquait le rythme en tambourinant sur la table, un brin survolté. Nos consommations suivantes sont arrivées avec un vieux sac de croustilles Yum-Yum, gracieuseté du serveur qui avait tout fait pour me trouver quelque chose à grignoter à la demande de mon ami.

Nous avons porté un toast. Sur mon tabouret, je me suis balancée au rythme de la musique. Yan me taquinait, me lançait des regards complices qui en disaient long, auxquels je répondais en tentant de rester le plus neutre possible.

Je ne pensais qu'à l'entracte.

Quand celui qui faisait office de chanteur a annoncé que le groupe prenait une petite pause, je me suis dit que ça y était.

*Tu pourrais venir me faire un coucou backstage…*

*Un coucou ?… On verra…*

Je me suis levée de mon tabouret, les jambes ramollies par toutes ces margaritas joyeusement ingérées.

– Je vais aller lui dire bonjour, ai-je déclaré le plus naturellement du monde à Yan.

– Oui, oui, c'est ça. Bonjour, comme dans : « Salut bébé, je te présente mon décolleté. »

Il m'a regardée d'un air faussement lubrique en me détaillant par-dessus son verre de martini.

– C'est pas si pire que ça ! ai-je protesté.

Sous mon veston de cuir que j'ai retiré en tirant la langue à Yan, je portais une robe noire à fines bretelles franchement plus appropriée à une chaude soirée d'été qu'à un printemps incertain. J'avais pris soin de mettre mes dessous les plus affriolants pour… cette occasion. D'un petit coup de main, j'ai remonté ma poitrine. La dentelle rouge de mon soutien-gorge en a été dévoilée et Yan a levé un pouce approbateur en l'air.

– T'as des capotes, j'espère!

J'ai roulé des yeux à son intention et je me suis dirigée vers l'arrière de la scène. Plusieurs membres du groupe s'étaient joints à l'assistance pour prendre un verre.

Aucune trace de T.R. dans le bar.

Il m'attendait…

Les coulisses… il m'avait invitée à aller lui faire un coucou dans les coulisses. J'ai gloussé intérieurement à cette idée. J'imaginais une horde d'admiratrices en délire, une collection de soutiens-gorge accrochée aux murs d'un long corridor obscur et moi qui passais au travers, victorieuse, prête à l'enfourcher dans sa loge.

*Le beau bassiste, c'est moi qui vais l'avoir. Il va boire MON café.*

Donc, nous en étions là. Il suffisait que j'aille le voir pour briser la glace. Rien de plus simple. J'étais là pour ça. Pour le séduire.

J'ai emprunté la sortie qui se trouvait à droite de la scène et j'ai traversé un corridor sombre. Il n'y avait que trois portes, dont une qui menait à un petit bureau où deux hommes conversaient une bière à la main.

– Bonsoir, je cherche, euh… le bassiste…

Voyant mon air interdit, un des deux m'a indiqué la porte du fond que j'ai poussée. À ma grande surprise, je me suis retrouvée à l'extérieur dans une ruelle faiblement éclairée. J'ai frissonné et immédiatement croisé les bras sur mes épaules pour les couvrir. Le temps était frais.

– Je me doutais bien que tu viendrais… quand même…

C'était lui. Il était appuyé contre le mur, une bière à la main.

*Quand même?*

Son ton avait une amertume que je ne m'expliquais pas et qui est passée huit cent mille pieds au-dessus de ma tête.

Bon sang qu'il était beau! J'ai fait quelques pas vers lui. Je me sentais légèrement ivre, mais totalement séduisante. Top *power margarita*!

– Salut, ai-je dit en le gratifiant du plus charmant de mes sourires, auquel il a répondu en regardant ailleurs.

– Je pensais que t'étais célibataire, a-t-il répliqué d'une voix égale en oubliant les salutations et les politesses d'usage.

– Pourquoi tu dis ça?

– C'est cool pour toi. Ouais, je suis content. Mais, t'aurais pu m'en parler sur le Net ou m'envoyer un court courriel du genre: «Hé, désolée, j'ai repris avec mon ex.» J'aurais compris. Mais… regarde, t'as pas à m'expliquer.

J'ai eu un flash, l'image de Vittorio, mon ex. Mais je ne comprenais rien…

– Mais, de quoi tu parles?! me suis-je exclamée. Je suis célibataire!

Sans comprendre mon affirmation, il a insisté:

– Fallait pas te sentir obligée de venir avec lui… pour me le montrer ou je ne sais pas trop…

Il a pris une longue gorgée de bière, a pointé derrière lui en direction du bar et a ajouté «ton ex…» et j'ai compris.

– Oh!… Oh!…

Je nous revoyais, Yan et moi, mais avec sa perspective à lui. Ma tête sur son épaule, le baiser taquin qu'il avait planté sur mon cou, la morsure dont je l'avais gratifié, nos œillades complices. Ça expliquait pourquoi j'avais senti le regard de T.R. se faire plus rare, se posant partout, sauf dans notre direction. J'ai ri.

– C'est Yan. Mon AMI… et il est ga !

– Lui, gai? Gai?! Mais non!

– Gai comme dans homosexuel, comme dans fifi mâle, comme dans va par là que je te pousse.

Il a changé d'air complètement et est parti à rire. Il a levé les mains en l'air en signe de renoncement.

– Woh! Ça va, j'ai compris! Donc, t'es pas venue m'annoncer que t'as repris avec ton ex?

– Non.

– Donc, t'es venue...

Je me suis installée à sa droite, appuyée contre le mur, calculant mes gestes et bougeant avec une certaine lenteur, le temps de lui lancer un regard en douce. Nos bras se touchaient presque.

– Oui... te faire un coucou.

– Alors, coucou, a-t-il dit doucement.

J'ai tourné la tête vers lui et lui ai servi une moue coquine par-dessus mon épaule. J'étais à l'aise, confiante, à un poil de battre des cils. C'était simple. Il était séduit. Je le voyais dans cette façon qu'il avait de détourner les yeux et de les reposer sur moi quelques secondes plus tard avec un regard intense et brillant.

– Sur Internet, tu m'en dis des choses, toi, a-t-il dit avec un sourire amusé. Comme si tu n'arrivais pas à m'en parler en personne... Tes petites propositions...

– Des propositions disons... sexuelles?

– Ha! Ha!

Il est parti d'un grand rire puis a pris une gorgée de sa bière avant de faire un «hum». J'étais à la fois fière de mon audace et surprise d'avoir été aussi directe. Enfin. Je commençais à redevenir moi-même... grâce à l'alcool. Non pas que j'aie vraiment eu besoin des trois margaritas pour l'approcher, mais la substance aidant, toute peur, toute pensée inhibitrice était enfouie dans un recoin de mon esprit. Et j'étais toute là... présente et joyeusement allumée par sa proximité, le souffle court, en manque de peau. Déjà en manque de lui alors qu'il ne m'avait même pas touchée.

Il a retiré sa tuque qu'il a fourrée dans la poche arrière de son jean avant de se passer une main dans les cheveux laissant au passage une mèche rebelle en l'air. Il m'a regardée de biais.

— Donc, «prendre un café», hein? a-t-il demandé en mimant des guillemets avec ses doigts. T'en as pas un dans ta poche par hasard?

Il a posé son index sur la petite poche qui ornementait le devant de ma robe. J'ai retenu mon souffle. Il l'a laissé là deux ou trois secondes pour ensuite reprendre une gorgée de bière.

— Non…

— C'était pas ça, le plan?

— Quel plan? ai-je dit, jouant la carte de l'innocence et réprimant un petit rire. Je ne vois pas de quoi tu parles…

— Hum! Ça ne sera pas si facile finalement…

Il s'est frotté le menton entre le pouce et l'index en faisant une grimace qui m'a fait glousser.

— Non, ça ne sera pas facile.

— Merde…

Il a bu une autre gorgée de bière en retenant un rire avant de changer de sujet:

— Il n'y a pas de loge en fin de compte. Le seul endroit qui ressemble à une loge, c'est un placard à balais. Il y a entre autres une mascotte en plumes et un grille-pain. Je ne suis pas certain de comprendre le lien entre les deux. On est loin de la grosse vie de vedette. Pas trop déçue?

Sans lui répondre, je me suis tournée vers lui et j'ai remis en place la mèche de ses cheveux qui, rebelle, pointait toujours à la verticale. Il a écarquillé les yeux surpris de ce geste puis les a baissés vers ma poitrine en maintenant son dos appuyé négligemment au mur. J'ai repensé à la boutade lancée par Yan quelques minutes plus tôt: «Salut bébé, je te présente mon décolleté.» Du coin de l'œil, il ne manquait rien, mais il avait assez de classe pour ne pas se faire trop insistant, se contentant d'un demi-sourire pour montrer son appréciation.

Je sentais une énergie sexuelle irradier de partout. J'aurais eu envie de lui lancer quelque chose de fou comme : «Mets ta main sur ma poitrine qu'on en finisse... Ou qu'on... commence...»

– T'aimes le show jusqu'à maintenant ?

– Oui, c'est super bon !

Nous avons échangé quelques mots sur les projets du groupe. Pour lui, c'était d'abord l'occasion d'être avec ses copains. Il ne visait pas une carrière mais il appréciait les petits contrats. Il misait davantage sur le cinéma, la réalisation et la scénarisation. J'essayais du mieux que je pouvais de me concentrer sur ce qu'il racontait, mais j'étais consciente de tout ce qui nous entourait : les bruits de la ville ; la fraîcheur de la nuit sur ma peau ; les lumières diffuses de la ruelle ; la lueur taquine de son regard ; ses lèvres ; son sourire ; la ligne bien nette de sa mâchoire ; ses mains qui revenaient à intervalles réguliers jouer dans ses cheveux avec une fébrilité qui faisait écho à la mienne.

– T.R. hein ? ai-je fait. Comme dans Toxic Robot... Donc, t'es pas un Tonton Roger ?

– Ha ! Ha ! Mais je suis démasqué !

– Et, ton prénom, c'est quoi ?

Il a déposé sa bouteille de bière à ses pieds puis s'est tourné vers moi, son épaule droite appuyée au mur. Il m'a dédié un de ses sourires en coin absolument ravageurs avant de me tendre la main.

– Damien.

J'ai glissé ma main dans la sienne. Premier contact électrisant. Il l'a serrée doucement, mais fermement. J'ai frissonné.

– Enchantée.

Il a fait une petite grimace tout en gardant toujours ma main chaleureusement au creux de la sienne.

– En fait, je n'aime pas mon prénom. C'était celui de mon arrière-grand-père. Je n'ai rien contre le vieux, tu sais.

Tu peux m'appeler Dam ou T.R. C'est correct aussi. Ou Roger Beaudru, si tu préfères.

J'ai baissé les yeux pour voir son pouce qui caressait avec hésitation le dos de ma main. J'ai immédiatement senti les muscles de mon bas-ventre se contracter et un délicieux frisson me parcourir des pieds à la tête. Sa main était douce, sauf pour quelques doigts où une petite ligne de corne s'était formée. Des doigts de guitariste.

– J'aime ton prénom, Damien…

Du coup, ses yeux se sont éclairés d'une lueur, il a eu l'air de réfléchir, puis son regard a fouillé le mien, inquisiteur, ses pupilles bougeant de mon œil droit à mon œil gauche. Il a dû y lire un encouragement puisqu'il m'a attirée à lui. Moi, j'étais là, le cœur battant, à attendre. J'ai senti qu'il dégageait sa main de la mienne puis laissait filer ses doigts vers mon poignet et puis vers mon coude qu'il a capturé doucement dans sa paume.

– Je serais fou de ne pas t'embrasser maintenant.

– Oui…

Il avait dit cela avec une voix rauque, ses yeux fouillant toujours les miens. Et, vaincue, j'avais donné mon accord dans un murmure, incapable de bouger ou même de hocher la tête de peur de briser la magie. J'en avais oublié pourquoi j'étais là et surtout mes résolutions de le séduire tout en gardant le contrôle de la situation.

Garder le contrôle?… C'était… déjà… foutu!

Il a souri doucement en regardant mes lèvres.

*Dépêche-toi, Damien… N'attends pas… S'il te plaît… Je pourrais changer d'idée… Enfin presque changer d'idée… Presque…*

J'ai osé l'ombre d'un pas vers lui, puis ses mains ont cueilli mon visage. Dans un murmure, il a répété: «Je serais pas mal fou…» Puis, il s'est exécuté en posant ses lèvres douces, chaudes, invitantes, entrouvertes, sur les miennes. J'ai entendu une longue exhalation qui venait de lui ou de moi, je ne savais plus.

Sa bouche sur la mienne, sa main a frôlé ma nuque et s'est enfouie dans mes cheveux tandis qu'il glissait sa langue entre mes lèvres.

C'était fou.

J'ai cédé, avec l'impression que le sol se dérobait sous mes pieds. J'ai répondu à son baiser en me pressant contre lui, mes mains sur sa poitrine, mes doigts enfoncés dans sa chair. Je me sentais gronder, trembler dans cette absurde passion que je ne pouvais m'expliquer.

Non…

Ça ne devait pas se passer comme ça. Non.

Je n'avais pas le droit de ressentir ça. Comme ça. Je ne devais pas me sentir comme si mon cœur allait me lâcher. Mon cœur… Mon cœur qui s'affolait à grands coups. J'en avais presque mal. Non…

Mais c'était bon. Bon Dieu que c'était bon.

Ses mains ont dévié vers ma taille puis il m'a attirée tout contre lui. Je me retrouvais les paumes plaquées au mur. Nos regards se sont croisés. Intenses. Enflammés.

Reprendre son souffle, chercher des yeux ses lèvres pour les embrasser encore. Plonger sur sa bouche. Encore. Mes doigts dans ses cheveux. Gémir en sentant sa langue se faire plus insistante. Et ses mains qui semblaient partout en même temps ; caressant ma nuque, mon cou, ma taille, ma joue, le bas de mon dos, mon ventre. Et ma main, sous son t-shirt, près de sa ceinture, un doigt carrément plongé sous l'élastique de son caleçon.

— Pas ici, a-t-il dit en interrompant notre baiser.

Étourdie, excitée, j'ai ri de confusion. Sa bouche sur mon cou, le souffle court, il retenait ma main dans sa poigne, cette main qui voulait sans doute aller trop loin et trop vite.

— Woh, attends une minute…, a-t-il murmuré.

Doucement et tout en reprenant sa respiration, il a tracé d'un doigt la ligne où se tenait auparavant la bretelle de ma robe qui avait glissé de mon épaule. Il l'a replacée minutieusement.

— En avril, ne te découvre pas d'un fil, a-t-il murmuré. C'est ça qu'on dit, hein?

Nous étions le 30 avril. Il devait faire dans les quinze degrés Celsius, mais j'étais, depuis quelques minutes, brûlante.

— Et en mai?

Il m'a souri et de toutes petites rides d'expression se sont formées au coin de ses paupières.

— Je ne sais pas… Laisse-toi aller?

*Demain matin, 1er mai, tu seras dans mon lit.*

Comme pour répondre à mon invitation silencieuse, il s'est emparé à nouveau de mon visage, m'a embrassée lentement en exhalant un long soupir avant d'appuyer son front contre le mien. Je me suis laissée aller contre lui pendant qu'il caressait mes bras nus du revers des doigts m'entraînant dans un doux balancement comme s'il cherchait à me faire danser un slow.

— OK… est-ce que je peux enfin savoir ma note maintenant?

— Han?…

— Ma note sur dix, a-t-il insisté avec un demi-sourire.

— Ah, ça…

Puis, j'ai souri d'un air mystérieux sans rien ajouter. J'ai posé un baiser sur la commissure de ses lèvres et sur chacune de ses paupières. Il a soupiré d'aise en gardant toujours les yeux fermés.

— Hum… C'est pas que c'est désagréable, tout ça, a-t-il dit en se raclant la gorge. Mais, j'ai un show à finir…

Il a ri. Alors qu'il posait un baiser sur mon épaule et m'enlaçait pour me serrer contre lui, la porte arrière du bar s'est ouverte à la volée, nous faisant sursauter tous les deux.

– Dam! *Fuck*, ça fait dix minutes qu'on te cherche partout!

C'était son colocataire. Celui-ci, en s'apercevant de ma présence et en me voyant dans les bras de son ami, lui a lancé un regard entendu suivi d'un clin d'œil qu'il m'était impossible de rater. L'énergumène vêtu d'un pantalon vert fluo trop court devait avoir pas mal bu pendant l'entracte, car il empestait déjà la bière.

– Ha! Ha! Il me semblait…, s'est-il moqué. Excusez mam'selle, mais notre Don Juan de service est attendu sur scène.

– T'es con, J-P! Dégage! a répliqué le principal intéressé avec une grimace d'agacement. J'arrive… Laisse-moi une minute.

Le coloc reparti, Damien s'est tourné vers moi. Il a resserré le bras qu'il avait gardé autour de ma taille et m'a posé un baiser sur le sommet du crâne.

– Désolé, faut que j'y aille.

Il a ramassé la bouteille de bière qu'il avait laissé traîner par terre.

– Mais hé…, a-t-il poursuivi en revenant près de moi. Tu m'attends après?

– Oui, ai-je dit dans un souffle.

J'ai tiré sur son t-shirt pour lui planter un baiser aguichant sur la bouche. Il a grogné faiblement puis s'est écarté.

– Tu me tues, a-t-il dit en rigolant et en secouant la tête. Ouais… et je suis censé retourner sur scène après ça? Tu me tues… vraiment.

Il a soufflé un peu et a remis en place sa tuque en spécifiant que c'était le look de l'emploi. Il m'a embrassée à regret une dernière fois.

– On en a encore pour une heure et quand le show sera fini, on devra démonter la scène et ranger nos trucs… mais, après, on ira où tu veux.

— D'accord, je vais t'attendre.

Ravi, il m'a souri, avant de refermer la porte derrière lui.

⏻

— T'étais où? m'a demandé Yan alors que je me glissais sur le tabouret à ses côtés.

— *Backstage...*

— Ça fait vingt minutes que le show a recommencé... Non, mais sans blague, t'étais où?

— Aux toilettes...

— Pendant vingt minutes?

J'ai ignoré sa question. J'ai bu d'un trait ce qui restait de mon cocktail. La glace avait fondu et mon cocktail goûtait l'eau. J'ai grimacé.

— Et puis, comment il va, ton cyberami?

— Bien.

La musique était bonne. Je ne regardais même plus en direction de la scène. J'évitais également les yeux de Yan.

— Vous avez baisé *backstage*?

— Non.

— «Frenché»?

Je lui ai lancé un regard noir auquel il a répondu par un «Oh, oh...» avant de placer ses doigts en signe de croix.

— J'ai «frenché» le serveur, moi!

— Tu n'as pas perdu de temps...

— Ouin, ben, il est bi...

Soulagée de changer de sujet, j'ai forcé un sourire. Je tentais de faire mentalement abstraction de la présence de celui que j'avais appelé T.R., qui était sur scène et qui devait regarder dans notre direction. Je pouvais entendre le son distinct de sa basse. Un son qui vibrait en moi comme jamais.

— Et vous vous êtes dit ça tout bonnement?

— Tu ne trouves pas qu'il fait un peu trop bi?

– Un peu trop bi? Je connaissais le genre un peu trop gai, mais un peu trop bi, ça Yan, tu ne nous l'as jamais servi cette réplique-là!

– Mais c'est que j'ai besoin de savoir qui va conduire le train! On ne peut pas être deux avec cette fonction!

J'ai ri.

– Ha, mais, t'es vraiment épouvantable! Merci pour l'image mentale!

J'ai ramassé mes effets et sans un regard vers la scène, vers T.R. ou Damien, ou peu importe, je me suis levée.

– Où tu t'en vas, Poune?

– Chez moi. Je vais prendre un taxi…

J'ai fait mine de fouiller dans mon sac à main pour me donner une contenance. C'était comme si tous les regards étaient fixés sur moi. Celui de Damien. Celui de Yan particulièrement, qui devait brûler d'incompréhension. Et puis mon propre regard, ma petite voix intérieure, que je devais faire taire. La faire taire et partir. Immédiatement.

– Et qu'est-ce qui arrive avec T.R., le beau gosse qui n'est non pas un Top Rotoculteur, mais un Toxic Robot?

– Il n'arrive rien.

Yan a froncé les sourcils devant mon air déconfit et a ramassé son portefeuille.

– Je te suis…

– Et ton serveur?

– Bah! Tu connais mes tactiques… Il a déjà mon courriel.

# CHAPITRE 13

T.R. : Tu vas m'éviter encore longtemps ?

T.R. : Qu'est-ce qui se passe avec toi ?

T.R. : Clara, je sais que tu es dans ta chambre et que ton MSN est « hors ligne ».

T.R. : Mélo me l'a dit.

Clara : Mélo n'a pas de comptes à te rendre.

T.R. : Bon… Une réaction ! Enfin !

Clara : Ni moi non plus d'ailleurs.

T.R. : Excuse-moi, mais, après une semaine de silence, tu pourrais peut-être me dire pourquoi t'es partie l'autre soir ?…

La vérité tenait dans un mot de quatre lettres lourd de sens : peur. J'avais eu peur. J'avais été déstabilisée par ce flot d'émotions et de sensations enivrantes. Cette impression de décoller de terre quand il m'avait embrassée. Et la perte de contrôle qui m'avait donné l'impression d'être à la dérive. S'il n'était pas rentré dans le bar afin de poursuivre son spectacle, je l'aurais suivi n'importe où à l'instant même. J'aurais passé la nuit avec lui.

S'il n'avait pas rejoint son groupe, nous serions partis ensemble et je ne serais pas rentrée à l'intérieur à mon tour. Je n'aurais pas abouti aux toilettes pour m'asperger le visage d'eau froide afin de me ressaisir. Le miroir ne m'aurait pas révélé ces plaques rouges qui parsemaient mon cou et ma peau brûlante, ces yeux de braise, les miens, qui étaient trop brillants et qui me dévisageaient. Je n'aurais pas été là quand une fille est entrée en criant: «*Fuck off*!» à son chum, enfin, à celui qui deviendrait son ex. Et je n'aurais pas été témoin de leur rupture, en direct, à mon plus grand déplaisir.

– Je ne voulais pas que ça se passe comme ça. Je ne voulais pas te faire de peine. On n'a pas fait exprès. C'est arrivé sans qu'on s'y attende.

On… ce pronom… et des paroles pour se défendre. Je connaissais…

Ils m'ignoraient, elle aveuglée comme elle l'était, les yeux injectés de sang, et lui sur ses gardes, parant les coups de poing et de pieds qu'elle lui balançait.

– *Fuck you*! *Fuck you*! T'es juste un écœurant!

Elle aurait voulu arracher le meuble du lavabo et le lui lancer au visage. Je le savais. Pas besoin d'explication. Je le savais. Il l'avait trompée.

– Va-t'en! Je veux plus JAMAIS te voir! *Fuck you*!

Si Damien n'était pas rentré pour rejoindre son *band*, je l'aurais suivi. Je l'aurais suivi n'importe où. Loin d'ici et avec l'idée folle de repartir à neuf. *Tabula rasa*. Comme vierge de toute douleur, de tout doute. J'aurais fait l'amour avec lui. Ou encore, j'aurais passé la nuit à lui tenir la main, à marcher à ses côtés, à le regarder dans les yeux. Juste ça. J'aurais filé avec lui et je n'aurais pas consolé l'inconnue qui s'était effondrée sur le plancher de la salle de bain, trahie par celui qu'elle aimait.

T.R.: Je veux juste savoir pourquoi t'es partie l'autre soir…

Clara: Ton coloc, il t'a surnommé le «Don Juan de service».

Long silence virtuel…

*Tu n'as rien à dire pour ta défense, Damien?*
*« Qui ne dit mot consent? » C'est ça? J'ai visé juste?*

T.R. : Je ne sais même pas pourquoi il a dit ça!

J'ai pris ma coupe de vin et j'ai bu une lente gorgée en défiant du regard l'écran de mon portable.

Clara : Et ça t'arrive souvent d'avoir des aventures avec des filles qui viennent voir ton show?
T.R. : Drôle de question, ça!
Clara : Réponds, s'il te plaît!
T.R. : OK bon, je vais être honnête… Oui, c'est déjà arrivé, mais pas si souvent que ça. Je ne saute pas sur toutes les filles!
Clara : Ton coloc qui arrive saoul et qui me voit comme une AUTRE fille qui vient de tomber dans tes bras. Wow… C'était pas fort!
T.R. : Mon coloc, il peut penser ce qu'il veut. Mais toi… c'est pour ça que t'es partie? Parce que tu pensais que tu es juste une AUTRE fille?
Clara : Je ne sais pas…

N'avais-je pas espéré, même si c'était tout ce qu'il y a de plus absurde, qu'il balance sa guitare de la scène et qu'il me dise : je ne suis pas un gars comme ça. Comme s'il savait d'instinct contre quel monstre il devait se battre…

T.R. : Tu ne sais pas? Regarde… Pour moi, c'est simple : tu me plais. Je sais que je te plais aussi. Veux-tu qu'on se revoie? Oui ou non?
Clara : Oui…
T.R. : Alors, je t'invite à souper ce vendredi… Une vraie *date*.

Clara : Je ne veux pas de ça. Je ne cherche pas de chum.

T.R. : Je ne cherche pas de blonde non plus, mais est-ce que ça nous empêche d'apprendre à se connaître ?

Clara : Je ne veux pas que tu sois intéressé par moi, Damien !

T.R. : Ha ! Ha ! Cette phrase, c'est du déjà vu (mon prénom en moins), mais ça, c'était AVANT qu'on se rencontre…

Clara : Je veux juste un *one night stand*, c'est tout. Voilà, je l'ai dit.

Nouveau silence virtuel…

T.R. : Je récapitule… Tu ne veux pas être une AUTRE aventure, ni qu'on sorte ensemble un soir. Là, tu me dis que, finalement, tu veux une aventure. Et dans cinq secondes, tu vas me dire quoi ? Laisse faire ?

Lui qui avait été si insaisissable depuis notre rencontre, voilà qu'il était maintenant sur la ligne de front. Il n'en manquait pas une. La dernière chose à laquelle je m'étais attendue était qu'il argumente. Je me rendais compte de l'absurdité de la situation et, en même temps, je ne me comprenais pas moi-même. Tout ce qu'il me restait à faire était de m'accrocher toutes griffes dehors à cette idée d'aventure.

*Prends ce que je t'offre. Voici mon corps livré pour toi.*
*Prends-moi. C'est tout ce que je peux donner.*

Clara : Ça doit être si compliqué ?

T.R. : C'est justement la question que je me pose !

Clara : On ne peut pas seulement s'amuser ?

T.R. : Oui bon, mais l'autre soir après le show, si tu voulais qu'on s'amuse, pourquoi tu t'es sauvée ?

Clara : C'est pas de tes affaires !

T.R. : Une fille qui veut juste une baise ne laisse pas un gars en plan comme ça, à moins d'être une vraie sainte-nitouche… Ha! Ha!
Clara : Va chier!

J'avais frappé les mots au clavier avec rage, imaginant que je le giflais en vrai et en personne. L'idée m'allumait au plus haut point.

T.R. : Ouais… merci.
Clara : De rien.
T.R. : La *game* que tu joues, je ne la comprends pas.
Clara : Je ne joue pas de *game*!
T.R. : Tu viens me voir pendant l'entracte avec l'air de vouloir baiser LÀ… mais tu t'en vas! Si c'est pas une *game* alors, c'est quoi?
Clara : Mais pour qui tu te prends de me dire des choses pareilles? Tu ne me connais même pas.
T.R. : Je me prends pour… Ah… et puis… laisse faire!
Clara : J'ai eu peur… OK?
T.R. : Mais peur de quoi? De moi?
Clara : Mes barricades, mes petits soldats qui combattent dans deux camps différents… Un jour, un tank m'est passé dessus.

J'ai connu la guerre. Elle a fait des ravages et m'a fait tout perdre ou presque. J'ai eu un chum et un jour, il m'a trompée avec mon amie. Voilà la fabuleuse légende du tank qui m'est passé dessus. J'espérais qu'il comprenne sans que j'aie besoin de lui expliquer, mais…

T.R. : OK… euh… Pas sûr de comprendre…

J'en avais trop dit. J'en avais marre. C'était trop compliqué. Je voulais en finir au plus vite, avec un sentiment d'urgence.

Clara : On a assez discuté… Viens chez moi.
T.R. : Quoi ? Maintenant ?
Clara : Oui. Viens chez moi. Maintenant.
T.R. : Pour baiser ?
Clara : Oui.

Je me tenais devant l'écran de mon portable le cœur battant à tout rompre, les joues en feu. C'est ce qu'il fallait faire. Une fois. Baiser avec lui pour me le sortir de la tête une fois pour toutes. Juste une fois.

T.R. : On couche ensemble une fois et après, on n'en parle plus ?

Pourquoi toutes ces questions ? C'est à croire que ça l'amusait d'être ainsi inquisiteur…

Clara : Oui, c'est ça.

Je voyais l'avertissement « T.R. écrit un message » apparaître et disparaître, comme s'il tapait, se ravisait, tapait, se ravisait. Puis…

T.R. : Et si, après, je n'ai pas le goût de repartir ? Ha ! Ha !

J'ai soupiré. J'ai pris une gorgée de vin. J'ai lu. J'ai relu. Pourquoi me disait-il des choses comme ça ? Était-il un tant soit peu sérieux ?

Clara : Ne dis pas de conneries… On dirait que c'est moi le gars et toi la fille !
T.R. : Hé ! Woh ! Quand même !…
Clara : Mais c'est vrai !
Clara : Invitation à prendre ou à laisser…

Clara : Si t'as le moindrement des couilles…
Clara : Si t'es un homme…
Clara : Allo ?
(T.R. a quitté la conversation)

Bien sûr, il s'était déconnecté, il en avait eu assez. C'était trop compliqué. J'étais trop compliquée. En prenant mes distances cette semaine-là, il m'avait semblé facile de me faire croire que je pouvais tout rationaliser et surtout ne rien ressentir. Compartimenter et lui réserver une petite case, une étiquette d'amant… comme je l'avais fait avec les autres avant lui.

Bien sûr, il reviendrait sans doute à la charge sur Internet, mais je lui couperais toute ouverture. C'était sans doute mieux comme ça après tout.

Et puis, j'éprouvais de la colère envers lui. Il ne comprenait pas, ne lisait pas entre les lignes. Et s'il avait eu encore plus peur que moi ? Alors, c'est qu'il n'était qu'un lâche. Il n'avait pas réagi comme je l'avais escompté.

Pissou, peureux, couilles molles, mauviette… Je cherchais des synonymes…

Mais à quoi m'étais-je attendue ? À rien… Mon orgueil s'en trouvait blessé, encore une fois. J'étais chavirée, tellement que les yeux me piquaient. La fatigue, que de la fatigue…

Il était tard. J'étais sur le point d'aller au lit et, avec mon pyjama en main, je m'orientais vers la salle de bain. Mélo, qui était une couche-tôt, dormait dans sa chambre depuis des heures. Quand on a frappé à la porte, Monsieur-Monsieur a jappé une fois pour m'avertir, mais n'a pas bougé d'un poil de chien de garde, bien confortablement installé sur le plancher froid de la cuisine. Ces quelques coups rapides m'ont donné un véritable coup de poing au ventre.

Et mon cœur s'est arrêté, là, douloureusement, avant de repartir tout aussi affolé au moment où j'ai ouvert la porte.

T.R... Damien. Il était là.

Une main appuyée au chambranle, il avait le souffle court comme s'il avait couru. Il me semblait qu'il venait tout juste de se déconnecter d'Internet. Avait-il pris l'autobus? Un taxi? Comment?...

– Je n'aime pas être provoqué, a-t-il dit. Je voulais que tu saches ça.

– Bonsoir, ai-je dit en déglutissant péniblement.

C'est tout ce que j'avais trouvé à répliquer tandis qu'il faisait un pas à l'intérieur de mon appartement, dans ma direction. J'étais sous le choc de le voir devant moi.

Mais je savais pour quelle raison il était là.

– Et... je suis un homme, OK?!

Il a tiré sur le pyjama que je tenais en boule entre mes bras comme si ma vie en dépendait, puis l'a lancé d'un geste sec sur le sol. Son regard presque dur, enflammé, était accroché au mien. Exit, le gars timide qui faisait un pas en avant et un pas en arrière. Là, il s'apprêtait à foncer sur moi. Il était maintenant plus près du prédateur, et j'étais sa proie.

– OK, ai-je fini par articuler, voyant qu'une réponse était de mise.

Il a fermé la porte derrière lui, lentement, sans faire de bruit et sans me quitter des yeux. Puis, comme ça, sans que je retrouve mon souffle, ma raison, il m'a plaquée au mur. Il m'a embrassée avec violence, enfonçant sa langue dans ma bouche, sa poigne dans ma nuque et pressant une érection aussi victorieuse que surprenante contre mon ventre. J'ai gémi. Il a grogné.

J'ai répondu à son baiser. Je tremblais. J'étais excitée, ravie et apeurée. Tout ça en même temps. Toutes ces émotions qui m'étranglaient la gorge. Et mon cœur qui bondissait. J'en avais mal.

Je voulais le repousser.

Je voulais qu'il me prenne, là, tout de suite.

Je le voulais.

Il a baisé mon cou en respirant fortement, jouant de ses lèvres et de sa langue. Sous ma main, je sentais son cœur battre, comme le mien.

– Donc…, a-t-il murmuré contre mon oreille. Tu veux que je te baise fort, c'est ça?

– Oui… oui…

Il a fixé son regard au mien. De sa main, il a caressé mon cou puis, quand cette dernière a glissé plus bas pour se poser sur mon sein, j'en ai eu le souffle coupé.

– Juste une fois, c'est ça? a-t-il cru bon de demander. Hum?… C'est ça que tu veux?

Je haletais. D'un mouvement rapide, il a abaissé ma camisole, exposant ma poitrine d'un coup.

– Oui…

Il l'a effleurée du bout des doigts, guettant ma réaction, avant d'y mettre sa bouche, sa langue, ses dents. J'ai renversé la tête. À travers le tissu de son jean, j'ai touché son sexe. Ses lèvres contre ma peau, il a grogné: «Attends…» puis a repoussé ma main, enlaçant mes doigts dans les siens en continuant d'embrasser ma poitrine. Il est remonté en sens inverse, revenant à mon cou, à mon menton puis à mes lèvres. Je n'en pouvais déjà plus. J'ai gémi son nom, des supplications pressantes. J'ai enfoui mes mains dans ses cheveux cherchant sa bouche, l'attirant à moi en enroulant une jambe derrière la sienne, mes ongles plantés dans son dos.

Vite, me donner à lui. Baiser comme on tire sur un pansement. Vite, sans trop réfléchir et pour en finir. Sauter dans le vide, le faire pour oublier. Pratiquer l'acte. La chair. L'interdit.

– Juste une fois, a-t-il répété en reprenant son souffle. T'as peur, là?

Il a ri doucement avec un soupçon de moquerie dans la voix.

– Je ne sais pas…

Juste une fois. Un *one night stand*. Ce n'est pas si compliqué. Où est le mal ?

Le mal était là. J'avais mal de tant le désirer.

– J'espère que…, a-t-il commencé en détachant le nœud de ma jupe d'une main. Que tes petits soldats peureux sont prêts à se rendre parce que…

Il l'a fait glisser au sol et ses doigts sont remontés lascivement le long de ma cuisse.

– Les miens, a-t-il continué dans un murmure. Mes soldats, ils partent en guerre… Là. Mais…

Ses yeux fouillaient les miens. Sa bouche frôlait la mienne. Il faisait mine de m'embrasser, mais se ravisait juste comme j'entrouvrais les lèvres, s'amusant de l'effet qu'il produisait sur moi.

Tout pour me rendre folle.

– Damien…

– Mais… s'ils veulent faire la paix tout de suite… et… ici… je n'ai rien contre… Et toi ?

Sans me laisser le temps de répondre, il a baissé ma culotte d'un mouvement sec. J'ai étouffé un petit cri de surprise. D'une main pressée, il a écarté mes jambes, sa langue avide dans ma bouche, sa paume plaquée fermement sur ma hanche, tandis que je me débattais avec les boutons de son jean de mes doigts tremblants.

Monsieur-Monsieur a jappé une seule fois depuis l'autre bout du corridor. Nous avons sursauté tous les deux au même moment, surtout Damien, qui s'est posté devant moi pour me soustraire au regard du monstre à poils dont on ne voyait que les pupilles luisantes dans l'obscurité.

– OK, c'est quoi, ça ? a-t-il demandé, un peu abasourdi en me refaisant face immédiatement.

Il a ri dans mon cou, en essayant tant bien que mal de me cacher et de ramasser mes vêtements simultanément. Monsieur-Monsieur, au bout du corridor, était assis bien droit, aux aguets et prêt à lancer un autre « Wouf ! » interrogateur.

– Mon chien…

– Et, il va me bouffer, ton chien ?

– Non. C'est un gros toutou inoffensif.

Nous avons pouffé de rire tous les deux. Constatant que je me démenais avec mon pyjama roulé en boule et ma jupe, il a vite passé son t-shirt par-dessus sa tête et l'a retiré pour me couvrir.

– Il y a des choses que même un gentil chien-chien ne devrait pas voir, a-t-il lancé à la blague.

Il s'est gratté le crâne et a secoué ses cheveux en me gratifiant d'un demi-sourire que je lui ai rendu. J'ai fait un pas vers lui et posé mes lèvres sur les siennes. Il a cueilli mon visage doucement entre ses doigts tandis que, de ma main libre, je laissais mes doigts dériver le long de son torse, vers son ventre.

– OK. OK. OK…, a-t-il gémi avec un petit rire. Ta chambre… elle est où ?

# CHAPITRE 14

Un *one night stand*… On pourrait traduire cette expression par « rester une nuit ». Si j'ai gardé Damien dans mon lit, c'était pour mieux en profiter, pour recommencer, pour gémir son nom encore. Si je me suis endormie contre lui, contre sa peau chaude alors qu'il me caressait les cheveux, c'était dû à la fatigue. Strictement à la fatigue. S'il a baisé mon front en me chuchotant des mots absurdes que je ne voulais pas entendre et que je me suis assoupie bercée par sa respiration lente, c'était dû à la fatigue. L'épuisement. Une langueur rassasiée. Pour lui, comme pour moi.

Rester une nuit. Parce qu'après la nuit vient le matin. Parce qu'au petit matin quand la lumière commence à percer les rideaux, les jambes s'entrecroisent encore. Parce que les bouches se cherchent. Parce que les respirations se font haletantes. Parce que Damien… Parce que T. R… Parce que le robot est toxique.

⏻

Damien sortait de la douche et se séchait les cheveux avec une petite serviette. Je me suis étirée langoureusement dans mes draps.

— J'aime le mois de mai, ai-je déclaré en lui faisant un clin d'œil.

*En avril, ne te découvre pas d'un fil… En mai ? Laisse-toi aller…*

— Euh… j'ai croisé Mélodie, tantôt, a-t-il dit prudemment. Avant d'entrer dans la salle de bain…

Je me suis redressée sur le lit, interdite. Damien n'a rien manqué de ma réaction.

— Elle n'était pas déjà partie ?

— Oh, a-t-il fait en haussant les épaules. Là, elle est partie. Et assez vite, à part ça.

Il a gratté sa barbe naissante en me regardant du coin de l'œil. Il restait debout devant mon lit, incertain.

— Euh… Clara… est-ce que je me trompe où Mélo n'était pas vraiment au courant pour nous deux ?

Nous deux… Nous deux ?

— Je veux dire… hum…, a-t-il hésité en s'asseyant sur le bord du lit. Elle a eu l'air surprise que je la connaisse. Quand je lui ai dit… Hé ! Salut Mélo ! La tête qu'elle a fait…

Il continuait de relater ce qu'il lui avait raconté et, plus il en ajoutait, plus je me renfrognais. Dans d'autres circonstances, j'aurais ri de le voir mimer la scène.

— J'ai fini par me présenter et elle a reviré de bord sans rien dire. J'ai pas eu le temps d'ajouter quoi que ce soit. Elle a ramassé ses affaires en vitesse et est partie en claquant la porte.

— Oh, non…, ai-je gémi en me cachant le visage dans les mains. C'est pas bon. C'est vraiment pas bon, ça.

Monsieur-Monsieur a choisi ce moment pour se pointer le bout du museau dans ma chambre et faire sa tournée générale du matin. Il a tourné sa grosse tête vers notre visiteur puis est venu me renifler pour voir ce qui n'allait pas.

— Hé, le chien, a dit Damien avec un air boudeur. T'es plus mon ami ?

Se sentant interpellée, la bête s'est retournée et s'est affalée à ses pieds levant son museau pour qu'il lui gratte le cou.

Comment lui expliquer les raisons pour lesquelles j'avais omis de parler de lui à Mélodie? Je n'arrivais même pas à comprendre moi-même ce qui m'avait poussée à faire de lui un tabou, un secret bien gardé dont Yan ne connaissait que quelques parcelles.

– C'est grave? a-t-il demandé, concerné. J'ai fait une gaffe?

– Personne n'est mort.

– C'est tout comme… à l'air que t'as…

J'ai descendu de mon nuage, par l'ascenseur rapide. Bang. Mélo et moi, nous nous étions éloignées ces dernières semaines, pas que nos divergences soient irréconciliables, mais je ne trouvais jamais le temps ni le bon moment pour lui parler. Et je n'aurais pas su comment trouver les mots pour lui expliquer ce que je vivais.

J'avais fait une erreur sur toute la ligne. Même avec lui.

– Est-ce que je peux réparer ma bêtise d'une quelconque façon… et te faire sourire un peu?

Il s'est incliné vers moi, l'œil taquin avec l'intention de me poser un baiser dans le cou. J'ai stoppé son initiative en reculant. Monsieur-Monsieur a pivoté sur lui-même avec lourdeur et est sorti de la chambre, désintéressé.

– Ça ne règle rien, ça.

Il s'est immobilisé et je me suis emportée :

– Et puis, c'est quoi, l'idée de mentir aux filles sur ton identité? Arrête de te faire passer pour ton coloc! Tu trouves peut-être ça drôle, mais c'est enrageant, je te le dis. Et là, Mélo… Ça crée… de la confusion. La prochaine fille que tu rencontres, tu ne lui fais pas ÇA.

– Ha…

La prochaine fille que tu rencontres. Voilà, je lui avais dit. Et, il avait tout compris. Il s'est passé la main sur le visage puis dans les cheveux en regardant fixement devant lui.

– Clara, je pensais que…

– J'ai été claire sur mes intentions, l'ai-je interrompu un peu trop sèchement.

– Il faut vraiment qu'il y ait une date d'expiration ? C'est con.

Je voyais la surprise qu'il tentait de contenir. Je la devinais dans le froncement de ses sourcils. Mon petit doigt me disait qu'il ne devait pas être le genre qu'on repousse. Plutôt le contraire… Mon petit doigt me disait : « Mais… qu'est-ce que tu fais là ? » Je lui ai intimé l'ordre de se taire. J'ai répliqué :

– C'est comme ça.

– OK.

Damien s'est levé d'un bond, droit dans la lumière du jour. Du coin de l'œil, je l'ai vu amorçant un geste dans ma direction et puis se raviser.

– Bon, faut que j'y aille. J'ai un cours.

Il a ramassé ses souliers en silence. Je me suis habillée en lui tournant le dos, submergée par une gêne aussi subite qu'absurde. Comme s'il ne m'avait pas vue nue. Comme s'il ne m'avait pas touchée toute la nuit.

Yan est arrivé alors que nous nous dirigions vers l'entrée. Comme je ne faisais pas les présentations, il a levé un sourcil interrogateur. C'est d'un air perplexe qu'il a serré la main de Damien qui avait pris l'initiative de la lui tendre sans doute pour dissiper le malaise qui planait.

– Euh, OK… je t'attends dans la cuisine, m'a dit Yan. Café ?

J'ai hoché la tête et j'ai refermé la porte du corridor derrière moi tandis que mon ami lançait un salut à Damien. J'aurais préféré que ce dernier parte immédiatement pour nous épargner de vaines paroles, mais nous sommes restés un long moment face à face, sans même nous regarder, avant qu'il se décide à parler.

– Donc là, on ne se revoit plus, c'est ça que tu veux ? On fait comme si on ne se connaissait pas ?

J'ai exécuté un mélange incertain de hochement de tête et de haussement d'épaules en signe d'acquiescement.

– T'étais pas bien avec moi cette nuit ? a-t-il demandé, son ton radouci.

– Damien…

Pour masquer mon émotion, j'ai fixé avec attention les tuiles du plancher. Il faudrait les changer prochainement… plus tard… un jour… quand j'aurai la tête à ça.

– Et, si moi, ce n'est pas ce que je veux, Clara ?

– Arrête, tu compliques tout…

– JE complique tout ?

Le regarder droit dans les yeux, avec détermination. Ravaler sa salive. Se dominer. Penser détachement, distance. Ne pas penser que, dès le moment où il aura franchi la porte, je serai déjà en manque de lui.

– Tu dis n'importe quoi…

– T'as raison, c'est vrai… Oublie ce que je viens de te dire. C'est con.

Nous étions dans l'entrée, au même endroit que la nuit précédente, et, pourtant, tout avait changé. Son regard était dur, comme celui qu'il m'avait servi la veille, mais, au lieu d'y lire du désir, j'y voyais du vide et une certaine colère qui m'a fait mal. Hier, une porte s'ouvrait et, maintenant, elle se fermait. Je la refermais. À double tour.

– On se dit quoi ? Adieu ?

– Bye, Damien.

Sans un dernier coup d'œil, il a fait demi-tour et a dévalé l'escalier. Je suis restée un long moment, une éternité de secondes lourdes et implacables à regarder dans le vague, à fixer la rue.

Il était parti sans dire un mot de plus. Je l'avais laissé faire sans un mot de plus.

Avec une résignation fataliste, j'ai traîné les pieds jusqu'à la cuisine alors que tout ce que j'aurais voulu faire était de me recroqueviller sur moi-même.

– Pouah! Ça pue le sexe dans cette maison, s'est écrié mon ami en riant.

– Je n'ai pas envie de faire des blagues. Qu'est-ce que tu fais ici, Yan?

Je me suis assise à table, la joue appuyée dans le creux de la main.

Il était un lève-tard. Il commençait à travailler vers dix heures et, lorsqu'il était en congé, il pouvait dormir facilement jusqu'à midi. Le voir devant moi à sept heures trente du matin et en pleine forme tenait du miracle... ou de la catastrophe imminente.

– Mélo, a-t-il formulé simplement en me lançant un regard catégorique et en posant un bol de café au lait sur mon napperon.

– Qu'est-ce qu'elle t'a dit? Comment elle va?

– Hum... Comment te dire ça sans causer de panique générale? Elle est en beau sacrament! Je ne l'ai jamais vue comme ça. Elle m'a dit de venir chercher ses choses. Elle va dormir chez moi pendant quelques jours, le temps d'arrêter de pleurer...

– Ah, non!

– Elle est probablement en plein SPM. T'en fais pas trop avec ça!

Je l'imaginais avec ses «là, là...», ne sachant que penser de la situation, ni comment gérer la déception de ne pas avoir été mise dans la confidence. Et Damien chez nous... Qu'est-ce qu'elle a dû en penser? Qu'est-ce qu'elle a dû penser... de moi?

– Je suis tellement... CONNE!

Ma voix s'est étranglée. Atterrée par le tour qu'avaient pris les événements, je n'ai pu empêcher mes yeux de s'embrouiller immédiatement. Mon ami, d'abord surpris de ma réaction, a littéralement bondi de sa chaise pour m'étreindre. Les larmes ont roulé sur mes joues tandis qu'il me frottait le dos. Monsieur-Monsieur me regardait d'un air piteux, sa lourde tête appuyée sur mes genoux.

– Ben non, ben non, tu fais ton possible, Poune. On fait tous notre possible.

Il m'a tendu une serviette de table en tissu, celle avec des motifs de cœurs que Mélodie affectionnait particulièrement. Des petits cœurs. Ah! Ça, c'était bien mon amie! La Saint-Valentin à l'année. Et moi? De l'amertume à l'année. Je me suis mise à rire en même temps que j'étais secouée de sanglots.

– Bon, je me demandais bien quand t'allais laisser sortir ce gros motton d'émotions!

– Je suis correcte… Ça va, ça va.

J'ai essuyé mes joues avec énergie et je me suis mouchée bruyamment. Yan m'a retenue dans une étreinte solide.

– Veux-tu ben brailler comme toutes les filles normales que je me sente utile un petit peu?

⏻

J'ai pris congé cette journée-là. Avec une voix enrouée, il m'a été facile de faire croire que j'étais affligée d'un vilain rhume. À plusieurs reprises, j'ai tenté de joindre Mélodie. Boîte vocale, textos, MSN, message à la secrétaire de son école, sans succès. Le reste de l'après-midi a été consacré à fixer la télévision sans y porter intérêt, à laisser mon regard dériver vers la fenêtre, cette fenêtre trop vide et à arpenter mon appartement encore plus vide avec Monsieur-Monsieur sur les talons.

Deux personnes avaient pris la porte cette journée-là et j'en étais l'unique responsable.

⏻

Objet : Mensonge par omission…
Bonjour Clara,

J'ai eu tes nombreux messages. Je n'étais pas capable de te répondre, mais, là, il faut que ça sorte ! Depuis trois jours, je n'arrête pas de me creuser la tête à essayer de comprendre pourquoi tu ne m'as jamais parlé de lui. Donc, T.R. s'appelle Damien. Le gars qui était chez nous n'a aucun rapport avec celui qu'il prétend être sur Internet. Depuis combien de temps tu sais ça ? Ça fait combien de temps que tu le fréquentes ? Non ! Laisse faire ! J'aime mieux ne pas le savoir !

Que ce soit sérieux ou une aventure, tu m'as toujours tout raconté. Là ? Rien ! Pas un mot ! Tu te souviens de ton amie, de ta confidente ? Celle qui a toujours été là ? Non, tu l'as oubliée ! De toute façon, on ne peut pas se confier à elle parce que ça ne marche jamais ses affaires, hein ? Et les amants, elle est bien trop prude pour comprendre, hein ? Et puis, si ce n'était pas ça, si c'était plus, avais-tu peur que je te le vole ? Franchement !

Voilà, j'ai laissé sortir le morceau… Désolée si mon message est bête, mais c'est ce que je ressens. Je trouve que tu as changé.
Mélo


Objet : RE : Mensonge par omission…
Mélo,

Je suis vraiment désolée ! J'ai fait une gaffe terrible. Jamais, mais jamais, je n'ai voulu te mentir. Je ne sais pas comment m'expliquer… Plus le temps passait, plus j'étais nerveuse à l'idée de te raconter la vérité. Ça n'a jamais été dans l'intention de te faire du mal, j'espère que tu pourras t'en rendre compte. Ça me fait de la peine de te lire si fâchée. J'aimerais t'en parler de vive voix. Tu peux m'appeler ?

Mon amie me manque…

Clara xx
P.-S. : C'est terminé avec Damien. C'était une histoire d'un soir… C'est tout.

Sujet : re : RE : Mensonge par omission…

Clara,

Ça te fait de la peine que je sois fâchée ? Et moi, je n'ai pas de peine, tu crois ? Nous nous sommes trop éloignées ces dernières semaines… Je devrais peut-être me chercher un autre appartement. Ce n'est peut-être pas possible d'être amies et colocataires…

Je ne sais plus trop…

Mélo

Sujet : RE : re : RE : Mensonge par omission…

Mélo,

S'il te plaît…, réponds au téléphone ! Je t'en supplie !

Clara

⏻

YinYang : Oui, elle est partie dormir chez ses parents quand elle a appris que j'étais au courant de ton histoire.
Clara : Oh non !…
YinYang : Ben non, Mélo va s'en remettre. Parlant de ton « histoire », où tu en es avec T.R., ton Toxic Robot ? Du nouveau ?
Clara : Appelons-le par son prénom… Damien. Et non, rien de nouveau.
YinYang : Charmant comme prénom, en passant. Mélo dirait que c'est romantiiiiiiiiique !

Nous en étions aux questions de routine. Yan quémandait des détails croustillants, du racontable au plus indiscret. Pour lui avoir partagé ce genre d'information maintes fois, j'avais l'habitude. Je lui ai toutefois répondu de façon sommaire. Oui, je lui avais spécifié que je ne voulais qu'une aventure. Non, je ne lui avais pas demandé, comme j'aurais dû le faire, de rentrer tout de suite après avoir couché avec lui. Non, je n'avais pas su prendre mes distances. J'avais été saoulée par cette façon qu'il avait de me regarder, de me toucher. J'en avais voulu encore. L'idée qu'il parte avait été inconcevable. Donc, oui, nous avions dormi en cuillère. La gaffe.

YinYang : Combien sur dix pour sa performance à l'horizontale ?
Clara : Hors catégorie...
YinYang : Bravo ! Je ne vois pas où est le problème... Quand un gars remporte le prix Nobel de la baise, on en veut encore.
Clara : C'est ça, le problème. Je l'ai dans la peau, tu comprends ?
YinYang : Ouch !
Clara : Ça va passer. Je vais laver mes draps. Je vais passer à autre chose.
YinYang : Ha ! Ha ! Le pire c'est que je suis certain que tu y crois quand tu dis ça.
Clara : Je suis quelqu'un de déterminé, tu sauras.
YinYang : Oh que je le sais ! Mais des fois, Poune, la détermination, ce n'est pas assez...

⏻

LaPoune : Depuis combien de temps es-tu sur Rencontres-Montréal ?
Insignifiant_1 : Quelques jours seulement.
LaPoune : Ça fait seulement quelques jours que tu es célibataire ?
Insignifiant_1 : Oui, depuis mardi.
LaPoune : As-tu un passé bien réglé ?
Insignifiant_1 : Quoi ?

LaPoune : Fais le tour du site, tu devrais comprendre le concept…

◍

LaPoune : C'est quoi, ta plus grande passion ?
Insignifiant_2 : Moi, j'aime ça, aller au gym.
LaPoune : Wow ! Passionnant… j'aimerais que tu m'en parles davantage…
Insignifiant_2 : Ben, j'y vais 3 fois par semaine. Je fais des poids. Tu veux voir une photo ?
LaPoune : Bien sûr !
(Cliquez ici pour ouvrir le fichier envoyé par Insignifiant_2)
LaPoune : Incroyable ! Beau passe-temps ! Et tu fais quoi dans la vie à part promener cette belle collection de mu-muscles-là ?

◍

LaPoune : OK, explique-moi pourquoi tu as choisi ce pseudo, « Petit_Monsieur ». Tu n'es pas petit, si je me fie aux infos de ton profil.
Insignifiant_3 : Non, je mesure bien 5'10, mais mon pseudo… c'est pas à cause de ma grandeur. Mais enfin… J'aime mieux être honnête… Tu comprends ?
LaPoune : Ah…
Insignifiant_3 : Il y a des « petites madames » qui peuvent aimer ça, tsé…

◍

LaPoune : Wow ! Tu as vraiment une fiche hyper capti-vante et très accrocheuse ! Travailles-tu en publicité ?

Insignifiant_4: Tù aime? Ses mon frére qui ma aider il travail en publiciter Bain oui!!!

⏻

LaPoune: Sur ta fiche, tu as écrit que tu voudrais rencontrer une fille qui aime sortir des sentiers battus. Qu'est-ce que tu veux dire par là exactement?
Insignifiant_5: Ben… qui est différente…
LaPoune: Différente par rapport à?…
Insignifiant_5: Ben, je sais pas… Pas pareille comme les autres.
LaPoune: Mais les «sentiers battus», qu'est-ce que c'est pour toi?
Insignifiant_5: Coudon, c'est un interrogatoire ou quoi?

⏻

Il est arrivé avec son banjo accroché à l'épaule et chaussé de ses patins à roulettes. Il m'a reconnue de loin. Point de rencontre: face au Théâtre St-Denis. Sans plus de cérémonie, il a empoigné son instrument et a chanté une sérénade devant tout le monde. Embarrassée, j'ai regardé ailleurs pendant qu'un public de curieux laissait tomber quelques sous dans le chapeau placé à cet effet.

— Pour te payer le souper, a-t-il expliqué.

J'ai scruté le contenu de la cagnotte d'un air sceptique. Il a fourré les sous dans sa poche et a remis le chapeau sur sa tête avec un sourire candide.

Un artiste… PacoLeBanjo…

Sa chanson terminée, nous avons marché rapidement en direction de la rue Ontario, puis Sherbrooke, jusqu'à Roy.

Il était tout de même mignon, différent de sa fiche, mais il avait un petit quelque chose de séduisant, pour ce que je pouvais en retirer. Mes réflexes étaient mécaniques maintenant : plaisanter ; faire référence à ce qu'il avait raconté sur le Net ; rire de ses blagues pour qu'il se sente important et privilégié ; le regarder de biais, camper le rôle de la mystérieuse ; lui laisser payer le souper pour lui laisser croire qu'il est l'homme de la situation ; avoir dans l'idée de le ramener chez moi après. Toute cette mascarade dans un seul but : ne plus penser à Damien… Juste me le sortir de la tête quelques heures.

Auprès de ma blonde, c'est le bistrot où nous sommes allés, l'endroit qu'il a choisi. Et pas pour rien. Paco, dont le véritable nom m'était inconnu, n'avait tout compte fait pas assez joué de banjo pour me payer le repas, ce qu'il m'a annoncé en suffocant devant le menu. Avec acharnement, j'ai essayé de faire abstraction de ses *roller-blades* qui reposaient sous la table, le laissant nu-pieds. Comme je m'y attendais, il m'a reluqué les fesses avec une insolence non contenue quand je me suis levée pour aller aux toilettes. Typique et prévisible.

Quand il m'a avoué avoir une blonde, j'ai eu envie de me planter la fourchette dans la main. Oui, dans MA main… parce que c'était MON erreur si j'étais en sa présence.

– Je trouve ça dur, il y a trop de belles filles, a-t-il admis en riant comme si ça l'amusait. Tu vois, aujourd'hui, dans le Vieux-Port, il y avait plein de belles filles qui venaient me voir et qui m'écoutaient jouer. C'est trop tentant d'aller plus loin…

Je l'ai gratifié de mon regard le plus noir, le genre qu'on lance en serrant les dents. Ah, l'innocent !…

– Et là, il y a toi, a-t-il ajouté. Ouais, il y a vraiment trop de belles filles.

– T'aimes vraiment ça, jouer du banjo ? lui ai-je demandé en piquant ma fourchette sur le coin de mon assiette.

– Trop! a-t-il répondu content que je sorte de mon mutisme.

– J'espère… Parce que tu vas en jouer longtemps pour payer MON addition.

Je me suis levée et j'ai quitté le bistrot sans regarder en arrière.

⏻

LaPoune : Bonsoir. Ça va?
T.R. : Salut. Je suis surpris que tu ne m'aies pas supprimé de ton MSN.
LaPoune : Ben non… Voyons…
T.R. : T'as repris ton ancien pseudonyme de site de rencontre. (Simple constatation…)
Clara : Oups! Erreur de configuration.
T.R. : Ouais… J'ai jamais compris pour ton pseudo…
« LaPoune », ça pogne avec les gars ou pas?

J'ai ignoré sa question, préférant lui renvoyer la balle.

Clara : Tu n'as pas répondu à ma question initiale : ça va, toi?
T.R. : Oui, occupé, mais bon…
Clara : Trop occupé pour venir chez moi?

Je m'en mordais les doigts, honteusement en manque de lui. Je n'avais qu'à fermer les yeux pour sentir son odeur, sentir sa peau contre la mienne. Les jours qui passaient n'y avaient rien changé.

Je pouvais voir l'avertissement « T.R. écrit un message » apparaître et disparaître comme s'il hésitait sur ce qu'il allait répondre. Les yeux rivés à l'écran, j'avais le cœur qui cognait dans ma poitrine.

T.R. : En tant que *sex toy*? Service rapide et courtois à votre domicile. Utilisez et jetez après usage… Ha! Ha!
Clara : Pourquoi tu dis ça?
T.R. : Je ne sais pas?…
Clara : S'il te plaît, viens…
T.R. : Le service est fermé pour la soirée. Écoute, je blague. Non sérieusement, je suis en plein montage, j'ai du boulot par-dessus la tête. J'ai une vie, tu sais. Je ne peux pas aller satisfaire les dames sur demande.

J'étais humiliée. Mon niveau de honte venait d'atteindre des sommets inégalés. Qu'est-ce que j'avais imaginé? Qu'après l'avoir rejeté, il accourrait à la moindre perche tendue comme un chien ayant retrouvé l'os qu'il avait cherché partout?

Clara : Je m'excuse. Je pensais que tu en aurais eu envie toi aussi… Je suis vraiment désolée pour tout! Je t'ai traité de façon cavalière l'autre fois. Tu dois m'en vouloir…
T.R. : Non, du tout. Hé, je ne suis pas une victime. J'en ai profité moi aussi. J'avais envie de toi dès le départ, mais l'erreur a été d'étirer ça.

Envie de moi dès le départ… L'erreur… Étirer ça…
Il démontrait un détachement que je n'étais pas capable d'avoir. Et, il avait réussi à esquiver brillamment mon invitation.

Clara : Étirer?
T.R. : Les *one-nights*, ça se fait règle générale entre deux inconnus. Autrement, c'est toujours un peu « fucké ». Et quand c'est bon, c'est encore plus « fucké ».
Clara : C'était bon, oui.

Lourd et long silence virtuel...

Clara : On aurait sans doute dû coucher ensemble dès notre première rencontre.

T.R. : Ouais... Direct dans les toilettes du Bily Kun (Ha! Ha!) ou j'aurais dû te balancer par-dessus mon épaule, t'entraîner dans le coin sombre d'une ruelle et te prendre de force.

Clara : Tu n'aurais pas eu besoin de me forcer...

T.R. : Sur ces belles images évocatrices, je dois vraiment aller continuer mon montage. Je suis dans la merde jusqu'au cou. Mais hé, si tu veux, on peut se jaser sur le Net, une fois de temps en temps.

Jaser de banalités. Éviter toute forme de flirt comme avant notre rencontre, avant que tout ne bascule. Faire comme si de rien n'était, comme si on pouvait faire abstraction de notre nuit passée ensemble, comme si je pouvais effacer l'empreinte que ses mains avaient laissée sur moi. Comme si je ne m'étais pas résolue cette soirée-là à lui avouer que je m'étais royalement trompée en le laissant partir... et à lui avouer ce que je ressentais pour lui.

Clara : Oui, bien sûr.

T.R. : Alors... Bonne nuit.

Clara : Bonne nuit, Damien.

# CHAPITRE 15

Elle était assise bien droite avec son petit calepin fleuri et son stylo à odeur de fraise. Je l'avais invitée à prendre place sur l'une des causeuses qui avaient été installées dans mon bureau.

— Tu me le dis si tu ne comprends pas ou si je parle trop vite. D'accord?

Elle avait voulu prendre un café pour jouer le jeu. Alors qu'elle avait le dos tourné et regardait mes collègues passer, j'avais appuyé sur la touche «décaféiné» de la cafetière automatique, ne désirant pas être responsable d'une crise d'hyperactivité chez une préadolescente. Elle goûterait aux méfaits de la caféine bien assez tôt dans sa vie.

— D'accord, a répondu Noémie en buvant une autre gorgée de café avec une grimace.

— Bon! On y va! D'abord, j'identifie le réseau d'entreprises qui correspond au profil du client pour connaître son champ d'expertise. Après, je cible les candidats avec le directeur général. On commence à entrer en relation. J'observe s'il y a une synergie, disons des atomes crochus entre le candidat et le futur employeur. Excuse-moi ma belle… Il me semble que je m'exprime avec des mots compliqués. Tu me suis?

— Oui, ça va, a-t-elle dit avec un certain agacement.

Noémie était brillante. Première de classe ou pas loin derrière. Avec un sérieux accompagné d'une calligraphie soignée, elle notait tout ce que je lui disais dans son petit calepin.

Elle faisait une recherche sur les métiers pour l'école. Selon Yan, sa fille se disait très intéressée par le boulot de chasseuse de têtes. J'avais donc accepté de lui faire vivre une journée de stage et de répondre à ses questions.

— Si ça clique, c'est là qu'on commence à vendre l'emploi au candidat potentiel. C'est là que je sors tous mes arguments de séduction.

— Séduction?

Noémie avait accroché sur le mot et rougi. Elle l'a noté dans son calepin en prenant bien soin de l'encercler. Quand elle a sorti son surligneur fluo, je me suis dit que c'était du sérieux.

— Comme avec les gars?

— Ma chouette, avec les gars, c'est mille fois plus compliqué!

Je lui ai servi un retentissant clin d'œil, fière de ce beau moment de complicité, mais Noémie continuait de fixer le mot «séduction».

— Je sais…, a-t-elle soupiré.

J'avais le goût de lui demander: «Mais qu'est-ce que tu en sais à ton âge?», mais ça aurait été présomptueux de ma part. Même les enfants avaient des histoires de cœur, je devais le savoir. Alors, je suis restée là, attentive, à attendre les confidences. Elle semblait avoir besoin de parler.

— Il y a un gars que j'aime…

Je me suis dit: bon, ça y est! J'ai souri de mon sourire le plus attendri. Après tout, c'est mignon, les amourettes d'enfants.

— C'est un garçon de ton école?

— Non, un gars avec qui je *chatte* sur Internet.

Oups…

— Mais tu sais Noémie, il faut faire attention à qui on parle sur Internet, ça peut être n'importe qui, tu pourrais tomber sur un maniaque. Écoute. Je ne vais pas te mentir, il y a des pédophiles qui se font passer pour des jeunes. Il pourrait t'arriver quelque chose de très grave si tu ne fais pas attention. C'est pas une blague!

— Merci pour la leçon, matante Clara, mais je suis déjà au courant de ces choses-là! m'a-t-elle objecté. On nous en parle à l'école. Jérémie et moi, on s'est rencontrés. Je suis allée chez lui et on a bu de la bière dans son sous-sol.

Si mon café avait été lui aussi décaféiné, j'en aurais sérieusement douté à cet instant. Complètement désarçonnée par le naturel de son aveu et par ses grands yeux bleus qui guettaient ma réaction, j'ai ravalé ma surprise derrière un hochement de tête attentif et elle a poursuivi.

Premier test de confidences réussi.

*Seigneur…*

— On s'est vus quatre fois en tout. Et à chaque fois, on s'est embrassés vraiment longtemps. Là, Jérémie, il veut qu'on couche ensemble…

— QUOI?! ai-je crié, estomaquée. Oh, mon Dieu! Noémie, tu as juste trois ans et demi!

— MATANTE CLARA, j'ai treize ans maintenant, tu sais, a-t-elle dit en levant les yeux au ciel. Et je connais tous les moyens de contraception. Je sais même comment installer un condom. L'infirmière de l'école nous a montré comment faire.

Bravo, mais bravo. Super système scolaire de merde que d'enseigner comment mettre un condom à des élèves de première secondaire. De quoi leur donner des idées. Pourquoi pas le *Kama Sutra* comme compétence transversale?

— Et ça fait deux ans que j'ai mes règles, donc je suis une femme…

— Euh… Attends une minute…

En signe d'objection, j'ai levé un doigt, ravalé ma salive le temps de traiter son affirmation. J'étais sous le choc. Jamais je ne me serais attendue à ce type de confidences. Le temps avait passé trop vite. Il n'y a pas si longtemps, Noémie venait vers moi en chancelant sur ses petites pattes dodues, avec à la main un hochet sonore. La semaine dernière ou presque, tout ce qu'elle avait en tête, c'est-à-dire entre ses deux lulus hissées bien hautes, c'était de jouer à la poupée et aux Barbies. C'était le bon vieux temps où Ken n'était qu'une poupée sans pénis.

Comme elle me regardait avec détermination, je n'osais la confronter et lui dire qu'elle n'était encore qu'une enfant. Effectivement, elle avait gagné quelques formes depuis la dernière fois que je l'avais vue. Elle était vraiment jolie avec ses cheveux légèrement bouclés et ses grands yeux bleu clair qui rappelaient tellement ceux de son père. Mais être une femme ? Elle n'en était pas là. Elle avait un soutien-gorge à espérer remplir pour ça.

— Et toi, qu'est-ce que tu veux ? ai-je fini par lui demander après un long silence et en ravalant ma salive douloureusement. Tu veux coucher avec lui ?

— Je pense que je ne suis pas prête encore. C'est ça que je lui ai dit.

— Bonne réponse ! C'est bien d'attendre… Fais-le attendre looonnngtemps.

— Mais il m'a demandé de lui faire une pipe.

— UNE QUOI ?!

Ma gorgée de café est passée de travers dans ma gorge. J'ai toussé et toussé en songeant à ce que je devais répliquer. Du revers de la main, je me suis essuyé les lèvres en me faisant violence pour rester le plus neutre possible.

— Il veut que je lui fasse une pipe… une fellation !

— Je… J'avais compris.

Devait-on encore blâmer l'école de mettre les bons mots dans la bouche des enfants ? Après, ils voulaient se mettre autre chose dans la bouche.

Avoir été croyante, j'aurais imploré une entité suprême (Dieu ou tout autre candidat mythique disponible) de m'attribuer le courage de passer au travers de ce moment d'horreur ou de me lancer un seau d'eau glacée au visage, selon les compétences du bonhomme.

– Euh… Et il a quel âge, ce Jérémie?

– Seize ans, a-t-elle proclamé, fière d'avoir remporté le gros lot.

« Ha! Le vieux cochon!» me suis-je exclamée intérieurement.

– Et tu vas le faire? Tu veux lui faire une… une…

– Je lui ai dit que j'allais y penser avant de lui donner ma réponse.

… Et de lui tailler une pipe après avoir mangé ton Pablum, ai-je songé avec amertume.

– *Good…*

– J'ai juste peur qu'il ne me respecte plus autant après.

Là, je tenais quelque chose. Je pouvais l'atteindre par les émotions!

*Ma p'tite, il ne te respecte pas puisqu'il te l'a déjà demandé, l'effronté. Il devrait attendre de la mériter, sa gâterie. Pauvre p'tit con d'arrogant, de profiteur de jeunes vierges innocentes, de!…*

– Noémie écoute, ai-je dit doucement en sortant les grands mots, les grands clichés. Tu es jeune, encore toute jeune. Laisse-toi du temps, ma belle. Ces choses-là, ça se fait idéalement quand on est vraiment en amour avec un gars. D'abord, tu apprends à le connaître. Vous pouvez vous coller, vous embrasser longtemps, juste ça, pendant des semaines, c'est super précieux. S'il t'aime vraiment, il va te respecter. Et pour ça, tu as besoin de temps.

C'était presque touchant. Je pouvais y croire moi-même.

– Mon père, il couche avec plein de gars… et, toi aussi, tu le fais! Puis vous êtes jamais en amour avec personne!

– Oh, mon Dieu… *Oh, my God*! Oh, mon Dieu… *Oh, my G…*

Je me faisais penser à Nita, ma sœur, qui passait de l'anglais au français en alternance. Dans le cas présent, c'était pour moi l'équivalent d'en perdre mon latin. J'étais complètement mortifiée. Jamais je n'avais eu aussi honte de toute ma vie.

– C'est normal, a-t-elle dit comme pour nous excuser. C'est ça, la vie d'aujourd'hui!

⏻

Salut Yan,

Je sais que tu travailles en ce moment, c'est pour ça que je t'écris. Noémie vient de partir. Mon cher ami, tu as besoin d'avoir une conversation sérieuse avec ta fille! Bon, elle ne m'a PAS fait jurer de ne rien te dire alors c'est pour ça que je me permets de t'en parler. En bref, il y a un p'tit cochon qui veut coucher avec elle et qui essaie de se négocier une pipe comme prix de consolation. Donc, voilà, je te l'ai dit! De toute façon, elle n'avait pas l'air gêné d'en parler puisqu'elle a un père qui est pas mal *open*, n'est-ce pas?

J'aurais aimé que tu ne mentionnes pas le « fait » que je couche à droite et à gauche à ta fille de treize ans. Je couche juste à gauche.

Je t'embrasse… quand même!
Clara xx

Chère Poune/croqueuse d'hommes qui ne s'assume pas,

Tu sauras que ma douce progéniture est en droit d'avoir une vie. C'est ce que je me répète chaque jour pour ne pas devenir plus fou que je le suis… Tu sauras aussi que peu importe ce que je lui raconte, elle s'arrange pour être au courant de tout. Le petit cochon, je me fais copain-copain avec lui ou je le bute. J'en suis là.

Désolé pour l'indiscrétion !

Je t'embrasse en retour !

Yaninou, père par défaut

⏻

J'étais anxieuse à l'idée de le revoir. Quand il m'a appelée, j'étais bouleversée au point d'en avoir la nausée. Comment expliquer qu'il ait ressurgi dans ma vie ? Pourquoi maintenant ? Pourtant, je me l'étais juré et j'avais formulé la douloureuse promesse de ne plus jamais être en sa présence. Il le savait et il avait passé outre cette volonté. En proie à un certain masochisme et avec le sentiment de faire une grave erreur, j'ai pris place sur le siège de cuir de sa rutilante voiture, une place que j'avais occupée tant de fois auparavant.

– Bonsoir, Vitto.

– Bonsoir, Clara.

Il s'est penché vers ma joue pour y poser un baiser sous lequel je me suis raidie instantanément. Il a démarré dans un vrombissement typique de moteur, chose qui m'arrachait un gloussement lorsqu'il était mon chum, mais qui m'irritait maintenant au plus haut point. « Regardez-moi, je passe. » Tellement *show off*… Et dire que j'avais aimé cet aspect de lui.

Tout me revenait en mémoire. Sa trahison, leur trahison. Une voix, la mienne, qui crie avec colère :

« T'es donc ben lâche ! Tant qu'à me briser le cœur, tu pouvais pas me laisser avant ? Me faire croire que c'était pas pour elle ? Ben non, t'as CHOISI de me jouer dans le dos, de me tromper ! T'es dégueulasse ! »

Et lui qui répond avec lassitude : « Je ne pouvais pas risquer de la perdre… »

Alors, il avait choisi de me perdre… moi.

Et puis, dans mon souvenir, tout a déboulé, le gouffre en version accélérée et l'acceptation de la réalité comme quand on reprend une bouffée d'air après avoir bu la tasse.

J'ai dégluti, attendant que la douleur encore trop familière m'atteigne d'un coup au ventre, mais non. Mon ex était à moins d'un mètre de moi et pourtant ces images se manifestaient avec le détachement propre au visionnement d'un film. Étrangement…

Vittorio nous avait réservé la meilleure table dans un restaurant du Vieux-Port. Impeccable, il portait comme toujours des vêtements bien coupés et griffés. Ses mains étaient parfaitement manucurées pour ne pas laisser paraître qu'il s'adonnait à des travaux manuels quand il ne s'occupait pas de sa compagnie. Il était d'une perfection digne d'une pub d'eau de Cologne pour hommes, le genre racé, mystérieux, énigmatique. Le genre qui capte le regard à tous coups.

Nous avons commandé en silence et, par-dessus le menu, il me dévisageait de ses yeux noirs. Quand le serveur a tourné les talons, il a eu le culot de me demander :

– Tu t'es ennuyée de moi ?

– Non.

Sans la moindre colère, j'ai soutenu son regard. Comment aurais-je pu m'ennuyer d'un homme qui m'avait trahie et profondément déçue ? M'ennuyer de lui ? Non… Celui qui me manquait, celui qui surgissait dans mes pensées à tout moment et dont je me languissais, je l'avais chassé de chez moi deux semaines auparavant.

– T'as rencontré quelqu'un…

Ce n'était pas une question, mais bien une affirmation. J'ai hoché la tête en signe d'assentiment et puis j'ai été immédiatement ébahie de ne pas avoir hésité une seconde.

Un oui clair, sans le « mais ». Pourtant…

– C'est super ça, Clara. Santé, alors !

Avec un clin d'œil, il a levé son verre de vin pour trinquer. Alors que nous dégustions l'entrée de foie gras, il s'est mis à disserter sur son travail, sur sa compagnie. Je l'écoutais à moitié, essayant d'étudier son langage non verbal et de percer les raisons de cette invitation. Il avait esquivé la question polie « Comment va Nancy ? » et continuait de parler affaires. Il avait besoin d'un nouveau comptable et pensait faire appel aux services de l'agence pour laquelle je travaillais.

— Je m'occupe maintenant des cadres, mais je peux te recommander à un autre conseiller, si tu y tiens…

Pourquoi m'avait-il invitée ce soir ? Mon petit doigt me disait que cela n'avait aucun lien avec le boulot sinon le tout aurait pu se régler par téléphone ou même par courriel. Il connaissait les procédures de mon employeur, Nancy avait travaillé chez nous et il savait pertinemment que je ne servais jamais d'intermédiaire. Quand il a achevé de me faire une mise à jour de l'état de sa compagnie, il a daigné s'intéresser un peu à mon travail. Sans trop de détails, je lui ai fait part de quelques-uns de mes derniers bons coups, non par fierté, mais bien pour meubler la conversation. J'étais mal à l'aise et j'avais hâte de rentrer chez moi. Nous avions rapidement fait le tour. Avec un arrière-goût amer, je le voyais tergiverser jusqu'à ce qu'il se lance :

— Donc, t'as rencontré quelqu'un, a-t-il fini par répéter, près d'une heure après que nous ayons abordé le sujet. Moi qui pensais qu'on pourrait se faire une petite soirée… comme dans le bon vieux temps.

Mon cœur a stoppé net et ma fourchette à dessert a atterri dans mon assiette dans un tintement retentissant.

— Qu'est-ce que tu veux dire, Vitto ? ai-je demandé d'une voix faible alors que je savais pertinemment de quoi il parlait.

— Tu m'invites à prendre un verre chez toi ?

⏻

La pluie ne battait pas le pare-brise de ma voiture, non. Le ciel était au beau fixe. Pourtant, je voulais faire fonctionner les essuie-glaces. J'y tenais. Une fixation. C'était tout ce que j'avais en tête. J'avais oublié comment faire, comment respirer, comment penser. Je ne pouvais me repérer dans le noir. L'éclairage qui perçait les vitres ne suffisait pas.

Comment le ciel pouvait-il être aussi beau, avoir ce bleu encré, laisser présager une superbe journée alors que c'était la nuit partout?

La nuit, dehors.

La nuit, dans ma vie.

Il y avait une forme qui bougeait près du tableau de bord. Elle papillonnait. Une forme étrange, blanche. Abasourdie, je la regardais sans pouvoir la reconnaître ou l'identifier. Je me suis mise à me bercer d'avant en arrière avec l'envie de casser quelque chose, n'importe quoi, et de concentrer toute ma rage, toute ma peine dans ce geste.

Non. Non. Non. Non. Non…

La chose continuait de bouger dans un mouvement saccadé, elle se mouvait devant mes yeux et sa frénésie m'effrayait. Cette forme blanche qui bougeait, c'était ma main. Ma main.

J'ai tenté d'en contrôler les tremblements en focalisant mon attention sur ma respiration. Inspirer. Expirer. Inspirer. Expirer… Mais, je n'y arrivais pas. Je ne pouvais pas. Ma poitrine était oppressée sous l'effet de la panique.

J'avais une forte envie de lancer mon cellulaire à bout de bras. Mélodie ne répondait pas. La sonnerie était incessante, sa boîte vocale était pleine. Alors, j'ai recommencé et recommencé dans l'espoir d'une réponse.

*Mélodie, réponds s'il te plaît… Réponds… Réponds… Réponds…*

Pas de réponse.

Plan B…

C…

D… comme dans Damien.

L'Internet mobile. J'avais installé cette option quelques semaines plus tôt quand j'étais obsédée à l'idée de savoir s'il était en ligne ou pas. Un doigt qui appuyait sur une touche et qui accrochait l'autre. La panique me faisait sombrer de plus en plus. J'ai dû m'y prendre à plusieurs reprises, enrageant, pleurant. Ma main tremblait, mais je retentais le coup, espérant arriver à composer un message texte cohérent.

Clara : Je doiste voir je ten suppliew maintenantr urgence 911 apppellemoi

J'espérais qu'il soit là. D'habitude, il y était. En fin de soirée. Enfin, avant… Usant de toute ma concentration, j'ai laissé le numéro de mon cellulaire en dernier recours, sans arriver à être certaine d'avoir réussi à bien l'écrire. Je n'étais même pas sûre d'avoir raccroché. Je n'y comprenais plus rien.

Quelle heure était-il au juste ? C'était sans doute la nuit… Le cadran numérique de la radio indiquait onze heures quarante-sept. J'ai cligné plusieurs fois des yeux à travers mes larmes pour observer les minutes qui passaient.

Me concentrer sur les minutes qui passent.

Juste des chiffres.

Le temps ne passe pas.

La vie ne file pas.

Les chiffres changent. C'est tout.

Et puis, mon cellulaire a sonné.

– Clara ?

J'ai éclaté en sanglots en entendant sa voix. Si je disais les mots, si je les prononçais alors l'incident deviendrait réel et je ne pourrais pas le supporter.

– Damien… Da…

— Mon coloc a vu ton message sur MSN et il m'a appelé immédiatement.

— Je suis… l'hôpital… Notre-Dame… le stationnement… je… Damien… quelque chose… quelque chose de…

J'ai vu rouge à cet instant et je me suis mise à crier dans le téléphone sans arriver à contrôler mes pleurs. J'étais étrangère à mon corps, spectatrice d'une réaction qui m'apparaissait démesurée. Une sauvage s'époumonait, griffait le siège de sa voiture. Elle hurlait. Elle pleurait, vociférait dans son téléphone cellulaire comme si l'objet ou le destinataire du message était responsable de son malheur.

Il y a eu un silence consterné à l'autre bout du fil.

— Clara, écoute-moi bien…

— …

— Clara, tu m'écoutes?

— Oui…

— Tu ne bouges surtout pas. J'arrive. Je vais te trouver. Ne bouge pas, OK? Bouge pas.

Combien de temps s'est-il écoulé avant qu'il soit là? Je n'en ai aucune idée. Cinq minutes, quarante minutes, deux heures? J'étais recroquevillée sur le siège arrière, les mains autour des genoux quand Damien a ouvert la portière.

— T'es blessée?

J'ai secoué la tête péniblement, je me suis redressée et lui ai fait face alors qu'il s'asseyait. Je voyais son regard affolé sur moi.

— Qui? a-t-il demandé d'une voix grave.

J'ai été prise d'un étourdissement et j'ai tendu une main vers lui, vers son bras que j'ai serré fort jusqu'à ce que mes jointures en deviennent blanches.

— Yan… il a… Yan…

Il a tapoté ma main et dégagé mes ongles de sa chair. D'un hochement de tête, il m'encourageait à poursuivre.

— Il s'est… fait…

J'ai eu un hoquet mêlé d'un frisson avant de m'écrouler dans ses bras. C'était un sacrilège, c'était comme poser cet acte horrible moi-même. Si j'en parlais… Si je prononçais le mot… Ce mot qui faisait tellement mal. Mais si j'omettais de le faire, la réalité n'allait pas disparaître pour autant.

Alors, j'ai parlé :

– Poignarder.

– Oh, mon Dieu…

– J'ai… plus personne… je… je suis toute seule… Je suis toute seule.

– Ben non, tu n'es pas toute seule, a-t-il murmuré en m'étreignant. Clara, tu es en état de choc. Écoute… Tu ne peux pas rester ici. Je te ramène chez toi.

Rapidement, il a trouvé mes clefs par terre et s'est glissé à la place du conducteur.

# Chapitre 16

J'avais reçu l'appel du père de Yan en revenant de ma soirée avec Vittorio et c'est dans un état second que j'ai conduit jusqu'à l'hôpital. J'ai traversé le département des urgences en courant, le regard trouble.

— Il vient d'arriver aux soins intensifs, m'a dit la réceptionniste prudemment. Je suis désolée, si vous n'êtes pas de la famille, on ne peut pas vous laisser entrer.

Je suis tombée dans les bras du père de Yan quand lui et sa femme sont venus à ma rencontre. Un peu mal à l'aise, il m'a tapoté le dos. J'étais aussi embarrassée que lui, mais je ne savais plus à quoi ni à qui me cramponner pour ne pas sombrer. On se connaissait si peu. Sa mère m'a lancé un regard noir et un peu fou par-dessus l'épaule de son mari.

— Il a rencontré un maniaque sur Internet, c'est ça? a-t-elle crié. Dis-le, c'est ça, hein? Je lui ai dit de faire attention! Je lui ai dit que c'était dangereux et qu'il pouvait tomber sur des malades, mais il ne m'a pas écoutée! Il ne m'écoute jamais!

Elle semblait au bord de l'hystérie et me regardait comme si j'étais en cause dans l'agression de Yan. Comment le père de Yan faisait-il pour ne pas faire une crise de nerfs lui aussi? Il demeurait calme et posé.

— Est-ce que Noémie est au courant?

Là, il a tiqué, avec un voile dans les yeux. Il a acquiescé.

— Et Mélodie?

– Mélodie était là, mais ses parents sont venus la chercher. Elle était sous le choc, c'est sûr.

– Ah…

– Les médecins ont dit que Yan a perdu beaucoup de sang. On ne sait pas s'il va s'en sortir… Il faut espérer. Il est fort, notre Yan, a-t-il conclu d'une voix vacillante.

Dans une séquence au ralenti, je me suis vue lui laisser mes coordonnées, lui dire que j'attendrais des nouvelles. Je devais retourner à ma voiture, reprendre mon sac à main et mon cellulaire pour qu'on puisse garder contact. Ensuite, j'irais à la cafétéria. Je resterais à proximité juste au cas où. Juste au cas où…

J'ai tourné les talons pour aboutir je ne sais où. J'ai emprunté la mauvaise sortie et fait le tour du stationnement plusieurs fois avant de retrouver l'emplacement de ma voiture. Quand j'ai pris place derrière le volant, j'ai vu noir. C'est là que ma main s'est mise à trembler et à trembler.

J'avais refusé d'entrer chez moi. Je ne voulais pas y mettre les pieds. Je voulais être ailleurs, si Yan ne s'en sortait pas…

Si Yan ne s'en sortait pas, je ne devais pas être dans un lieu qui était marqué par sa présence.

Ce n'est que lorsque Damien a garé la voiture devant chez moi qu'il a lâché ma main. Ce contact m'avait apaisée. Ensuite, quand il est entré pour ramasser mes effets personnels et sortir mon chien, j'ai allumé la radio, mais l'ai éteinte sur-le-champ, craignant d'associer une chanson à l'événement.

Si Yan ne s'en sortait pas…

Damien m'a amenée chez lui. Nous avons franchi le seuil de l'appartement et il s'est confondu en excuses en poussant des débris avec son pied. Son colocataire était affalé sur le sofa du salon et dormait la bouche grande ouverte. J'ai vu du coin de l'œil l'ordinateur qui avait servi à nos clavardages. L'endroit était comme je l'avais imaginé. Des murs blancs peu décorés, un savant bordel. Sur la table basse, à côté du pied géant du colocataire, une boîte de pizza et quelques bières semblaient constituer les vestiges de la soirée du personnage qui ronflait.

— T'as besoin de manger quelque chose?

— Non, je suis allée au resto ce soir.

Damien m'a souri, rassuré de constater que je pouvais lui répondre et que j'avais recouvré un semblant de cohérence. J'étais en fait dans un état second. Dès que je me remettais à penser, l'image de mon ami s'imposait brutalement à mon esprit et j'entrevoyais le pire : Yan en sang. Yan blessé.

— Tu veux un verre? Du fort? Ou peut-être deux verres? Trois verres? a-t-il demandé avec nervosité.

— Oui, oui et oui.

Nous nous sommes installés face à face à la petite table de cuisine. J'ai bu d'une seule traite la tequila qu'il m'a servie tandis qu'il ne me quittait pas des yeux.

— S'il meurt, je… Yan, c'est… ma famille. C'est comme mon frère, tu comprends?

— Oui.

J'ai réprimé un sanglot. Pudique, il a tapoté ma main puis a dégagé mes doigts un à un pour libérer le cellulaire que je tenais toujours fermement.

— Je m'en occupe, OK? Je vais répondre…

J'ai hoché la tête et j'ai commencé à boire mon deuxième verre, mais cette fois-ci plus lentement, sentant une chaleur monter à mon visage. Mon esprit demeurait embrouillé. Je devais m'engourdir, noyer ma douleur.

— Merci d'être venu… me chercher, lui ai-je dit en déposant mon verre sur la table.

Nous sommes restés assis en silence. J'avais tant de choses à lui dire, mais les mots restaient pris dans ma gorge. Le moment n'était pas le bon. Il s'est versé un verre qu'il a cogné contre le mien, trinquant sans grande conviction.

– Je ne vais pas te demander pourquoi c'est moi que t'as appelé ce soir, a-t-il affirmé en hochant la tête avec l'air de penser que c'était sans aucun doute la chose à dire.

– Merci…

– Tu veux que je te fasse couler un bain chaud ? Tu penses que ça t'aiderait ?

Il a bondi de sa chaise et est parti en direction de la salle de bain avant même que j'aie le temps de répondre. Après le troisième verre de tequila, je me suis mise sur pieds, les jambes molles.

Damien m'a montré une serviette pliée négligemment. Il m'a aussi tendu un sac d'épicerie contenant divers objets de toilette qu'il avait ramassés à la va-vite chez moi, le tout incluant, entre autres, ma brosse à dents, une crème de nuit (comme si j'avais la tête à penser aux rides !) et une boîte de tampons. Il a ri, admettant avec un haussement d'épaules son peu d'expertise en la matière.

– Excuse-moi, je n'ai pas vraiment réfléchi. J'étais mal à l'aise de fouiller dans tes affaires.

– Merci… pour tout… vraiment…

J'ai réussi à lui sourire. En un clin d'œil et une enjambée, il est sorti de la salle de bain.

⏻

– Non… ton cellulaire n'a pas sonné, a-t-il dit avant que j'aie eu le temps de demander quoi que ce soit.

– Je devrais peut-être retourner à l'hôpital.

– Clara, il est deux heures du matin…

– Oh !

Un sanglot a remonté dans ma gorge. Les bras ballants, je me tenais dans l'entrée de sa chambre, habillée de la nuisette de coton qu'il avait ramassée chez moi. J'étais profondément embarrassée qu'il m'ait trouvée dans un aussi piteux état un peu plus tôt. Le reflet de la glace de la salle de bain m'avait montré à quel point mes yeux étaient bouffis et légèrement hagards. Malgré l'effet de l'alcool qui se faisait sentir, j'avais encore cette impression d'irréalité, comme si j'émergeais d'un cauchemar qui menaçait de me tirer vers le bas à tout instant.

*Yan… oh non, Yan… Ne me laisse pas tomber. Tu n'as pas le droit.*

J'étais honteuse de mon propre désespoir. Mon ami luttait pour sa vie et je pensais à moi. Je pensais à ma vie sans lui. Ma vie à moi ? À moi ? Et la sienne ? Je n'avais pas le droit d'être aussi égoïste. L'image de Noémie s'est imposée à moi. Mon Dieu, si Noémie perdait son père… Mon Dieu…

De son lit, Damien s'est levé d'un bond pour passer son bras autour de mes épaules.

– Ça va aller…

– T'es sûr ? ai-je demandé avec une toute petite voix.

J'ai relevé la tête vers lui et plongé mes yeux dans les siens pour essayer d'y lire la certitude que Yan s'en sortirait.

Il a semblé hésiter puis m'a répondu avec sollicitude :

– Il faut espérer.

– Oui.

Il a pivoté sur ses talons et a tapoté mon cellulaire pour m'indiquer qu'il l'avait placé stratégiquement sur sa table de chevet.

Les murs de sa chambre étaient garnis d'affiches de films. Je voyais des piles partout. Des piles de livres, des piles de CD, des piles de feuilles et plusieurs guitares. Le tout était aligné contre le mur, organisation de dernière minute qu'il avait dû faire alors que j'étais dans le bain.

Sur le lit, Damien s'est placé à droite en tapotant la place à côté de lui. Puis, en croisant les bras sur sa poitrine, il m'a gratifiée de son sourire en coin.

— En plus de ne pas te poser de questions, je te promets d'être sage et de ne pas profiter du fait que t'es dans mon lit... Ça te va comme ça?

J'ai fait quelques pas et me suis installée à ses côtés. Il a tourné la tête dans ma direction, a esquissé un nouveau sourire craquant et, du coup, j'ai fondu sur lui en une seconde. J'ai planté ma bouche sur la sienne et je l'ai embrassé avec passion, le laissant à bout de souffle.

— Woh! s'est-il exclamé à la fois surpris et ravi. Woh... Et ma promesse, t'en fais quoi?

J'ai replongé sur sa bouche qu'il a entrouverte en étouffant un grognement de plaisir. Ma main s'est aventurée sous son t-shirt et j'ai caressé les poils de son torse, qui a frissonné sous mon toucher.

— Clara, ce n'est pas une bonne idée, ça, a-t-il protesté entre deux baisers. Vraiment pas... Hum...

— Oui, c'est une bonne idée. Je n'ai pas arrêté d'y penser... de penser à toi...

Ma voix était rauque d'avoir tant pleuré, rauque aussi à cause de ce désir que j'avais de lui et que j'avais essayé de refouler sans y parvenir.

Là, j'en oubliais Yan. C'est ce que je voulais.

Entre autres...

— Tu ne penses pas que le moment est mal choisi?

— Je veux baiser, Damien.

— OK... euh, j'entends ce que tu me dis... mais... non...

Il s'est opposé à moi avec un petit rire en tentant de maintenir mes mains. Je l'ai tiré violemment par le t-shirt pour l'embrasser. Interdit, il a écarquillé les yeux.

— Alors, toi, l'ai-je testé, baise-moi.

— Ha! Ha! Euh, c'est pas le même concept, ça? Et... ma réponse reste... non.

À mi-chemin entre l'amusement et le malaise, il essayait de rester de marbre en retenant sa respiration et en se crispant. J'ai léché le lobe de ses oreilles, mordillé son cou en me pressant contre lui.

— Tu n'as pas envie de moi? ai-je grogné, ma bouche effleurant la sienne.

— Tellement... mais... arrête ça.

— Baise-moi.

— Non.

Il avait lâché un « non » ferme en pinçant les lèvres. J'ai arqué le bassin, sentant son sexe dur contre le mien, et ne pouvant contenir un petit cri de victoire et de plaisir.

— Merde, Clara, merde...

J'ai tiré sur ses mains, je les ai plaquées fortement sur mes seins en me frottant sur lui, une chaleur irradiant de mon bas-ventre. Il a renchéri:

— Je ne peux pas. Tu es complètement bouleversée! Je ne peux pas abuser de la situation. Ça ne serait pas correct. Merde... Clara...

J'ai étouffé ses protestations d'un baiser langoureux, une main sur sa braguette augmentant la pression sur son sexe, l'autre forçant la sienne à frotter mon sein. Ses « hum... » commençaient à faiblir pour laisser place à une respiration plus haletante. Il s'enhardissait, ses doigts s'activaient.

— Abuse, OK?...

Nouveau baiser aguichant. Ma langue sur ses lèvres. Sa main sur mon sein. Contre ma bouche, il a poussé un grognement avant d'abdiquer et de repousser mes mains avec empressement pour terminer la tâche lui-même.

— OK... OK...

— S'il te plaît...

— J'ai dit oui, a-t-il pouffé de rire en baissant son jean. Ça va. Tu m'as eu...

— S'il te plaît... S'il te plaît...

Ma voix était suppliante, brisée. J'ai senti des larmes chaudes rouler sur mes joues, sur mes lèvres et une grande douleur m'envahir la poitrine à l'image de Yan qui venait de ressurgir dans ma tête. Damien a paru désorienté l'espace de quelques secondes, puis il s'est assis, m'a attirée contre lui et m'a serrée dans ses bras. Quand il s'est mis à me bercer, je n'ai pu retenir les sanglots qui grimpaient dans ma gorge.

– Tu vois, a-t-il chuchoté. Tu vois… Ce n'était pas une bonne idée…

Doucement, il a embrassé les larmes qui coulaient sur mes joues, mes paupières et mon nez. Sa main caressait mes cheveux, ma nuque et mon dos à travers le tissu.

Je me suis dégagée de son étreinte et j'ai fait passer ma nuisette par-dessus ma tête pour me dévoiler à lui. Il a cligné des yeux, déstabilisé. Cette fois-ci, j'ai pris sa main sans brusquerie pour la laisser effleurer ma peau, mon sein puis je l'ai amenée sur mon cœur qui s'emballait de plus belle. Son regard avait suivi la trajectoire de cette caresse.

Ses dernières réserves menaçaient de tomber. Je le sentais.

Était-ce parce que je me retrouvais nue sur lui?

Était-ce le fait que, pour la première fois, j'arrivais à soutenir son regard avec ferveur?

– Fais-moi l'amour, Damien…

Ou était-ce le choix des mots?

Il a fermé ses paupières un instant, le temps d'assimiler la requête, puis les a ouvertes à nouveau, un sourire chatouillant ses yeux.

– D'accord…, a-t-il soufflé de sa voix rauque.

Il a pris mon visage entre ses mains et a dit tout bas «oui…» avant de m'embrasser doucement.

Et il m'a fait l'amour tendrement, en me berçant dans ses bras, en effleurant et en baisant chaque partie de mon corps comme si c'était la première fois, comme si j'étais une chose délicate qu'il avait peur de briser. Et moi, je cherchais ce regard clair que j'avais pourtant croisé si souvent, mais jamais comme à cet instant. À travers mes larmes, je lui souriais, répondant à ses baisers, trouvant du réconfort dans nos doigts entrelacés, dans le mouvement lent de nos corps, dans nos soupirs, dans sa main qui caressait mes cheveux humides collés sur ma peau.

Quelques heures plus tard, à l'aube, alors que j'étais plongée dans un état semi-comateux, mon cellulaire a sonné. Mon cœur s'est arrêté là. Damien a saisi l'appareil et a parlé d'une voix alerte après s'être raclé la gorge.

– Oui, c'est bien le cellulaire de Clara. Je suis son ami. Oui, elle est à côté de moi. Oui…, dites-moi, s'il vous plaît… Comment va Yan ? OK… Oui… OK… Merci, je lui transmets votre message immédiatement.

Encore dans un demi-sommeil empreint de confusion, j'hésitais entre garder les yeux fermés et affronter la dure réalité. J'aurais voulu ne jamais me réveiller. Je ne pouvais me résoudre à me tourner vers Damien et à voir son visage. Déjà, les larmes coulaient sur mes joues.

*Yan, non… Yan, non…*

Damien a embrassé ma nuque doucement.

– Yan va s'en sortir. Son père a dit qu'il va déjà mieux…

Sous le choc de la nouvelle, j'ai éclaté en sanglots en me recroquevillant en position fœtale. Il s'est lové derrière moi en resserrant son étreinte et m'a caressé le bras du bout des doigts dans un geste d'une douceur apaisante.

– Woh… tout doux, il va s'en sortir…

– Je t'aime, Damien.

Il a pouffé de rire dans mon cou et m'a serrée tout contre lui. J'ai posé un petit baiser sur son index.

– OK, je crois que t'es vraiment fatiguée. Dors maintenant.

– Oui.

# CHAPITRE 17

– Donc, t'as rencontré quelqu'un. Moi qui pensais qu'on pourrait se faire une petite soirée… comme dans le bon vieux temps.

– Qu'est-ce que tu veux dire, Vitto ?

– Tu m'invites à prendre un verre chez toi ?

– Tu veux qu'on couche ensemble ?

D'exposer ses intentions et de les expliciter rendaient sa proposition encore plus indécente. Contrarié, il a tiqué avant de boire une gorgée de café en fronçant les sourcils.

– Ça serait bien, tu ne penses pas ?

– Bien ? ai-je lâché, estomaquée.

Payer moins de taxes, ce serait *bien*. Ne pas transpirer des aisselles, ce serait *bien*. Avoir du jus d'orange qui coule directement des tuyaux de la ville, ce serait *bien*. Sept sur dix dans une dictée au primaire, c'est *bien*. Mais coucher avec son ex, ce n'est pas bien !

– Et Nancy ?

Il a esquissé une grimace douloureuse.

– Elle ne le saura pas…

– Tu me niaises ? Mais, elle est enceinte, Vitto !

– Oh, elle a accouché il y a deux semaines.

– Ben oui, belle affaire ! Ça change tout ! Bon sang, pincez-moi quelqu'un… Je n'arrive pas à y croire !

Je me suis pris la tête à deux mains. C'était insensé. Celui que j'avais cru pendant des années être l'homme de ma vie me trompe avec une copine. Il me quitte pour elle, la met enceinte et alors qu'elle ne s'est même pas rétablie de son accouchement, il veut coucher avec moi... Donc, la cocufier avec moi.

– Tu n'es pas contente?

– Contente? MAIS, qu'est-ce que tu veux dire? Parce que, moi, je ne te suis pas du tout!

– Eh bien, tu pourrais te venger...

Et j'ai explosé, faisant fi des autres clients attablés près de nous.

– Mais t'as du culot, Vittorio Pasi! T'es vraiment un écœurant! C'est quoi ton problème? T'as besoin de cul au point de ne pas pouvoir attendre que ta femme cicatrise de son accouchement? C'est dégueulasse, vraiment dégueulasse!

– C'est pas ça, a-t-il dit entre ses dents m'intimant d'un regard dur l'ordre de baisser le ton. C'est pas le manque de sexe, c'est... Mon *problème*, c'est...

Il a fouillé dans la poche intérieure gauche de son veston puis a lancé une photo sur la table.

– C'est... ÇA!

Sur le cliché, je pouvais voir le visage souriant de Nancy et le bébé enveloppé d'une couverture bleue qu'elle tenait dans ses bras. J'ai plissé les yeux, perplexe.

– Euh... C'est un garçon?..., ai-je demandé. C'est ça, le problème?

Je me rappelais le courriel de Nancy et l'annonce de la naissance prochaine d'une petite fille.

– Non, c'est pas ça. Regarde ses yeux. Regarde la forme de sa tête.

Un regard rond, des paupières légèrement bridées.

– Nancy, elle ne veut rien voir, a-t-il dit d'une voix qui se mettait à trembler. Elle dit que le petit est parfait. Elle est dans le déni total. Quand je lui en parle, elle fait comme si elle n'entendait pas. Elle n'a rien compris.

– De quoi tu parles là ? ai-je demandé en sentant ma colère flancher.

– Je te parle de trisomie. Trisomie 21…

– Mais voyons… mais…

J'ai détaillé la photo du regard sans parvenir à assimiler l'information.

– Les médecins nous ont tout expliqué. Nancy, elle ne veut rien comprendre. Elle fait la sourde. C'est elle qui ne voulait pas passer les tests pendant qu'elle était enceinte. Pensée magique, hein ?

Il avait prononcé le tout avec dédain.

– Je veux savoir, Clara… On t'a fait beaucoup de mal, c'est ça ? Est-ce que tu crois qu'on l'a mérité ce qui nous arrive ? Que c'est notre karma ?

– Et tu voulais coucher avec moi pour conjurer le mauvais sort ? ai-je demandé avec confusion.

– Non, non. Je suis mélangé, a-t-il marmonné en secouant la tête. Ce que je veux savoir c'est… On est des mauvaises personnes et on paie pour ça. C'est ça, notre punition ?

– Ben voyons, Vitto, t'as pris ça dans la Bible ou quoi ?

Je me rappelais que la famille de Vittorio était très croyante et pratiquante. La sacro-sainte culpabilité. Il a ignoré mon interrogation d'un revers de la main.

– Es-tu heureuse ?

Mal à l'aise, j'ai choisi d'esquiver la question, mais il a renchéri :

– Tu m'as dit que t'as rencontré quelqu'un. Est-ce que ça va bien avec lui ?

J'ai regardé ailleurs, n'ayant aucunement l'intention d'entrer dans les confidences. Pour ce que j'avais à raconter sur le sujet… Mon visage a parlé de lui-même.

– C'est ce que je pensais, a-t-il dit avec sérieux.

La réalité s'est imposée clairement. Vittorio m'avait brisée à sa façon, mais je m'étais laissé détruire en lui donnant tout ce pouvoir et en permettant à notre séparation de me dévaster au point où je me sentais maintenant incapable d'aimer.

– Clara, je m'excuse…

– Mais arrête, ça ne change rien. C'est du passé. Tu sais, c'était pas joyeux entre nous de toute façon. On n'était pas faits pour être ensemble.

Je me surprenais à essayer de le rassurer, à lui donner raison, en balayant du revers de la main la mention du passé, comme si l'on parlait de banalités, comme si je n'avais pas eu mal.

Il m'a saisi le poignet par-dessus la table et m'a forcée à le regarder. J'ai dégluti avec peine en voyant ses yeux se remplir de larmes.

– Clara… écoute-moi bien, a-t-il répété lentement. Je… m'excuse…

Ces mots, il les avait dits auparavant, mais pas de cette façon. Devant l'intensité de son regard et de ces excuses qui semblaient cruciales pour lui comme si, du coup, elles pouvaient renverser le destin, je n'avais d'autre choix que d'abdiquer.

– Je te pardonne.

– Merci.

Soulagé, il a pris ma main et a posé un petit baiser sur mes jointures. J'ai ébauché un sourire.

– Mais, je ne vais pas coucher avec toi.

– Tant mieux, a-t-il répondu.

⏻

– Tu veux qu'on arrête pour t'acheter un café, un muffin?

– Ça va comme ça, je ramasserai quelque chose à l'hôpital.

Considérant qu'il était neuf heures trente et que l'heure des visites était amorcée, je n'avais pas de temps à perdre.

Après l'appel du père de Yan, j'avais dormi comme un bébé dans les bras de Damien. Quand nous nous étions réveillés, il s'était excusé de n'avoir à m'offrir que des céréales ramollies.

Il avait tenu à me reconduire lui-même à l'hôpital, reprenant le volant de ma voiture avec plaisir. Je l'avais laissé faire de bonne grâce, profitant de l'occasion pour me tourner vers lui et le dévorer des yeux pendant qu'il conduisait.

— Euh… je suis gêné, là, a-t-il dit en se grattant la tête d'une main.

— Pourquoi?

— Tu me regardes comme si tu voulais me croquer.

— C'est à peu près ça, ai-je avoué, le rouge aux joues.

— Ce n'est pas désagréable…

Je me suis étirée pour poser un baiser sur son bras et il a paru surpris de cette marque d'affection.

— Il faut que je te dise… Hier, j'étais avec quelqu'un quand tu as appelé.

— Une fille?

— Ouais. Une *date*.

— Moi, j'étais avec mon ex.

— Wow…

Nous avons hoché la tête, chacun de notre côté, assimilant la confidence de l'autre. C'était à la limite de l'anecdote, un aveu franc fait sous l'empreinte de la confiance, du désir d'être limpide, d'amener l'autre à comprendre que tout avait basculé à la minute où nous nous étions revus et que le reste n'avait plus d'importance.

Une fois dans le stationnement de l'hôpital, Damien a arrêté la voiture et s'est tourné vers moi avec un air déterminé.

— Je t'ai dit hier que je ne te poserais pas de questions, OK… mais si tu me dis encore qu'on ne se reverra plus, je te jure que je kidnappe ta voiture, est-ce que c'est clair?

– Et, la rançon, ça sera quoi?

– Hum… ça.

Un murmure, un baiser doux, puis un autre encore plus long, plus lent, plus langoureux, saupoudré d'un soupir. Sa main dans mes cheveux et sur ma joue. Puis une promesse solennelle faite entre deux éclats de rire, d'autres baisers et des doigts qui ne veulent pas se détacher. La promesse de se revoir bientôt, le plus tôt possible. Cinq minutes ou un moment d'éternité plus tard, j'ai émergé de ma voiture, enivrée, jambes molles et cœur battant.

Je suis restée au chevet de Yan pendant près de deux heures à le regarder lutter entre l'éveil et le sommeil, phases entre lesquelles il m'a gratifiée d'un faible sourire en serrant faiblement ma main. Avec une boule dans la gorge, j'observais ses traits tirés, les ecchymoses qui marquaient la ligne de ses sourcils, de son nez et de ses lèvres. Il souffrait d'une blessure au niveau de la clavicule. Si le poignard avait atteint son poumon, le pire serait peut-être arrivé. Lui qui avait fait des cours d'arts martiaux pendant plusieurs années n'aurait jamais cru se retrouver à ce point sans défense. Nous n'avions pas réussi à avoir plus de détails, mis à part que son agresseur avait été fou de rage de constater que Yan n'avait pas d'argent dans son portefeuille.

À ma droite se trouvait Mélodie qui pleurait de fatigue, de peine et de soulagement, tout ça en même temps, à croire qu'elle n'avait pas épuisé sa réserve de liquide lacrymal. Je lui avais tendu la boîte de mouchoirs en papier tandis qu'elle me regardait avec des yeux suppliants.

– T'es encore fâchée contre moi? lui ai-je demandé pour la forme alors qu'à l'air qu'elle me lançait, il était clair que ce n'était plus le cas. Sérieux, Mélo, un courriel?

— Ah, je sais, c'est tellement niaiseux, a-t-elle gémi avec un petit rire et en se tamponnant les paupières avec un mouchoir en boule. J'ai fait toute une histoire avec ça. Ce n'était pas si grave… Ce n'était rien en comparaison de Yan qui est passé proche de… de… Oh, mon Dieu…

Je lui ai tendu un autre mouchoir alors qu'elle repartait de plus belle.

— S'il était mort… je… je…

— Je sais, Mélo, ai-je murmuré.

— Euh… allo, je suis quand même vivant, là, a grogné Yan, pince-sans-rire. Braille pas pour rien, fatigante.

Puis il a grimacé un sourire sous le torrent de baisers de Mélo qui s'était élancée à son chevet.

Quelques instants plus tard, nous sommes sorties de la chambre, laissant Yan se reposer. J'ai passé un bras autour des épaules de mon amie et nous avons marché lentement dans le corridor.

— Tu sais, je ne suis pas aussi centrée sur mes problèmes que j'en ai l'air. Je l'avais bien vu que Yan ne filait pas, a expliqué Mélodie en frissonnant. Il était vraiment sur un *high* ces derniers temps. Je ne suis même pas surprise qu'il soit allé rencontrer un gars bizarre. Quand il est dans cette phase-là, il ne voit pas le danger. On dirait qu'il cherche juste ça…

Et moi, je n'avais rien vu venir. Bien sûr, j'avais trouvé notre ami plus fébrile que d'ordinaire, mais que pouvait-on qualifier d'ordinaire pour l'intense Yan ? Sa vie était constituée de hauts et de bas et, entre ces deux pôles, de périodes d'accalmie. Je n'avais pas cru bon intervenir, trop préoccupée par mes propres problèmes. J'aurais dû l'accompagner pour qu'il aille voir son psychiatre. Après tout, nous l'avions fait auparavant. Là, je m'en voulais terriblement.

— Hier, ma vie était finie, a dit Mélodie d'une voix étouffée. D'abord notre chicane, une niaiserie, je sais, et puis Yan… Surtout Yan… Oh, mon Dieu…

Alors, entre les murs beiges de l'hôpital, les chariots, les patients qui déambulaient dans le corridor, j'ai osé lui dire ce que je pensais depuis longtemps.

— Tu ne réussiras jamais à le faire virer de bord. J'espère que tu t'en rends compte...

Elle a d'abord semblé estomaquée, écarquillant les yeux avec exagération et a ouvert la bouche pour protester sans parvenir à articuler un son. J'ai su que j'avais visé juste. Ce que j'avais perçu durant toutes ces années, j'en avais maintenant la confirmation.

— Ma psy pense que c'est pour ça que je choisis toujours les mauvais gars, ceux qui ont des gros défauts, a-t-elle fini par avouer en baissant la tête. Oh, Clara, c'est que je fais de l'autosabotage parce que j'espère toujours... depuis tellement longtemps que Yan... que... Yan... qu'il...

— Hum... Yan et ses beaux yeux BLEUS! me suis-je exclamée. Mais tu oublies le gros gros défaut de Yan... Il est gai!

Elle a haussé les épaules.

— Et t'as pas pensé m'en parler, te confier à moi? l'ai-je taquinée en feignant un air offensé.

Elle s'est mordu la lèvre inférieure. Je voyais une Mélodie bien différente, celle qui se languissait de l'autre, mais de celui qu'il ne fallait pas. Rien de mieux que l'impossible...

— Ça aurait été trop bizarre d'avouer que j'aurais aimé ça, être la mère de Noémie, tu comprends? J'aurais voulu que ce soit moi la seule blonde que Yan a eue... Je l'aurais aimé Yan. Mais vraiment aimé.

— Ça aurait été platonique. En fait, comme maintenant, mais t'aurais eu de la peine. Ça n'aurait pas pu marcher, tu sais bien.

— Mais il m'appelle sa chérie. «Ma chérie» par-ci, «ma chérie d'amour» par-là... J'ai pensé que...

— Non...

– Will and Grace ? Madonna et Rupert dans le film,
là ?… Non ?

– Non…

Nous avons ri toutes les deux. Je lui ai frotté le dos en
signe de réconfort. Nous avons fait quelques pas en silence et
puis, comme je poussais un soupir, elle s'est tournée vers
moi, l'œil vif. Rien ne lui échappait.

– Hé, tu ne serais pas en amour, toi ?

– Quoi ?!

Pour cacher la bouffée de chaleur qui m'était montée
aux joues, j'ai fourragé dans mon sac à main à la recherche
d'un quelconque objet, d'une contenance, d'un clown chan-
tant qui lance des oiseaux. Mélo! Regarde le p'tit oiseau!

– Oh et puis arrête de jouer à l'innocente! On ne te
croit plus, maudite fausse indépendante. Mais, regarde-toi
donc l'air rien qu'un peu! Tu vas fondre sur place!

– Argh… Mélo… mais voyons… comment ?…

Elle s'est postée devant moi, les bras croisés.

– N'essaie même pas de me mentir! Je vous ai vus tantôt
dans le stationnement. Si l'auto avait pu flotter, elle l'aurait fait.

– Ben voyons donc!

– Je ne sais pas ce que tu lui as fait au juste, mais sur
Internet, il n'arrêtait pas de me poser des questions sur toi.
J'ai eu un peu peur, je pensais que c'était un maniaque et
puis, l'autre jour quand je l'ai vu sortir de la salle de bain,
tout beau bonhomme qu'il est, et gentil aussi, et qu'il s'est
présenté, j'ai tout compris… J'aurais juste aimé l'apprendre
autrement!

Pour seule réponse je n'ai réussi qu'à m'empourprer davantage. Mélodie avait vraiment tout vu. Et si je lui avais
caché la vérité sur ma rencontre avec Damien, c'est que je
voulais lui cacher MA vérité. J'aurais rougi et elle aurait tout
deviné avant que je n'admette à moi-même cette évidence :
coup de foudre, papillons et compagnie…

– Clara, je dois te dire que je lui ai parlé l'autre soir sur Internet. On a parlé de toi, bien sûr.

Je lui ai fait de gros yeux. Elle a levé les deux mains en signe de défense.

– Et, hum, je lui ai dit pour Vitto, a-t-elle continué. Je n'aurais pas dû, hein? Mais c'est sorti tout seul, tu sais comment je tape vite au clavier? Je lui ai dit avec qui il t'a trompée et que la fille c'était notre amie, ben... ton amie. Une double trahison, ça fait mal ça. Je pense que, maintenant, il comprend pourquoi t'es comme ça...

*Pourquoi je suis comme je suis...*

Je me suis adossée à la distributrice de boissons gazeuses. Je n'avais ni l'énergie, ni le goût de la remettre à sa place.

Je me suis contentée de dire la vérité.

– Mélo, j'ai peur...

Elle m'a regardée le plus sérieusement du monde et articulant bien ses paroles pour m'amener à saisir la portée de son message, elle a dit:

– Je sais, je sais... Mais tu n'as plus le droit de reculer. L'amour, c'est dur de le trouver. T'as juste pas le droit de le laisser passer.

T.R.: Salut, beauté fatale!

Clara: Salut, bel inconnu!

T.R.: Je sais que tu travailles en ce moment chez toi, je ne vais pas te déranger longtemps.

Clara: Je pensais justement à toi...

T.R.: En bien, j'espère!...

Clara: Toujours.

T.R.: Tu pensais à quoi exactement?

Clara: Sexe...

T.R. : Oh non, pas ça. Je suis chaste, je suis pur... je suis... je suis dans un endroit public !

Clara (qui pourrait cesser de travailler et se toucher en pensant à Damien) : Pas moi...

T.R. (qui se lance un seau d'eau froide en plein visage parce qu'il doit finir son putain de travail de fin de session) : T'es cruelle...

Clara (qui fait exprès de torturer le pauvre étudiant en rut) : On se voit toujours vendredi soir ?

T.R. (qui se fait tirer le bras par ses collègues) : Oui ! J'aurai enfin l'esprit tranquille !

⏻

Renoncer à stagner et à faire du surplace. Lâcher prise. Réapprendre à faire confiance. Tout était là. Là résidait mon blocage. Enfin, ce qui en subsistait.

Quand j'avais revu Vittorio, une page avait été tournée ; celle de la haine, mais une douleur s'entêtait à me piquer comme une épine, alimentant mes doutes. Et pour ça, je devais pardonner. Tout. Il ne me restait qu'une personne à voir.

Vittorio avait noté l'adresse sur un petit papier que je tenais bien plié dans ma main moite.

J'aurais pu vivre ici. Ça aurait pu être moi. Nous aurions eu cette maison ou une autre du même genre.

Je me sentais paisible devant ce revirement de scénario, voire soulagée. Ce futur improbable appartenait au passé.

Quand elle a ouvert la porte, elle a su immédiatement pour quelle raison je me trouvais sur le seuil. Vittorio avait dit qu'elle était dans le déni, qu'elle se mentait à elle-même et qu'elle ne voulait pas voir la vérité en face. Or, la fille que j'avais devant moi est passée en l'espace d'une seconde de radieuse à complètement livide.

– T'es venue me voir parce que mon enfant est handi-
capé, a soufflé Nancy, en même temps que la réalité la frap-
pait.

Elle m'a servi un air dévasté avant que sa tête ne tombe
sur sa poitrine qui s'est enflée dans un grand sanglot déchi-
rant. Sans hésiter, je me suis précipitée pour la soutenir, car
elle semblait sur le point de s'écrouler.

Plus tard, après avoir essuyé ses larmes, après avoir discuté longtemps avec celle qui avait été mon amie, après
l'avoir rassurée que Vitto reviendrait, mais qu'il faudrait lui
laisser du temps, elle m'a déposé son petit Alessandro dans
les bras. À mon tour, j'ai senti une larme perler au coin de ma
paupière. Elle s'est tracé un chemin sur ma joue puis a atterri sur la menotte du poupon. J'ai embrassé son front tout
rose et ri du sourire béat qu'il affichait. Nancy me regardait
d'un air où se mêlaient le soulagement et le vide.

– Tu crois qu'on va s'en sortir? m'a-t-elle demandé après
un long silence.

Je ne détenais pas la vérité. J'étais bien mal placée pour
lui répondre, mais je lui ai dit la seule chose qui m'apparaissait comme vraie et qui expliquait ma présence devant elle.

– On finit toujours par s'en sortir.

# CHAPITRE 18

On finit par chérir ces papillons en l'attendant et en se faisant belle pour lui ; à sortir tous les vêtements de la penderie ; à choisir la tenue idéale, celle qui le fera craquer en moins de deux et qui allumera un « Ping ! » appréciateur dans ses prunelles, nous faisant à la fois rougir et glousser de bonheur.

Les papillons, à l'idée même de la soirée qu'on passera avec lui, à se regarder par-dessus l'assiette encore pleine avec une boule dans l'estomac, des palpitations jusqu'au bout des doigts. Ces doigts qu'il prendra dans sa main chaude avant d'y poser un baiser. Un baiser qui aura pour but de nous faire revivre, en rétrospective et tout en frissons, le souvenir de ce que ses lèvres savent si bien faire et nous donner un aperçu de ce qu'elles accompliront une fois qu'on aura quitté le resto.

Le resto qui devient trop petit pour nous deux, pour nos rires, pour nos regards qui s'enflamment jusqu'au moment où on finit par lui dire qu'on n'en peut plus et qu'on le veut... là.

Qu'il nous prenne sur la table, dans une cabine téléphonique... peu importe, du moment que ça se fasse. Aux yeux de tous, on se donnerait en public, on déposerait un chapeau pour récolter la monnaie et sous les applaudissements des passants, on se mettrait à gémir façon opéra de bas étage : « Ouiiii, ouiiiiii... Prends-moi ! »

S'il initiait, l'espace d'une soirée, d'être vieux jeu, de nous amener faire une promenade juste pour le plaisir de capturer notre main dans la sienne et de voir s'il y a des étoiles dans le ciel, dans nos yeux, il n'y verrait qu'admiration, comme si c'était lui qui les y avait accrochées.

Mais on ne penserait qu'à ça. Et, lui aussi. On brûlerait de lui dire : « Merde, sais-tu que je mouille juste à ta façon de me regarder ? »

On finirait par lui dire : « Je suis bien avec toi », et ce serait scellé. Il comprendrait que le pied de nez au passé est initialisé, que la grande loterie de l'amour a été remportée, qu'on l'a choisi, lui.

Mais…

On exclut le « je ».

En ce vendredi soir, les papillons…, *je* ne pensais qu'à les écraser d'un pied rageur.

Clara : Salut Damien. Je n'ai pas ton numéro de téléphone, c'est pour ça que je t'écris sur MSN.
Clara : C'est vraiment con ! Je n'ai PAS ton numéro de tél.
Clara : Es-tu là ? Allo ?
Clara : Il est 20 h 30… Je t'attends depuis 19 heures…
Clara : Allo le coloc ? J-P, c'est ça ? Si tu vois mon message, tu peux dire à Damien de m'appeler ? Mon numéro est…
Clara : 21 h 30…
Clara : Damien, si tu es là et que tu ne me réponds pas, c'est que j'ai de sérieuses raisons de m'inquiéter…
Clara : Nous devions nous voir ce soir, tu t'en souviens ? Une vraie *date*, hum ? Es-tu mort, dans le coma ou, pire, plus intéressé à me voir ?
Clara : Bon… il est 22 heures. On oublie ça ! BYE !

Ce soir-là, en compagnie de Yan et Mélo, j'ai redécouvert de vieilles bouteilles d'alcool oubliées depuis des années. Vodka, curaçao, tequila et rhum sont redevenus mes amis. Yan, qui, avec ce qui restait de ses ecchymoses, avait tout l'air d'un boxeur entre deux combats, faisait office de barman, jonglait avec les moyens du bord et nous fabriquait des cocktails tous plus inusités les uns que les autres.

Un toast à Vitto, à Nancy, à leur bébé et qu'ils soient heureux malgré tout. Une rasade cul sec pour l'agresseur de Yan. Et, quand l'alcool a fini par s'imprégner en nous et nous faire pouffer de rire au-dessus de la bouteille, une rasade pour tous les trous de cul rencontrés par Internet, une rasade pour le célibat, une rasade à la vie, à la mort.

Engourdie et ivre, j'observais Mélodie qui dévorait toujours Yan des yeux en se ravisant d'un air coupable quand elle croisait mon regard. C'était fou, j'avais conscience de tout maintenant. Toutes ces années à attendre, à espérer en vain un amour impossible…

Et Yan, lui, continuait de ne rien voir ou encore préférait feindre l'ignorance. Comment savoir ?

Était-ce notre vie, de ne pas avoir ce que nous désirions vraiment ?

⏻

Le lendemain matin, j'étais d'une humeur particulièrement morose au réveil. J'avais un goût amer dans la bouche. Je n'aurais pas dû me réveiller seule en ce beau samedi de mai avec une gueule de bois et le cœur qui serre, là, et qui rappelle son douloureux emplacement.

Tylenol… Café… ont été les deux seuls mots que j'ai prononcés avant que nous accompagnions Yan au Jean-Coutu le plus proche. Il devait renouveler son ordonnance d'anti-inflammatoires.

Entre les «chaussettes diabétiques», les granules homéopathiques Volu-Sein, «la minceur à boire au goût agréable de thé-pêche», j'hésitais entre acheter un de ces produits et faire une dépression profonde. Yan, son ordonnance à la main, a accepté de mauvaise grâce d'accompagner Mélo au rayon des cosmétiques.

– Il y a des produits exprès pour cacher les cernes et les cicatrices, je suis sûre qu'il y a quelque chose pour tes bleus.

Je les ai suivis dans les allées comme l'ombre de moi-même, souriant pour la forme à Mélo qui s'exclamait devant les articles en solde en les touchant les uns après les autres. Yan la tirait par le bras.

– Chérie, arrête de niaiser et viens donc me montrer ta petite poudre miracle avant que je change d'idée!

Dans le département des cosmétiques, je déambulais, regardant la marchandise sans la voir vraiment.

*Ce n'est pas grave. Nous avons passé un bon moment et c'est tout. Il m'aura servi à me libérer de mes peurs. Il m'aura donné un avant-goût de ce que ça pouvait être... ce n'est pas rien. Je me souviendrai de lui longtemps... Rien n'arrive pour rien. Ce n'était sans doute pas un gars pour moi. Je suis mieux toute seule. C'est trop compliqué tout ça.*

– Clara? Ça va?

C'était Mélo qui venait de se poster devant moi et qui me regardait avec de gros yeux. J'ai balbutié un «oui, oui» empressé et me suis frotté le crâne pour simuler une migraine. Elle m'a désigné d'un signe de tête la scène qui se déroulait à deux mètres de nous.

Yan était sagement assis sur un tabouret tandis qu'un cosméticien appliquait du fard pour camoufler son œil tuméfié.

– C'est le principe de la neutralisation par la couleur. Pour cacher les bleus, il faut y aller avec la couleur opposée du cercle chromatique qui est le?...

— Jaune! s'est exclamé Yan.

— Bravo champion!

J'ai vu un curieux mélange de Yan : gamin et gêné. Il gardait un œil résolument fermé et l'autre bien grand ouvert, fixé sur le cosméticien qui s'agrippait à son biceps comme si l'application de maquillage requérait plus d'équilibre qu'il n'était capable d'en générer seul. Le jeune homme devait être dans la mi-vingtaine. Il était mince, coiffé impeccablement. Ses traits fins presque parfaits, ses yeux verts perçants et ses sourcils définis captaient le regard.

— Tu ne t'es pas manqué, a dit le jeune homme. Tu es boxeur?

— Non, je suis massothérapeute.

— C'est pareil, tu travailles avec tes mains… Wow…

Regard admiratif et coulé en douce. Sourire de Yan en retour. Faible grognement de Mélo en signe de dépit.

Le cosméticien en était à appliquer de la poudre compacte. Avec un soin infini, il lissait la paupière de Yan du bout du doigt. J'ai pensé à cet instant que je n'avais jamais vu d'hommes travailler dans ce département. Enfin, on avait vu plus mâle…

— Excuse-moi d'être indiscret, a-t-il dit en reculant d'un pas pour le détailler. Es-tu?…

— Oui, je le suis, a répondu Yan de sa grosse voix.

— Vraiment?! a crié le jeune homme avec ravissement.

— Oui, tout à fait. Et toi?

Ce qui n'était que pour faire poli et mignon parce que la réponse était évidente. S'ils se reconnaissaient toujours entre eux, ils pouvaient du moins jouer le jeu et se réserver la surprise de se l'annoncer.

— Ben oui, voyons donc, toi! a répliqué l'esthéticien en rougissant sous le grand sourire de Yan. C'est mon jour de chance, ça!

— Je pense que oui.

Il y avait de l'électricité dans l'air ou trop d'éclairage. J'ai dû cligner des yeux, sous le choc, moi aussi. Mélodie avait fait marche arrière et semblait s'intéresser à l'étalage de parfums alors qu'elle n'en mettait jamais.

– Je m'appelle Yannick!

– Hein? Moi aussi!

Ils sont partis d'un grand rire et se sont serré la main. La patte douce dans la patte ferme. Après, Yannick le cosméticien ne savait plus quoi faire de ses cinq doigts électrisés. Il les a étampés sur sa joue dans un geste affecté. J'ai cherché dans les yeux de mon ami un air moqueur, mais non, pas du tout... Un grand sourire illuminait son visage. De son tiroir, le cosméticien a extrait des échantillons de produits pour Mélo et moi, avant de se démener avec la caisse pour faire payer Yan oubliant complètement une cliente qui attendait pour régler ses achats.

– Si tu as besoin d'autres informations sur les produits ou de n'importe quoi d'autre, a-t-il dit en écrivant à l'endos du reçu de caisse. Je te laisse mon courriel...

– Un courriel? Parfait! Tellement parfait... Je n'aime pas le téléphone.

– Ah, moi non plus! Je me tiens tout croche avec le téléphone sur mon épaule et je deviens tout courbaturé au niveau du cou.

– Je suis masso... je peux... te...

– Ouiiii...

Nouvel éclat de rire, chacun jouant dans les octaves opposées. Yan a plié le reçu de caisse soigneusement et l'a glissé dans la poche de sa chemise sans quitter l'autre Yan des yeux.

– Je t'écris... ce soir, OK?

⏻

Le temps était suspendu depuis vendredi soir. Les minutes semblaient s'écouler telles des heures et les heures tels des jours. Dimanche matin, j'étais toujours plantée devant l'écran de mon portable, le fixant jusqu'à m'en arracher les yeux.

L'anticipation des dernières semaines à l'idée de voir son pseudonyme apparaître avait été remplacée par une amère déception. Pas de nouvelles depuis deux jours.

J'attendais… en vain. Bredouille au max. Il n'allait pas se connecter. Il n'allait plus se connecter.

⏻

– Il a l'air tellement gai, je le sais. Mais je m'en fous! On a parlé au téléphone jusqu'à quatre heures du matin! J'ai parlé au téléphone… Moi!

Je pouvais entendre son rire dans le combiné. Yan avait pris la peine de m'appeler pour me raconter ça, ce qui était assez incroyable si on ajoutait à cela qu'il était neuf heures du matin et que Yan était debout, dans une forme resplendissante.

– C'est vraiment super, Yaninou!

– Je suis tellement sur mon petit nuage que j'ai le goût d'aller m'excuser au gars du dépanneur. Tu te souviens? Le gars avec qui je me suis pogné le mois passé?

– Wow…

– Il a le droit d'être gai! S'il veut être une grande folle, il a le droit aussi! Vivre et laisser vivre, hein?

Il a soufflé à l'autre bout du fil. Il était survolté.

– C'est fou, Clara. Toi et moi, on est amoureux en même temps, tu te rends compte? a-t-il poursuivi avec excitation. Qu'est-ce que c'est, ce virus-là? Ça nous tombe dessus sans qu'on le demande, on ne les a pas choisis et ils sont là. Bang! On ne peut même plus se passer d'eux. *Fuck* de *fuck*!

— Oh Yan…, ai-je dit d'une toute petite voix. Je suis contente pour toi, vraiment… mais moi, ça n'a pas marché, donc, ne me mets pas dans le même bateau que toi…

— Toujours pas de nouvelles?

— Non… et s'il m'en donne, je vais l'envoyer promener, tu sais bien, ai-je soupiré en m'étendant sur mon lit et en regardant le plafond. On ne traite pas une fille comme ça. C'est un con, bon!

— Ben là! Il a sûrement ses raisons… Et peut-être que ça n'a même pas rapport avec toi.

— Yan! Je lui ai dit que je l'aimais!

J'ai étouffé un petit cri dans mon oreiller.

— OK… pas *top*, pas *top*. Et comment tu lui as dit ça exactement? Et là, je veux les mots exacts!

— Euh… Je… t'aime… Damien?…

J'attendais anxieusement le verdict de mon ami. C'était plutôt inusité de se parler au téléphone. La dernière fois datait de notre adolescence et le contenu de nos conversations d'alors était étrangement semblable.

— Ayoye! Pas pire clair et prématuré comme déclaration! Il doit avoir le tour en maudit! a rigolé mon ami.

— Je m'excuse, mais c'était quoi l'idée de passer proche de mourir?

Yan s'est esclaffé doucement.

— Et lui, il a dit quoi après ta déclaration-choc?

— Il a ri.

— Rire jaune ou rire content-content?

— Je ne sais pas! Je ne suis pas une spécialiste de l'interprétation du rire! Oh, Yan! Je me suis mise dans la merde, vraiment!

Je lui ai fait un compte rendu des réactions de Damien, de son attitude protectrice à mon égard quand Yan était hospitalisé, de nos paroles échangées dans l'auto le lendemain, de ces baisers qui n'en finissaient plus, de nos conversations enflammées sur MSN. Le tout relaté avec une certaine pudeur et surtout sans les détails croustillants.

– S'il est vraiment intéressé à toi, il va revenir, a dit Yan après quelques secondes de réflexion. Non… il VA revenir.

– Tu es sûr et certain ? Tu peux me le jurer ?

Il est parti à rire.

– Non, pantoute ! Mais d'ici là, je te défends de retomber dans tes vieux *patterns*. Tu ne vas PAS coucher avec un autre gars pour te venger. Tu restes chez vous et tu-ne-bouges… pas ! Tu ne vas PAS sur Internet pour remplacer le gars de perdu par dix tarlas de retrouvés. Non, ma chère ! Tu brailles en écoutant des comédies romantiques poches et tu manges tes émotions. Et après, tu brailles parce que t'as trop mangé et que tu te trouves grosse. T'as compris, Clara Bergeron ?

– Génial comme programme !

# CHAPITRE 19

Le lundi soir, Yan avait à nouveau pris d'assaut notre canapé. S'il avait passé la semaine suivant son agression chez nous, se laissant dorloter par ses deux amies préférées et lançant à la blague qu'il avait peur chez lui, maintenant j'avais bien l'impression qu'il était de retour pour moi, pour me tenir compagnie.

Mélodie, elle, gardait ses distances et s'était planifié des activités pour tous les soirs de la semaine.

– Si je reste, je vais lui tomber dans les bras et lui dire qu'il est l'homme de ma vie, m'a-t-elle chuchoté alors que Yan venait tout juste d'arriver avec assez de bagages pour s'installer quelques jours. Il n'a pas besoin de ça, et moi non plus.

Yan a levé un sourcil en signe d'interrogation.

– Où tu vas, ma chérie d'amour?

Elle est passée rapidement à côté de lui, lui a soufflé un baiser un peu triste et a refermé la porte d'entrée derrière elle.

– Il faut que tu arrêtes de l'appeler «chérie d'amour».

– Pourquoi ça?

Vraiment, il ne se doutait de rien. Il ne s'en était probablement jamais douté!

– Il faut juste que tu arrêtes, c'est tout!

– Je remplace ça par quoi? Ma grosse?

– Ah, Yan! Franchement! T'es pas avec ton double? lui ai-je demandé pressée de changer de sujet et l'aidant à apporter ses sacs au salon.

— Non, ce soir, je suis avec mon âne sœur... toi! Hi-han! Hi-han! On va jouer au Ouija comme dans le bon vieux temps et on va demander aux esprits de nous dire c'est quoi leur problème aux gars...

Il m'a serrée dans ses bras en riant.

— Oh non... Des problèmes avec Yan numéro deux?

— Meuh non...

— Yan!...

Nous nous sommes installés face à face sur mon sofa. J'ai ramassé rapidement les boules de mouchoirs, vestiges des dernières heures passées à me taper la méthode «à la Yan».

— Qu'est-ce que tu as fait? lui ai-je demandé, convaincue à son air qu'il était en cause dans ce revirement de situation.

Mon ami, je ne le connaissais que trop bien.

Il a fini par m'expliquer qu'après trois jours de symbiose, il avait senti que c'était très intense, trop intense. Ç'avait été plus qu'il était capable d'en prendre, lui qui était habitué à être seul et qui gérait mal ce qu'il qualifiait de «grandes émotions».

— Clara, c'est trop fort. Je fais juste le regarder et je me sens tout à l'envers. J'ai de la misère à respirer, j'arrive plus à penser.

Il continuait de s'exprimer à cœur ouvert tandis qu'un nouveau son de cloche se faisait entendre en moi.

— Là, j'ai juste besoin de remonter à la surface... avant de le revoir et de replonger.

— Damien!

— Quoi Damien?

Des semaines de chassés-croisés. Je l'avais attiré, je l'avais repoussé pour le tirer à moi encore. J'avais douté. J'avais combattu. J'avais eu peur. Puis, j'avais complètement chaviré à l'opposé. J'étais passée de froide à brûlante. Entière, intense.

Et lui, il n'avait pas eu le droit d'avoir peur deux minutes et de prendre ses distances que je le condamnais déjà.

– Trop intense, tu dis?

Yan a hoché la tête, un éclair de compréhension dans le regard.

– C'est en plein ça.

Le lendemain soir, alors qu'il faisait encore clair, j'étais assise sur ma terrasse en train de lire. Yan a ouvert la porte-fenêtre, s'est enveloppé dans les rideaux et n'a laissé émerger que sa tête.

– OK, je te l'avais dit, s'est-il écrié avec fébrilité. Et, ça me fait plaisir de t'avoir dit que je te l'ai dit. Bye là, moi j'ai plus rien à faire ici!

– Hein?

– T'as de la visite, Poune!

Dans un geste théâtral, il a écarté les rideaux avec un «Tadam!». J'ai sursauté et laissé tomber mon livre en voyant Damien debout dans mon salon. Il s'est avancé et a posé sa main sur la porte-fenêtre, faisant bouger ses doigts en signe de salut et me souriant avec hésitation.

Yan s'est précipité avec une chaise pliante, a ouvert grande la porte pour laisser passer Damien et l'inviter à s'asseoir face à moi. Yan lui a serré la poigne fermement et m'a embrassée rapidement sur le dessus du crâne.

– Faites l'amour, pas la guerre et faites pas comme moi, là… Faut que ça soit par en avant, et pas par en arrière. Quoique!… Mais bon, avant ça, parlez-vous! Bye pour de vrai, là!

– T'es donc ben niaiseux, Yan!

J'ai ri et roulé des yeux. Damien a retenu un petit rire n'ayant rien manqué de la citation lancée par mon ami. Yan s'est éclipsé après lui avoir empoigné l'épaule dans une accolade masculine conclue par un «Bye, man!»

– Tu peux t'asseoir.

– Merci.

Nerveux, Damien a pris place, les coudes appuyés sur les genoux. Il n'a pas laissé une seconde s'écouler avant de prendre la parole en regardant fixement devant lui.

– Premièrement, je suis vraiment désolé. J'ai agi comme un con…

Il s'est éclairci la gorge et a poursuivi:

– Deuxièmement, je suis passé hier, mais tu n'étais pas là. Je ne voulais pas te parler de ça… sur Internet.

– T'as eu peur, tu t'es senti étouffer, l'ai-je interrompu. Parce que c'était trop intense entre nous deux.

Il a écarquillé les yeux, surpris.

– Ben, euh… ça doit ressembler à ça, mais bon, dans ma tête, c'était pas aussi clair que ce que tu me dis là…

– Et troisièmement?

– J'ai été con, je l'ai dit ça?

J'ai hoché la tête, il a secoué la sienne avec un petit rire. Il a lissé son jean comme pour en enlever des plis imaginaires et s'est ensuite penché pour ramasser mon livre.

– Tu lis quoi?

– *Les hommes viennent de Mars, les femmes viennent de Vénus*, ai-je dit en rougissant. Euh… c'est à Mélo.

Il est parti à rire en retournant le livre entre ses mains.

– Et ça répond à tes questions?

Il a fixé un regard amusé sur moi alors que je m'empourprais de plus belle.

– Un peu oui… T'es sorti de ta grotte? Ton élastique a fini par se détendre?

– Quoi ça? s'est-il exclamé.

– Des théories purement scientifiques.

– OK…

Il a approché sa chaise de quelques centimètres pour me faire face et a laissé un long moment s'écouler avant de reprendre finalement la parole. J'avais le goût de jouer dans ses cheveux, de le toucher, mais je me contentais de tripoter nerveusement le tissu rêche de ma chaise pliante.

– S'il n'était rien arrivé à Yan, aurais-tu voulu me revoir ? m'a-t-il demandé avec sérieux.

– Oui.

J'avais senti que ma réponse était conditionnelle à ce qui allait suivre. Il a pris le temps d'assimiler l'information avec l'air de réfléchir. Il s'est gratté le menton.

Faisait-il le lien avec ce qui s'était passé chez lui, au fait que c'était l'agression de Yan qui m'avait poussée dans ses bras ou du moins qui avait été le déclencheur de nos retrouvailles ? Je lui avais demandé de faire l'amour avec lui… ce que nous avions fait. Et j'avais laissé échapper que je l'aimais. Est-ce cette déclaration prématurée qui le mettait dans l'embarras ?

– Sur le Net… au début, t'étais une fille difficile à saisir, tellement indépendante, tellement au-dessus de ses affaires… Puis quand on s'est rencontrés, c'était encore pire, a-t-il commencé en guettant ma réaction. Tu me filais entre les doigts et je dois t'avouer que j'ai aimé ça. Tu étais un beau défi…

Il a haussé les épaules, gêné de son aveu tandis que je retenais un hoquet de stupeur…

Un beau défi ? Un beau défi…

– Tu te sentais comme un chasseur ?

– Une autre théorie, ça ? a-t-il demandé, amusé.

– Ça se peut…

Il m'a servi un de ces sourires en coin qui me faisait craquer à tous les coups. Mon cœur s'est affolé un peu… beaucoup.

– Mais je me suis laissé prendre au jeu…

– Mais là, le jeu est terminé, le défi n'est plus là, c'est ça ? l'ai-je interrompu. Aussi, avec ce que tu sais maintenant de ma relation avec mon ex, et après ce qui est arrivé à Yan, tu as dû trouver ça trop intense.

– Clara, laisse-moi parler, s'il te plaît…

– OK, OK…

Il semblait chercher ses mots.

– Vendredi, je suis sorti avec mes chums pour fêter la fin de session. J'aurais dû reporter notre rendez-vous, mais je ne voulais pas te décevoir. Ces choses-là, annuler une *date*, ça ne se fait pas. Fuir, c'est… cave! Eh oui… j'ai eu… enfin… peut-être que j'ai pris peur… un peu. Samedi, je suis sorti. Dimanche aussi. Je…

Il a levé un doigt tandis que j'allais répliquer et a poursuivi rapidement :

– J'ai passé une fin de semaine de merde à essayer de penser à autre chose… qu'à toi.

Mon cœur a manqué un battement. Son regard pers s'est accroché au mien. Embarrassé, il s'est passé une main dans les cheveux.

– Et à me demander…, a-t-il poursuivi avec un petit rire nerveux. Bon sang, est-ce que tu vas finir par me la donner, ma note sur dix?

– T'es trop *cute*!

Je me suis contentée d'un sourire énigmatique.

– Donc, tu ne vas pas répondre?

J'ai secoué la tête et nous avons ri. Il s'est penché et a pris mes mains entre les siennes pour en caresser les phalanges.

– On peut prendre ça cool? a-t-il demandé. Prendre notre temps? Ça se fait, ça?

– Ben oui.

Nous nous sommes regardés intensément. Je devais me maîtriser et résister à l'envie de lui sauter au cou et de l'embrasser.

— Je voulais te demander quelque chose. C'est con. Il y a un genre de soirée disons «habillée» qui est organisée par l'université... pour la fin de notre bac... et...

— Tu as un bal de finissants?

Il a grimacé.

— Ouin... euh... J'essayais de ne pas le voir comme ça, mais je suppose que c'est un peu ça. Tu dois avoir plein de robes, toi, avec tous tes mariages italiens?

— Tu n'as pas idée...

Il ne lâchait toujours pas mes mains, les gardant dans les siennes.

— Accepterais-tu d'être ma *date*? C'est dans deux semaines.

— D'accord.

— Cool... On va se voir avant ça, c'est certain! Ben... Si tu veux...

— Ben oui!

Nous sommes restés un long moment à nous parler de la fin de sa session d'université et de l'état de santé de Yan. Pendant que ses doigts effleuraient les miens, je voyais qu'il m'étudiait d'un regard neuf et un peu pudique. Quand il s'est levé pour partir, je l'ai suivi à contrecœur.

Je ne voulais pas qu'il s'en aille, mais je l'ai accompagné à la porte avec des supplications dans les yeux.

*Ne t'en va pas... Ne t'en va pas... Ne t'en va pas...*

Il m'a regardée en se mordillant la lèvre inférieure.

— Je vais être sage pour ce soir, d'accord?

— D'accord, ai-je consenti, malgré moi.

J'étais prête à faire tout ce qu'il souhaitait, à dire oui à tout, à le suivre partout, et même à jouer à «Jean dit...»

Si Damien dit: «Nous serons sages», eh bien, nous serons sages.

— Mais on reste en contact, OK? Cette fois-ci, je te laisse mon numéro de téléphone. Tu peux m'appeler quand tu veux...

Il a fouillé dans la poche de son jean pour en extraire un stylo. Il a saisi ma main, m'a fait frissonner et a noté son numéro de téléphone dans ma paume tandis que je humais son odeur, un mélange discret de savon, de shampoing et d'eau de Cologne. J'ai ri sous l'effet du chatouillement du stylo sur ma peau, mais aussi parce que j'avais l'impression qu'il avait pris sa douche juste avant de partir, qu'il avait voulu sentir bon… pour moi.

Il a posé un petit baiser sur ma main en la refermant sur elle-même.

– Bye, Clara.

– Bye, Damien.

Sans que je puisse y répondre, il m'a embrassée d'un baiser court et doux avant de reculer à regret et de descendre les marches. Il m'a envoyé un petit salut de la main par-dessus son épaule en s'éloignant et il s'est gratté la tête comme il le faisait si souvent.

*T'en va pas… T'en va pas…*

Tout à coup, à mi-chemin vers le trottoir, il s'est ravisé et a pivoté sur ses talons, je l'ai entendu grogner : « Et pis, merde… »

En deux enjambées rapides, il était de retour devant moi, essoufflé comme s'il avait couru. Ses deux mains se sont agrippées de part et d'autre du cadre de porte.

– Je t'ai menti tantôt, a-t-il dit.

– Quoi ça ?

J'étais inquiète. J'avais le goût de pleurer. Les mensonges, j'en avais eu assez. Je voulais la vérité.

– Quand j'ai dit que j'avais passé la fin de semaine à penser à toi. Ce n'est pas juste ça que je voulais te dire…

J'ai ravalé ma salive péniblement pendant qu'il continuait, cherchant son souffle. Ses yeux un peu affolés fouillaient les miens.

– Je veux dire… que… Clara… je…

256

– Oui?…

De nouveau, il s'est gratté la tête nerveusement avant de se lancer et de me scier les jambes…

– Je me réveille, je te vois. Je m'endors, je te vois. Je respire, je te vois, a-t-il dit d'une voix rauque. Je vois juste toi, OK? Je vois juste… toi, Clara.

– Oh…

Et il m'a embrassée à m'en faire perdre le souffle, sa main fourrageant dans mes cheveux, caressant ma joue. Il a pris une pause, le temps de rire de mon air surpris et a fini par poser un autre long baiser sur mes lèvres en me soulevant de terre.

Déclenchez le concerto de violons, téléportez-nous jusqu'à la tour Eiffel, faites tomber une pluie de pétales de rose ou, plus petit budget, visualisez-nous devant la fontaine de la place Jacques-Cartier. Nous n'étions que dans l'étroite entrée de mon appartement, entourés de quatre murs beiges mais les feux d'artifice étaient bien là. En prime, des étoiles plein les yeux.

Il a interrompu notre baiser pour me serrer très fort contre lui.

– Là, c'est vrai… Si je reste…, je ne voudrai plus repartir, a-t-il murmuré dans mes cheveux.

– Maudit niaiseux, qui t'a demandé de partir?

Il a fermé la porte derrière lui avec son pied, m'a soulevée et m'a balancée sur son épaule. J'ai poussé un petit cri en voyant le sol.

– Aaaaah! Mais, qu'est-ce tu fais?! Ta note, c'est dix, OK? T'es content, là? me suis-je écriée. Dix sur diiiiix!

– T'étais mieux de me donner un dix!

Et, il m'a portée jusqu'à ma chambre pendant que je me débattais en riant.

DAMIEN

# Chapitre 20

Internet et moi, c'était deux choses. Je l'utilisais seulement pour répondre à deux passions : la musique et le cinéma. Découvrir de nouveaux groupes, faire la promo du nôtre. Pour le cinoche : me mettre à jour, critiquer les critiques et faire des recherches pour mes cours. C'était à peu près ça.

Avec Clara, donc, ça a été un concours de circonstances.

On avait clavardé, mine de rien. Pendant des mois. C'est à cause de son pseudo : LaPoune. C'était assez pittoresque, disons. Je me suis dit : il faut être mal pris ou vraiment ne pas se laisser de chances. Je n'ai jamais su comment elle s'est retrouvée sur le MSN de mon coloc. Je sais juste qu'il lui avait tapé royalement sur les nerfs. Leur première conversation m'a eu tout l'air d'un règlement de comptes en privé. Il avait quitté le salon, vite désintéressé, pendant qu'elle se déchaînait. Je lisais sur le divan et tout ce que j'entendais, c'était le « toutoudou » du MSN. Et des messages, elle en balançait à la tonne.

> LaPoune : Franchement ! Parler à du monde comme ça. Elle t'a rien fait, cette fille-là !
> LaPoune : C'est quoi, ton problème ? T'es misogyne ou quoi ?
> LaPoune : Tu te prends pour qui ?
> LaPoune : Et là, t'as rien à dire pour ta défense, han ?

LaPoune : En tout cas, c'est là que je vois que tu faisais ça pour le show !

LaPoune : Parce que là, maintenant que tu es acculé au pied du mur et que tu n'as plus de public, tu ne réponds plus !

LaPoune : Maudit CON !

LaPoune : Non, mais quel CON !


J'imaginais La Poune, la vieille dame quasi légendaire, s'offusquer. Qu'elle tape au clavier et vite de surcroît, ça, ça détonnait dans mon image mentale. J'aime mon public et mon public m'aime ! Peut-être pas tant que ça...

J'ai ri. Je me suis penché et j'ai tapé :


T.R. : Je m'excuse.


Et j'ai ajouté «pour lui». Ce que j'ai effacé aussitôt.

Je ne sais pas pourquoi. J'ai effacé ces deux mots qui auraient peut-être tout changé et qui nous auraient épargné les malentendus du début. Tel un canal, j'ai endossé l'espace d'une seconde l'identité virtuelle de mon coloc. Une longue seconde... qui s'est étirée sur plusieurs mois de mensonge par omission.

Je savais que J-P mon coloc était con. En fait, il aimait jouer au con, choquer, déranger. C'était une forme d'humour casse-cul qui avait tendance à révulser toute personne non initiée à ses sarcasmes de mauvais goût. Malgré tout, je me suis glissé dans «sa peau», autant pour le défendre lui que les initiales de notre band. Toxic Robot, c'était moi aussi. Je l'ai forcé à s'expliquer à travers mes doigts.


T.R. : Je m'excuse. C'est pas ma soirée. J'ai dit des conneries que je ne pensais pas vraiment. C'est la première fois que je me laisse emporter comme ça.

*Tu parles*, ai-je pensé.

> T.R. : Je vais aller m'excuser auprès de cette fille. Tu peux me redonner le lien de la salle de clavardage?

Ça, c'était tout à fait *out of character*. Et elle ne répondait rien, mesurant sans aucun doute la sincérité du message web qu'elle avait devant les yeux et se remettant du décalage. J-P avait dû être archi-con. Là, j'y allais fort côté gants blancs.

> T.R. : Ouais, c'est pas ma soirée. J'ai des difficultés érectiles et je me sens diminué.
> LaPoune : Hello! Trop d'informations!!!!!!
> T.R. : Ouf! Ça me fait du bien d'en parler. C'est que je porte ce poids… Je me mets de la pression tout le temps. Je crois que je ne me sens pas à la hauteur. Depuis que mon ex-blonde m'a laissé.
> LaPoune : Ah…
> T.R : Elle est partie avec mes couilles, tu comprends?

Je me bidonnais vraiment. J'avais pris place sur la chaise de mon coloc. Littéralement. Pour une raison que j'ignore, la fille avec qui *je* (enfin, mon coloc par intérim) conversais ne semblait pas s'amuser de *mes* propos.

> LaPoune : Elle est partie avec un autre?
> T.R. : Oui…
> LaPoune : Ça fait mal, han?
> T.R. : Oui…

Bon voilà. Le coloc était franchement excusé. C'est tout ce que j'avais pu inventer pour sa défense. Mais, dénouement inattendu, la fille était sur sa lancée.

LaPoune : C'est pas facile. On a des plans. On voit l'avenir avec cette personne puis v'lan, quelqu'un d'autre arrive dans le portrait et tout ce qu'on a construit, elle te le prend. Tu te sens souillé, sali. C'est pas juste de la déception, de la peine. Pour remonter du plancher, tout ce que t'as, c'est la haine pour t'animer, pour survivre. C'est ton seul leitmotiv. Et là, tu te dis : il n'y a plus rien ni personne qui va m'atteindre. Jamais.

Wow… Ce n'était pas que de l'empathie. Ça lui était familier. Je tentais de m'imaginer ce genre de révélation comme si la personne était devant moi. Que répondre ? Que répondre ? Un cliché, peut-être ?

T.R. : Tu veux en parler ?
LaPoune : Non.
T.R. : Ça t'est arrivé ? Tu t'es fait laisser pour une autre ?
LaPoune : J'ai dit que je ne veux pas en parler.

Je suis devenu mal à l'aise à l'autre bout du clavier. J'ai écrit :

T.R. : T'as une photo ?
LaPoune : NON !
Pourquoi j'ai demandé ça ?
T.R. : Excuse-moi. Je ne sais pas pourquoi je t'ai demandé ça.
LaPoune : Parce que tu veux voir ma face ? Pour voir s'il avait raison de me laisser ? Parce que tu te demandes si j'ai un minimum de chances ? Si je suis moche ? Ah non, tu veux voir si tu pourrais me draguer ? Ça, non.

Woh… J'avais sérieusement déclenché quelque chose avec ces fausses confidences.

T.R. : Euh… Pour mettre un visage sur tes mots peut-être ?

LaPoune : Mets une face triste.

Ce que j'ai fait. Une vieille dame avec un visage de clown triste.

T.R : Hé, c'est pas grave pour la photo. Je vais continuer à m'imaginer une vieille de 4'8. Comique, mais ô combien sympathique.

LaPoune : Tu ne « t'exprimes » pas pareil comme tantôt. Pourquoi, sur le *chat*, tu écris comme un vrai illettré ? C'est étrange, on dirait que tu es deux personnes.

LaPoune : T'es un con… ET un gars plein de bon sens.

T.R. : Tu touches un point.

LaPoune : Si tu restes gentil, je pourrais songer à te laisser sur mon MSN.

T.R. : Je promets de me contrôler.

LaPoune : À une prochaine, alors ?

T.R : D'acc !

⏻

T.R. : C'est quoi, ce surnom ? Tu peux me l'expliquer ?

LaPoune : Non. C'est personnel !

T.R : Bouh !

LaPoune : Et toi, ça veut dire quoi, T.R. ?

T.R : Tu me divulgues l'info. Je te divulgue l'info.

LaPoune : Bouh à toi !

T.R : Donnant, donnant…

LaPoune : Euh non… On va laisser ça comme ça.

T.R : Bien d'accord. C'est la beauté de la chose. Le *chat* anonyme.

LaPoune : Je peux voir ta photo ?

T.R : Ha ! Ha ! Si tu me montres la tienne !
LaPoune : Mais là…
T.R. : Qu'est-ce que tu ne comprends pas au principe donnant, donnant ?
LaPoune : J'aimerais voir que tu n'as pas l'air d'un maniaque.
T.R : Bon point.

Sur l'ordi de mon coloc, il n'y avait aucune photo de moi. J'en avais quelques-unes sur ma clef USB. Par paresse et pour garder l'anonymat en me réfugiant derrière le personnage que j'avais défendu, je lui ai refilé une photo de J-P. L'idée de voir sa réaction m'amusait. Même si, quand j'y repense, c'était assez puéril de ma part.

Elle ne répondait rien. Et je me suis encore bidonné. D'un autre côté, je craignais presque son verdict, que mon coloc et son air de parfait colon bedonnant l'amènent à me supprimer de MSN. J'aurais été légèrement insulté… par procuration.

LaPoune : Je m'excuse, j'ai un téléphone. Je reviens.

Ha ! Ha !
J'ai pivoté sur la chaise, les yeux au plafond, relax, mine de rien. Si vraiment elle ne revenait pas ? Ha ! Ha ! J'ai attendu avec l'ombre d'un rire à chaque minute qui passait. Je suis con.

LaPoune : Je suis revenue…
T.R. : Et puis ?
LaPoune : J'étais à la toilette.

Incroyable quand même. À ce point, elle m'aurait tout révélé sur l'évacuation de ses besoins que j'en aurais pas été surpris. Tout pour décourager l'autre.

T.R. : C'est pas ça que je veux savoir… Je te demande comment tu me trouves!

Long silence encore une fois. Avait-elle pris le temps de mijoter une réplique il y a quelques instants ou était-elle véritablement allée à la toilette?

LaPoune : Je trouve que tu as l'air d'un artiste.
J'ai souri. Bien joué quand même…
T.R. : Normal, je joue de la guitare.
LaPoune : Tu ne m'avais pas dit que tu jouais de la batterie?

Ouch! Et voilà que je me fourvoyais dans mes mensonges. En fait, depuis les quelques semaines qu'on jasait, je dévoilais des bouts de lui, des bouts de moi. À cet instant même, je me suis dit que, pour éviter toute autre maladresse future, je lui raconterais la vérité, si jamais elle me gardait dans ses contacts. Déjà que je venais de lui balancer la photo de mon coloc… On avait vu mieux en matière d'honnêteté.

T.R. : Mais non, je joue de la guitare. Pas de la batterie.
T.R. : Sois honnête… Hé! Hé! Dis-moi comment tu me trouves.
T.R. : Pour de vrai! Allez…

Après un moment, elle a fini par répondre :

LaPoune : Disons que je suis soulagée que tu ne sois pas mon genre…

Deux informations en même temps. Je ne comprenais pas.

T.R. : Je ne comprends pas.

LaPoune : Je suis vraiment désolée…
T.R. : Il était question de se matcher ou quoi ?
LaPoune : Mais non, mais non…
T.R. : Pourquoi tu parles de «ton genre» alors ?
LaPoune : Je veux juste dire que c'est moins compliqué comme ça, que ça peut éviter bien des problèmes.
T.R. : Est-ce que j'ai l'air d'un maniaque, oui ou non ?
LaPoune : Mais non…
T.R. : Bon ben, il n'y a pas de problème.

⏻

Après ça, on s'est jasé souvent. De films, de livres, de l'actualité. Rarement, très rarement, elle se confiait. Je n'avais jamais vraiment aimé converser sur Internet avant. Ça s'est fait tout seul avec elle. Une sorte de routine de fin de soirée. Deux à trois fois par semaine, parfois pas du tout pendant une semaine. Comme un couple qui se retrouve au lit aux nouvelles de vingt-deux heures, sauf qu'il n'a jamais été question de sexe avant que je la voie sur la webcam.

LaPoune : J'ai pensé souligner tous ces mois d'échanges sur Internet ce soir…
T.R. : Souligner ? Comment ?
LaPoune : En te faisant confiance !
T.R. : Euh, OK… Merci ?
(Cliquez ici pour ouvrir le fichier envoyé par LaPoune)
J'ai cliqué sur un lien de téléchargement.
T.R. : C'est toi, ça ?
LaPoune : Oui, c'est moi.
T.R. : !…

Jolie photo. Très belle fille. De grands yeux brun clair magnifiques contrastant avec la coupe de vin rouge qu'elle tenait collée sur sa joue. Un visage triste comme elle me l'avait décrit ? Non. Pas vraiment. Enfin, le temps avait passé depuis. Je suppose qu'elle allait mieux. À moins que ce soit une vieille photo, ça ?

J'aurais pu être intéressé. Me mettre à la traiter autrement. Juste parce qu'elle était vraiment jolie. À la draguer. Je ne sais pas…

LaPoune : Est-ce que je ressemble à l'idée que tu te faisais de moi ?

Bonne question ! Je n'avais pas d'image d'elle. Je ne m'étais rien imaginé. Pas d'attentes. Pas de scénario. Rien. Juste une présence sur le Net. Un petit clown triste.

T.R. : En mieux. Rien à voir avec ton pseudo.
LaPoune : Merci. C'est gentil.

J'ai recliqué sur sa photo et je l'ai contemplée en pinçant mes lèvres entre mon pouce et mon index, poussant l'analyse.

T.R. : Belle… avec de la classe… un p'tit quelque chose d'angélique, de la lumière dans les yeux, un peu de tristesse aussi. Je n'arrive pas à mettre le doigt dessus. Une nuque magnifique.
LaPoune : OK, ça va. Merci.
T.R. : Sexy aussi.
LaPoune : Arrête.
T.R. : Vraiment !
LaPoune : Arrête ça ! Je suis mal à l'aise. Je ne veux pas que tu t'imagines des choses, T.R.
T.R : Ha ! Ha ! Ben, voyons ! Tu penses que je regarde ta photo et que je rêve de te rencontrer ?

De te rencontrer et d'autre chose…

LaPoune : Je sais pas… Je ne veux pas avoir l'air de pré-
sumer que je suis… en tout cas…

Une très belle fille ?

LaPoune : T'es pas mon genre. Alors…

J'ai regardé mon propre reflet dans l'écran. D'une main, je
me suis gratté la barbe pas faite puis les cheveux. J'ai plissé les
yeux, indécis. Et si je lui disais que ?… Mais non. C'est con.

T.R. : C'est cool.
LaPoune : Mais j'ai pas de genre en ce moment. Je ne
cherche pas à rencontrer quelqu'un… donc…
T.R. : Mais non, pas de malaise. C'est cool. Je comprends.

En fait, ce qu'elle ne sait pas, c'est que, cette soirée-là, j'allais
lui dire que je serais de moins en moins présent sur le Net. Je
réalisais que j'y passais trop de temps. Bien sûr, je pouvais
faire mes travaux en même temps au lieu de me les taper au
labo de l'université, mais je n'étais pas efficace. Et puis, ce
n'était pas comme si nos conversations m'étaient indispen-
sables. C'est ce que j'avais planifié de lui dire : « Tu vas me
voir moins souvent sur le Net, je suis plutôt occupé. » Mais
j'ai totalement échoué.

Les jours suivants, quand j'entendais l'indicateur de
messages, je ne me disais pas seulement : « Ah, tiens, LaPoune
vient de se connecter. Je me demande comment elle va. »
Non. Ça ressemblait plutôt à : « La belle fille, elle est en ligne.
Je lui montre vraiment qui je suis ou pas ? » Je finissais par
quitter le sofa ou la table de cuisine, j'allais m'asseoir devant

l'ordi de J-P et on jasait. Et je n'ai pas réussi à réduire mon temps en ligne.

Au contraire…

⏻

LaPoune : Alors, c'est surtout à cause de mes amis Yan et Mélo.

T.R. : C'est pour faire comme eux ? Mais pourquoi rencontrer des gars sur un site de rencontre si tu veux rester célibataire ?

LaPoune : C'est un genre de défi de groupe. On rencontre chacun de notre côté et, ensuite, on fait un compte rendu.

T.R. : Quel genre de compte rendu ? Vous vous racontez les détails croustillants ?

LaPoune : Non, pas vraiment. Règle générale, on donne une note sur dix.

T.R. : Intéressant ! Zéro étant quoi ? J'ai le goût de vomir ? Et dix : t'es l'homme de ma vie ?

LaPoune : C'est pas aussi simple.

T.R. : Qu'est-ce que ça prend pour avoir cette note-là ? Un physique parfait ?

LaPoune : Non non. Il faudrait que je vibre… vraiment. Totalement.

T.R. : ☺

LaPoune : Mais je ne sais plus ce qui me fait vibrer.

Elle n'ajoutait plus rien. À distance, je la sentais mal à l'aise… comme chaque fois que nos conversations s'aventuraient sur un terrain plus personnel. À moins que ce soit une interprétation erronée de ma part.

T.R. : Le jour où tu rencontreras un gars à qui tu donneras dix sur dix, tu m'inviteras à ton mariage ? Je ferai les roulements de tambour ou je jouerai de la trompette, tiens.

LaPoune : Ouais, ouais, c'est ça !

⏻

T.R. (occupé) : Salut, ça va ?

LaPoune (cherche partenaire de danse pour le mariage de sa cousine. *Help !*) : Ça va mal ! Très mal !

T.R. (occupé) : Woh ! Qu'est-ce qui se passe ?

LaPoune (cherche partenaire de danse pour le mariage de sa cousine. *Help !*) : J'ai revu mon ex !

L'ex qui revenait dans la conversation. Je n'avais aucune idée du fond de l'histoire à part quelques bribes ici et là qui me laissaient entendre que la fin de leur relation ne s'était pas faite dans l'harmonie.

T.R. (occupé) : Je pense que les ex ne devraient pas exister, point. Il faudrait les tuer après usage, comme le fait la mante religieuse. Crounch, fini. Plus de tête.

LaPoune (cherche partenaire de danse pour le mariage de sa cousine. *Help !*) : Ha ! Ha !

T.R. (occupé) : Je t'accompagnerais bien au mariage de ta cousine, mais je ne sais pas danser.

LaPoune : J'ai déjà quelqu'un !

Ça ne m'avait pas échappé. Elle avait vraiment retiré la description qui suivait son pseudonyme comme si elle craignait vraiment que je veuille la rencontrer. Voyons donc ! Je n'y pensais même pas. Je l'ai aussitôt rassurée.

T.R. (occupé): Mais non, c'est cool. Je disais ça comme ça.

⏻

Puis, un soir, je faisais des recherches sur le Net, le stylo dans la main à prendre des notes pour un cours, quand une invitation m'à été lancée. Zazz veut avoir une conversation vidéo avec vous.

Zazz?

C'est qui ça encore?

J'ai cliqué sans me questionner plus longtemps. Et elle était là... LaPoune.

En fait, je ne me suis pas dit en la voyant: «Tiens, tiens, voilà LaPoune», non. J'avais oublié son pseudo, saisi par l'image. C'est quoi déjà, son pseudo? Ou son nom? C'est quoi, son nom? J'avais oublié mes recherches. Je me suis incliné vers l'écran comme un foutu voyeur, mais vraiment pas parce que je n'y voyais rien, bon sang, je voyais très bien, mais parce que je n'arrivais pas à y croire. J'en avais sûrement perdu un bout. Hier ou l'autre soir, on avait jasé de quoi?

En tout cas, rien qui laissait présager... ça.

Un *striptease*? Non, puisqu'elle était déjà en sous-vêtements. Elle jouait avec la bretelle de son soutien-gorge. En haut, en bas, en haut en bas, comme si quelqu'un appuyait sur *rewind* et *play*. *Rewind... Play. Rewind... Play*. J'étais comme hypnotisé. Ses yeux fixaient la webcam et je me sentais transpercé.

J'ai tapé: OK... Que me vaut cet honneur?

Elle a dit: Tu n'aimes pas ce que tu vois?

Jolie voix. Elle s'est éloignée un peu. Le cul très joli aussi.

J'ai tapé: Ouais... (le crayon sur le bord des lèvres)

Elle a dit: Alors, rince-toi l'œil! C'est ton jour de chance!

Elle a pivoté, a roulé les hanches, ses doigts pianotaient sur la couture de sa culotte. Elle s'est mise à danser douce-ment, comme ça, sans musique. J'ai immédiatement com-posé un p'tit air dans ma tête. Un blues entrecoupé de sou-pirs. Quelque chose comme ça.

J'ai tapé: En effet, on dirait bien que c'est ma soirée chanceuse.

J'ai croisé les bras derrière ma tête et je me suis calé dans ma chaise, appréciant le spectacle avec un demi-sourire.

Il faut comprendre dans quel monde on baigne, les gars. Tu te connectes sur le Net et boum, trois secondes plus tard, tu es rendu à six seins, trois paires au total; la porno au bout des doigts, des spams de proposition de baise sans rien demander, *Es-tu de Montréal, veux-tu qu'on se rencontre?* De la vraie pollution visuelle. Alors quand une belle fille, une VRAIE, adulte, sexy et consentante te fait un show, *for your eyes only*, eh bien tu regardes sans cligner de l'œil.

Puis je l'ai vue qui s'inclinait vers l'écran. Ô vue sublime sur sa poitrine rebondie, j'en ai eu un petit soubresaut.

Je me suis mis à imaginer mes mains sur elle et elle qui ondule sous ma paume. Mes doigts là… et là… et là.

Au moment où me venait la pensée que, si ce petit jeu continuait, évoluait vers le dévoilement d'un infime bout de peau supplémentaire, je serais sérieusement excité, j'ai vu qu'elle tanguait en essayant de lire mon message. J'ai remarqué l'air éteint, son regard hagard et sa bouche ouverte. Extrêmement fatiguée. Un peu trop à *off* à mon goût…

Mais elle est saoule ou quoi?!

*Turn off…* Total!

La douche froide.

La honte. Pas juste pour elle, mais pour moi de m'être rincé l'œil, très brièvement oui, mais sans avoir détesté ça… du tout.

Je l'ai vue partir vers l'arrière jusqu'à ne plus être visible sur la webcam.

J'ai tapé en vain : Allo ? Allo ? Es-tu correcte ?

Comme si elle pouvait lire à distance…

Je suis resté accroché à l'image, me demandant sérieusement si elle n'avait pas besoin d'assistance, si je me devais d'intervenir. Qu'est-ce qu'on fait dans ce genre de situation ? Si elle perd connaissance, tombe dans le coma ? Je ne connais ni son vrai nom, ni son adresse. Et, si j'avais eu ses coordonnées, qu'est-ce que j'aurais pu faire ? Sonner chez elle à l'improviste ? Défoncer la porte pour la sauver ? Appeler le 911 ?

Le lendemain, elle n'était pas en ligne. Je demeurais dans une zone d'inquiétude et de malaise. J'avais poché la loi du bon Samaritain. Le bon Samaritain avec un début d'érection de champion. Ouais… Bravo, Damien.

Le surlendemain, elle s'est connectée. Pas d'image vidéo. Juste des mots. Et elle était de retour à la normale, distante, prudente, mais tout de même amicale. J'aurais voulu sonder sa mémoire, mais je ne trouvais pas comment aborder cet épisode qui m'avait laissé une étrange culpabilité et, bon, de jolies images mentales, je dois l'avouer.

Je ne devais pas oublier que je me cachais derrière l'identité de mon coloc qui n'était pas *son genre* (le mien non plus… Ha ! Ha !). Est-ce que ce spectacle avait été un tant soit peu à son bénéfice à lui ? Ou une erreur, un mauvais clic de souris ? Et si elle ne se souvenait de rien ?

J'imaginais déjà la conversation :

Moi : Belle soirée hier…

Elle : Qu'est-ce que tu veux dire ?

Moi : Ben… tu sais quoi… ;)

Elle : Euh, non…

Moi : Ton p'tit défilé à la Victoria's Secret…
Elle : QUOI ?
Moi : Oups ! Alors, t'étais trop pétée pour te souvenir de quoi que ce soit ? Mais… un gros merci pour le p'tit spectacle prémasturbatoire.
Elle : OMG ! C'est tellement dégueulasse ! J'ai tellement honte ! ADIEU !
(LaPoune vous a supprimé de ses contacts MSN)

Non… Ferme-la. Autant laisser ça mort.

Après… Ça a été un peu insidieux. L'image restait présente dans mon esprit. Le soutien-gorge pigeonnant. Je suis devenu un fan ou j'sais pas trop. Je me suis mis à l'interpeller plus vite, plus souvent, à espérer la voir en ligne et bon… je dois l'avouer, à souhaiter avoir un autre aperçu vidéo.

Un fantasme ? Je sais pas trop, mais disons que j'avais une double motivation à converser avec elle. À ce stade, ma perception d'elle avait complètement chaviré et les qualificatifs pour la décrire étaient passés de sympathique à très jolie et là… à diablement sexy.

Fuck. Fuck. Fuck.

J'ai essayé de tendre des perches, mais elle ne les attrapait pas. En fait, plus je me montrais insistant, plus elle montrait distante et commençait à se faire rare sur Internet. L'idée qu'elle rencontrait des gars sur un site de rencontre me rendait un peu envieux, je l'avoue. Lorsque je l'ai réalisé, j'ai battu en retraite. Je me suis dit : on se calme. Je n'allais pas m'exciter sur le cas d'une fille d'Internet. Ce ne sont pas les occasions qui manquaient de m'envoyer en l'air. Ce que j'ai fait.

⏻

Un soir, je me suis mis à *chatter* avec Mélodie, sa coloc. Quelques minutes plus tard, j'apprenais son prénom. Clara. Un très joli prénom, qui lui allait bien. Elle n'était pas contente des indiscrétions de son amie, dont je me suis vite fait une sorte d'alliée, bien malgré moi. Rien de forcé, elle était bien sympathique, la coloc. Je n'avais même pas posé de questions au début. Mélodie me révélait des choses qui outrepassaient son filtre et sa volonté de protéger son amie. J'en apprenais bien plus que je ne le voulais. Et c'était tout simplement savoureux. Toujours avec un relent de culpabilité, j'accumulais les informations, les anecdotes qu'elle racontait. Qui elle rencontrait (des spécimens vraiment étranges, à en croire sa coloc), pourquoi ça ne fonctionnait pas, ce qu'elle en disait depuis l'autre bout de leur appartement. Les rencontres infructueuses de Clara m'apportaient une sorte de soulagement. Aussitôt, je m'en voulais. Et je rappelais une autre bonne amie à moi, pour me changer les idées.

LaPoune : Je te l'ai dit et je te le répète, je ne suis pas à l'aise avec ton obsession du cunnilingus. Il y a des limites à toujours se faire manger et là, oui, j'emploie tes mots. MANGER ! Trop, c'est trop !
T.R. : Euh… d'accord.
LaPoune : Hiiiiiiiiiiiiiiiiiiiiiiii !
LaPoune : Nonnnnnnn !!!!!!!!!!!!!!!!!!!!!!!!!!!
LaPoune : Mauvaise fenêtre !!!!!!!!!!!
LaPoune : Désolée !!!!!!!!! : S
LaPoune : OMG !
T.R. : Ha ! Ha ! Ha !
T.R. : À part de ça, ça va ?

T.R. (occupé) : On fait un show samedi prochain. Tu viendras, si je vous donne des billets ?

C'est ce que j'avais trouvé de mieux. Pour ce qui est de faire le *coming out*, tadda, je ne suis pas le gars que tu crois, je n'avais aucun scénario de prévu. En fait, j'étais dans le néant le plus total. Sur scène, je pourrais sortir d'une boîte à surprise en jouant un « taddaaaa » ?

LaPoune : C'est que je suis pas mal occupée avec le boulot et tout. Parles-en à Mélo. Elle ira peut-être, même que ça lui fera plaisir, je crois.
T.R. (occupé) : Mais tu ne penses pas que ça serait cool de pouvoir se jaser en vrai un de ces jours ? Depuis le temps qu'on se jase sur Internet !
Bon… un gars s'essaie…
LaPoune : :)
T.R. (occupé) : Hum… Petit sourire virtuel poli et mon p'tit doigt (virtuel lui aussi) me dit que ça te tente plus ou moins. Me trompé-je ?
LaPoune : Je ne veux pas que tu te fasses des idées, T.R. ! :)
T.R. (occupé) : Ben voyons, c'est quoi cette histoire-là ? On ne peut pas juste jaser et prendre un verre entre copains ?

Bon… J'avoue que je ne visais pas le platonique. Mais c'était mal d'être intrigué ?

LaPoune : J'ai assez d'amis comme ça.
T.R. (occupé) : Je ne savais pas qu'on pouvait quantifier l'amitié et arrêter ça à un nombre fixe… Dis-moi, tes amis et toi, vous pensez seulement à vous matcher ?
LaPoune : Je suis pressée. Je dois y aller. Désolée… Bye !

T.R. (occupé) : OK. Bye.

Fuck.

⏻

Mélodrama : Ayoye ! Je ne sais pas ce qui se passe avec elle…

T.R. (autre show dans 2 sem.) : Qui ça ?

Mélodrama : Clara !

T.R. (autre show dans 2 sem.) : Ah bon…

*Play it cool*… comme d'hab.

Mélodrama : Elle avait un *blind date* ce soir et le gars a annulé à la dernière minute. Il dit qu'il a vu sa photo et qu'il ne l'a pas trouvée de son goût. Là, elle n'est pas de bonne humeur !

Il ne doit pas avoir bien regardé. Ou il est aveugle… Ou juste con.

T.R. (autre show dans 2 sem.) : Ouch… Pas facile pour l'ego ! J'ai vu sa photo. Il me semble qu'elle est quand même jolie.

Mélodrama : Quand même ? Pas juste « quand même » ! Elle est super belle ! Pas le genre qui le sait… C'est même pas ça ! Chaque fois qu'un gars est intéressé à elle, elle est surprise, comme si c'était pas possible !

T.R. (autre show dans 2 sem.) : ☺

Mélodrama : J'aimerais ça, moi, qu'il y ait autant de gars qui soient intéressés à moi ! Le mois passé, j'avais rencontré un gars qui m'intéressait vraiment… Il est venu souper chez nous et après, bang ! il avait un kick sur elle.

Côté confidences et révélations, c'était pas plus compliqué que ça. Je n'avais même pas besoin de rien demander.

T.R. (autre show dans 2 sem.) : Ouf… Pas facile pour ton ego à toi.

Mélodrama : Ça m'enrage! Mais elle ne fait pas exprès! C'est pas juste parce qu'elle est belle… Elle est gentille aussi, intelligente. Elle a un grand cœur. Si j'étais un gars je me dirais sûrement quelque chose comme : Elle est sexy, elle a de la classe et… oh! qu'elle est mystérieuse!

T.R. (autre show dans 2 sem.) : Je vois le genre…

Mélodrama : Tsé, c'est mon amie et je l'aime!

T.R. (autre show dans 2 sem.) : Elle est chanceuse d'avoir une amie comme toi!

Mélodrama : Ben là… Je suis inquiète. Tu devrais l'entendre bardasser dans sa chambre!

⏻

T.R. (autre show dans 2 sem.) : Pourquoi… t'es « en joual vert » ?

LaPoune (en joual vert) : Salut… J'ai pas le temps de te parler. Je suis occupée.

T.R. (autre show dans 2 sem.) : Bien sûr que tu es trop occupée pour me parler… : -) T'as encore des problèmes avec les maudits zzzhommes?

LaPoune (en joual vert) : J'aime mieux ne pas en parler. Je pars… LÀ!

⏻

Mélodrama : J'ai le goût de manger des *cupcakes*! Avec le fondant au chocolat au milieu… Avec le glaçage au citron…

T.R. (autre show dans 2 sem.) : Hum…

Mélodrama : Oh my God! Clara va se pogner un gars dans un bar!

T.R. (autre show dans 2 sem.) : Ah?...

⏻

T.R. (autre show dans 2 sem.) : Où tu t'en vas comme ça?
T.R. (autre show dans 2 sem.) : Allo?... Clara?...
T.R. (autre show dans 2 sem.) : Es-tu partie?

⏻

Mélodrama : Elle est frustrée!
T.R. (autre show dans 2 sem.) : Sexuellement, tu veux dire?
Mélodrama : Euh... je ne vais pas parler de ça avec toi, quand même! C'est des confidences entre filles... ;)
T.R. (autre show dans 2 sem.) : Pardonne-moi l'indiscrétion!
Mélodrama : Ben non, c'est pas grave! Il doit y avoir de la frustration sexuelle, mais aussi de l'ego blessé! Je suis un peu inquiète. J'ai peur qu'elle fasse une connerie ou j'sais pas trop...
T.R. (autre show dans 2 sem.) : Vas-y avec elle!

⏻

LaPoune (en joual vert) : Quoi?!
T.R. (autre show dans 2 sem.) : Je peux te donner un conseil de gars?
LaPoune (en joual vert) : Non!
T.R. (autre show dans 2 sem.) : La nuit porte conseil. Ah non, tiens, ça, c'est un conseil de grand-mère. Ha! Ha!
LaPoune (en joual vert) : Je peux te donner un conseil de fille?

T.R. (autre show dans 2 sem.) : Bien sûr !

LaPoune (en joual vert) : Mêle-toi de tes affaires !

T.R. (autre show dans 2 sem.) : Ha ! Ha ! C'est bon ça !
OK… où tu vas ?

LaPoune (en joual vert) : Bye !

⏻

T.R. (autre show dans 2 sem.) : Pourquoi tu n'y vas pas ?
Elle t'a dit où elle va ?

Mélodrama : Mais non, je n'irai pas avec elle. Elle va
encore au Bily Kun. Je trouve ça loin, pour un soir de
semaine. Au moins, elle ne prend pas l'auto. C'est pas le
genre qui boit et qui conduit. Elle part en métro et revient en taxi. Mais tout d'un coup qu'elle part avec
n'importe qui et qu'il lui arrive quelque chose… J'ai
peur qu'elle manque de discernement !

⏻

Je vais aller au Bily Kun.

Je dois y aller.

Je prends mon manteau et, sans réfléchir, je me lève en
vitesse et je pars. Je prends un taxi pour arriver plus vite. Je
ne prends jamais de taxi. En chemin, il me vient l'idée que ce
que je m'apprête à faire est tout simplement stupide. Mais…
C'était un appel à l'aide de Mélodie. Sauve-la des griffes des
méchants maniaques potentiels qui voudraient abuser de sa
frustration et mettre leurs sales pattes sur elle. Quelque chose
comme ça… Un appel à l'aide inconscient, forcément, mais
un appel à l'aide tout de même.

Débarquez-moi au métro Mont-Royal. Merci.

Allez ! Tu vas faire quoi ? Sérieusement ?… L'épier dans
le bar, rôder autour d'elle tel un prédateur ? La draguer et,

avec un peu de chance, la ramener chez toi ? C'est pas un peu profiteur, opportuniste et manipulateur, et on en passe ?

Je sors du taxi, me dirige vers l'aire d'attente du métro et resserre mon manteau autour de moi. Il fait froid ou je suis nerveux ? Non, il fait froid ET je suis nerveux.

Je ne vais pas jouer de *game*. Je vais aller la voir tout simplement. Je vais lui dire qui je suis et je vais me présenter. Si ce n'est pas la même chose. Je me suis assez déguisé. Je me suis assez amusé à ses dépens. Je vais être honnête.

Mais je lui dirai quoi ? Quoi exactement ?

Indécis, les mains enfoncées dans les poches de mon manteau, je piétine sur place pour me réchauffer un peu. Je l'attends ici ou je vais directement au bar ?

Qu'est-ce que tu fais ?

Qu'est-ce que tu fais ?

Qu'est-ce que tu fais ?

Au moment où je fais un pas pour me diriger vers le Bily Kun, elle apparaît dans la petite cohue qui émerge du métro. Un courant d'air soulève ses cheveux, elle a l'air irrité, décidée à ne pas se laisser ralentir par quiconque s'interpose sur son chemin, un trottoir non coopératif ou le vent qui se met de la partie.

Est-ce qu'on a vraiment conscience d'avoir un coup de foudre ou on s'en rend compte après coup ? Je ne sais pas… Je souris pour moi-même. Je souris de la voir si décidée, je trouve ça drôlement mignon. Je souris parce que je l'ai reconnue immédiatement comme si tout autour d'elle était flou et que mes yeux avaient développé leur acuité, n'ayant qu'elle pour cible. Je souris, mais je suis figé sur place, les genoux barrés.

Et je la vois qui file.

Ah, non…

Je fais quoi ?

Je fais quoi ?

Je fais quoi?

Merde, Damien! FONCE!

Je fonce vers elle et me poste directement sur sa trajectoire. Elle percute ma poitrine.

– Bouh!

Elle crie, manque de basculer vers l'arrière. Je la retiens par le bras et elle se dégage avec une vigueur proche du dédain.

– Excuse-moi! J'y suis allé un peu fort!

Assez homme des cavernes comme tactique d'approche. Un cave qui sort de sa cave.

– Mais qu'est-ce que?…

Bon, vas-y… Lance une affirmation quelconque qui lui fera comprendre qui tu es.

– Je n'allais quand même pas te laisser aller comme ça. Tu n'avais pas juste l'air en joual vert sur le Net, mais en beau joual vert!

Pas mal…

Elle ne dit rien, encaisse l'information. Je vois ses pupilles bouger. Je poursuis toujours avec prudence:

– Bon, OK, ce n'est pas du tout ce que j'imaginais comme entrée en matière. J'ai manqué mon coup, je pense.

Je lui souris pour l'encourager. Une lueur de compréhension traverse ses yeux pendant que sa mâchoire tombe.

Je souris encore plus.

– T… R?…

– Ouais… si on veut…

En théorie et en pratique, oui. T.R. pour Toxic Robot. Mon coloc utilise le même pseudonyme sur Internet, mais bon, le problème est là. Difficile à expliquer comme ça, sur un presque coin de rue quand la brise printanière fait penser à une soirée d'automne. Et puis, toutes les défaites sont bonnes.

– Quoi? Mais qu'est-ce que?… Je… Quoi? Mais c'est quoi… C'est une blague? C'est une… mauvaise blague…

Elle me jauge, me regarde de la tête aux pieds. Je me laisse faire sans dire un mot. Patient, je continue de la regarder me regarder. Je me demande comment elle me trouve. Je me dis aussitôt que j'aurais pu faire un peu d'efforts. Du genre me raser, enfiler un t-shirt propre, faire un ultime *check-up* d'odeurs corporelles. Tout ce que je vois dans ses yeux, c'est la stupeur la plus totale. Avec ça, c'est comme si ses yeux me transperçaient, mais qu'elle ne me voyait pas vraiment.

– Mais t'es pas… mais…

– Oui, c'est moi. Je suis T.R.

Elle a un petit hoquet que j'ai peine à interpréter. Elle se détourne et continue à marcher. Ben, voyons… Je ne veux pas qu'elle me prenne pour un *stalker*. Même si ça a tout l'air de ça. Pourtant, je suis assez inoffensif.

Je la suis et lui explique que c'est Mélo qui m'a renseigné, que je ne suis pas un maniaque. Oh, elle n'est pas contente. J'insiste. Je marche derrière elle. Elle marche plus vite, je la rattrape. Bientôt, nous traversons la rue Saint-Denis et nous dirigeons vers le bar. C'est là qu'elle allait. C'est là qu'elle va. Pas moyen de l'arrêter.

– Houla, quel caractère! T'es toujours comme ça quand t'as bu trop de café?

Je ris. Elle me lance un regard qui tue. Ouais, elle a du caractère. J'aime ça.

Je lui ouvre la porte du Bily Kun et on s'installe au bar. Elle retire son manteau. Je sens la nécessité de m'assurer que le tout est conforme à ce que j'ai vu sur la webcam. Trio cou-gorge-poitrine: conforme. Cuisses: prix Découverte du jour. Mes yeux sont attirés par sa peau. *Elle* n'est pas comme sur le Net. *Elle*, Clara. *Elle*, sa peau aussi. Plus blanche et plus douce on dirait. Je me perds un peu dans la contemplation avant qu'elle ne fronce les sourcils.

J'aurais dû prendre une douche. Est-ce que j'avais besoin de courir comme ça? Comme un gars qui ne veut pas manquer sa chance... C'est pas comme si elle était le morceau de viande sur lequel il faut mettre la main. Quoique... Je viens de la regarder comment là? Ouais... J'ai couru comme le pendant masculin de la poule pas d'tête. Le coq pas d'tête. Sauf que le coq aurait dû prendre une douche. Je pue ou je sens l'homme?

AH! *Come on*!

Je me débrouille mieux dans la *vraie* vie. D'habitude, les occasions se présentent d'elles-mêmes, les filles aussi. Je ne fais rien et hop! je me retourne, une fille est là. Allez savoir pourquoi... Là, je me trouve un peu con. Je ne sais pas comment agir dans ce genre de rencontre, après avoir conversé pendant des mois sur Internet. Je ne sais pas comment me sentir. Je sais juste que je suis nerveux. Vraiment nerveux.

– OK... merde! C'était qui sur la photo si c'était pas toi? Je me défends:

– Tu ne m'as pas laissé m'expliquer!

– Justement! Explique! Maintenant!

Alors, je lui explique tout ce que je peux expliquer. Il n'y a pas grand-chose à dire. J'ai pris la relève de mon coloc. Un *chat* en a entraîné un autre et... me voilà. Je voudrais lui en dire plus, mais je me retiens. À ce stade, le pourquoi du comment n'est pas important pour moi. Je veux savoir comment elle me trouve.

– Déçue?

Elle ignore ma question, absorbée par son martini.

– Allez... combien sur dix?

– Ah...

– Non, mais, je veux savoir! Allez, toi et Mélo, vous êtes des pros! C'est quoi, ma note sur dix?

– Pfft...

Je vois l'hésitation se dessiner sur ses traits. J'attends patiemment. Après un long moment, elle dit en s'éclaircissant la voix :

– Puisque tu poses la question… Moins quarante-deux… parce que des questions comme ça, ça ne se pose pas !

– Ouch… Moins quarante-deux ! Donc, c'est ça que tu penses de moi ?

– Non, je pense que t'es un imposteur.

Et puis, elle finit par échapper un sourire. Le premier de la soirée. Je suis conquis. Heureux à la limite. Cette fille-là n'offre pas son sourire à n'importe qui. C'est un exploit ! J'ai réussi à lui soutirer un sourire comme celui-là. Moi ! Je pourrais faire n'importe quoi, soulever des montagnes, gosser un p'tit chien dans une baloune avec deux doigts dans le nez, juste pour la voir sourire encore.

Après, nous parlons un peu. Enfin, je parle et elle n'a plus l'air sûre de rien. Je me sens comme si je devais la convaincre de quelque chose, mais je ne sais pas quoi. Je sais que sa colère s'est estompée. C'est déjà un début. C'est moi ou elle semble ne se souvenir de rien ? Elle répond par « ha-han. » Moi, je me souviens de tout ou presque. Comme si ça avait été important. Mais non, rien de ça… Mais je me souviens.

Puis, v'lan, elle tourne son regard vers moi, je détourne le mien. Du coin de l'œil, je perçois que son corps observe une légère inclinaison vers moi. Rien qui donne dans le non-verbal très net, un mouvement imperceptible, mais qui se sent.

Je le sais.

Je le sens à cet instant précis. Là.

Je lui plais. La certitude est presque viscérale.

Je souris pour moi-même sans la regarder. Le manège m'apparaît clairement : je te poursuis, tu me fuis, tu me poursuis, je te fuis. Tout ça dans les yeux. Alors, je plante mes yeux dans les siens et essaie de lui envoyer un genre de « moi aussi » télépathique. Elle se raidit. Elle se lève, s'excuse et file aux toilettes.

Ben, voyons…

C'est moi ou elle a eu l'air de vraiment s'enfuir ? Elle m'a pourtant jeté un genre de coup d'œil assez paradoxal, comme si c'était plus fort qu'elle. *Weird.*

J'attends quelques minutes ; comme elle ne revient pas, je me relève. Je prends son verre et vais la rejoindre aux toilettes.

Mais qu'est-ce que je fais là ?

Je sais pas… Je sais pas… Je dois aller la voir. Juste pour lui expliquer… Mais lui expliquer quoi ? Je sais pas…

J'ouvre la porte des toilettes. Elle semble encore sous le choc et me sert le même air que lorsqu'elle m'a aperçu pour la première fois une heure plus tôt. Je suis nerveux. Je me passe la main dans les cheveux. Elle est sur la défensive. Je me fais plus inquisiteur. Elle renverse les rôles et me questionne. Je crois qu'elle va m'envoyer promener. Mais non…

– Es-tu un con ?

Embarrassé, je me passe une main dans les cheveux.

Spontanément, comme ça, je réponds :

– Peut-être un peu…

Je ris parce que je suis subitement très intimidé d'être là. Je ris d'avance de ce que je vais dire, conscient par anticipation de la stupidité d'enfiler des clichés. Je les lui lance quand même :

– Viens-tu souvent ici ? C'est quoi, ton signe ? On s'est pas déjà vus quelque part ? Qu'est-ce que tu manges en hiver ?

– Ah, euh…

Je fais un pas vers elle, ou deux, ou trois. Je crois qu'elle va reculer pour m'éviter, mais non, elle lève les yeux vers moi. Et je me perds un peu dedans. Elle voit au travers de moi ou j'sais pas. Et elle a pris soin de mettre du *gloss* sur ses lèvres.

Joli. Des lèvres pleines qui s'entrouvrent en même temps que l'iris de ses yeux se dilate. C'est sûrement pas pour rien, ce *gloss*, ou je vois une invitation là où il n'y en a pas.

Non, je le sais. Je le sens.

Je vais l'embrasser. Je vais lui faire comprendre que le gars qui l'a laissée en plan ce soir est un vrai con. Que je la vois. Que je la trouve belle. Et que moi, j'en veux, de sa bouche. Et puis, de tout le reste aussi.

Je fais un infime pas de plus, son coude est niché dans le creux de ma main. Je m'incline. Elle entrouvre les lèvres encore un peu plus. Le temps s'arrête, ma respiration aussi. Elle sent si bon. Si bon.

Elle halète un bon coup et s'écrie :

– Mais tu livres du poulet !

Ayoye.

Et je m'imagine... En fait, j'imagine une pittoresque imitation de moi, un « ti-casse » qui pédale sur son vieux bicycle grinçant et qui livre du poulet, tout content de faire sonner sa clochette. Dreliiiiin ! Dreliiiiin ! Il porte une casquette, a l'air légèrement déficient et a deux grandes palettes en avant. Mais non ! C'est pas ça ! J'ai livré du poulet deux soirs. En auto. Et puis, j'ai été une vraie machine. Les clients en redemandaient. Puis, tu sais quoi ? Je suis un bassiste. Souvent, bien souvent, les filles aiment ça. C'est pas sexy, un musicien ? Et un cinéaste aussi ? Je ne suis pas qu'un livreur de poulet. Je suis tellement d'autres choses.

– Ouais, mais, pas vraiment. Bon...

Piètre défense, je le sais. Je fais un pas derrière.

– T.R., je...

– Ça m'a fait plaisir, Clara.

Avant de refermer la porte, je conclus avec :

– Ou... je devrais plutôt dire : ça m'a fait plaisir... Zazz !...

J'ai juste le temps de voir que ma réplique l'a assommée. Elle ouvre la bouche comme pour aspirer une bouffée d'air, mais pas un son n'en sort. Pas d'air n'y entre non plus. Je referme la porte des toilettes derrière moi et je vais me rasseoir au bar. Il ne me vient pas l'idée de partir, mais non. On est quittes. C'est pas comme si je lui disais : « Hé ! Bonne soirée ! » Non, c'est un adieu à l'épisode des toilettes. On repassera pour mes envies folles de l'embrasser.

On va s'asseoir et jaser. Je vais lui offrir un verre, lui montrer que, même si j'ai déjà livré du *fucking* poulet, je peux payer un verre à une fille qui me plaît et lui dire tout ce qu'elle veut savoir. Je me suis promis de faire ça simple, d'être honnête.

Seulement, quand elle finit par sortir de là, elle ne ralentit pas le pas en s'approchant de moi. Elle l'accélère et file vers la sortie sans un seul regard en arrière. Un courant d'air froid s'engouffre alors qu'elle pousse la porte et disparaît sur le trottoir.

*What the fuck ?*

Mais *whatthefuck ?*

Tu parles une façon de conclure une soirée ! Une première... Ça, vraiment. Est-ce qu'une fille est déjà partie comme ça ? Non.

J'ai été bête ou quoi ? Il me semble que mon « Ou... je devrais plutôt dire : Zazz » était interrogateur, pas... bête !

Interrogateur comme :

Mais qui es-tu ?

Savais-tu que je t'ai déjà vue... dans un angle différent ?

C'était quoi, l'idée de faire un *striptease* à *mon coloc* ? Tu dois être désespérée ou un qualificatif aussi peu élogieux, mais non, t'as pas l'air désespéré.

Je me commande une autre bière, oscillant entre un éclat de rire contenu et l'idée que je suis un véritable *loser*. Si j'ai eu l'idée de la ramener chez moi, c'est tout à fait risible maintenant. Je choisis le rire. Je hausse les épaules en prenant une gorgée de bière.

– Salut.

Je tourne la tête. Tiens. Une fille est là. Elle me demande :

– T'es avec quelqu'un ?

– Non, plus maintenant.

Et elle rit.

J'ai dit quelque chose de drôle ? Non, je ne pense pas.

Elle est jolie ou pas ? Je ne sais plus, là. Je manque de perspective. Ma perspective a filé par la porte, avec la fille que je suis venu rencontrer ce soir.

Elle s'assoit sur le tabouret et se met aussitôt à babiller. À peine a-t-elle inspiré une infime bouffée d'air qu'elle repart avec une autre tirade.

Elle me regarde depuis tantôt. Elle n'approche pas les gars d'habitude dans les bars. Surtout pas un gars qui a dragué une fille pas intéressée. Mais je n'ai pas l'air d'un *cruiseur*, d'un rapace, qu'elle dit. J'ai l'air d'un gars gentil. Pas le genre « T'es fin, je veux qu'on soit des amis », oh que non, pas le genre avec qui on veut juste être amie. J'ai l'air mystérieux, mais pas fendant, là. J'ai de bonnes valeurs, ça se voit, et son p'tit doigt l'informe que j'ai probablement une moto. Je suis total mais total son genre. Elle s'est dit qu'elle devait sûrement mettre toutes les chances de son côté, pour se donner des chances d'être plus chanceuse et arrêter d'attendre que les gars l'approchent parce que le prince charmant ne va pas tomber du ciel ou cogner à sa porte, ha ! ha ! Peut-être qu'un témoin de Jehovah va le faire, mais elle ne répondra pas, ah... ça non, si au moins ils vendaient du chocolat, là elle répondrait, mais il ne faudrait pas qu'il y ait des risques de traces d'arachides, car elle est super allergique ! Juste d'y penser, elle étouffe. T'aimes-tu le beurre de *peanuts* ? J'embrasse jamais un gars sans m'informer avant.

*Help…*

J'éclate de rire, mais vraiment. Je passe mon bras derrière son dos, elle se tait et gigote sur elle-même pour mieux suivre mon mouvement des yeux. Un instant, elle s'emballe presque, mais réalise aussitôt que mon geste n'est ni une approche ni une invitation. J'agrippe prestement le manteau que Clara a laissé sur le dossier et me lève.

— Si tu veux bien m'excuser. Je crois que la fille pas intéressée va avoir besoin de son manteau.

⏻

# ÉPILOGUE

Cet été-là, PacoLeBanjo continua de se donner en spectacle dans le Vieux-Port de Montréal. Il fit plusieurs rencontres fructueuses et devint le gigolo d'une dame riche en vacances. Sa blonde n'eut jamais connaissance de cette aventure.

⏻

MorduDeToi pensa avoir rencontré son match parfait en la personne de JolieVampiresse. Or, sur le lieu du rendez-vous, la fille qui se présenta était… son ex. Il mangea un retentissant coup de poing sur la gueule.

⏻

Yaninou : T'es beau…
Yan-itou : Toi aussi, t'es beau…
Yaninou : Tu me manques !
Yan-itou : Ouiiiiii ?
Yaninou : À « *Go*! », on ferme nos portables et on se saute dessus. On fait ça sur la table, *deal* ?
Yan-itou : Oh, t'es *nasty* toi ! OK ! Un…
Yaninou : Deux…
Yan-itou : Trois…
Yaninou : *GO* !
Yan-itou : *GO* !

Mercedes_Pete fit la rencontre de UneFemmeHorsDuCommun. Elle fut impressionnée par le contenu de son portefeuille et captivée par son irrésistible sens de l'humour. Comme elle s'exprimait dans un anglais malhabile, elle l'appelait elle aussi «Piteur». Elle fut charmée par son habitude de parler de lui-même à la troisième personne. En fait, ce n'est que le soir de leurs fiançailles précoces qu'elle s'aperçut que cette vilaine manie n'était pas de l'humour. Oups! Trop tard…

LeJackPot et Jolie-fleur allèrent au cinéma pour leur premier rendez-vous. À son plus grand bonheur à lui, elle apporta une paire de menottes et lui attacha les poignets pendant toute la durée du film, le nourrissant de pop-corn avant de lui faire la pipe de sa vie. Il se promit de lui rendre la pareille en sortant du cinéma et de lui lancer son célèbre: «Je veux te manger!»

Clara: Attends de rencontrer ma mère…
Damien: Houuuu! J'en tremble déjà…
Clara: Ce n'est pas une blague! Je te le redis. Elle ne sera pas fine avec toi. Elle ne t'acceptera pas aussi facilement que tu le penses. Aussi craquant que tu sois…
Damien: Elle n'aura pas le choix de s'y faire. C'est à elle que je dois demander ta main?
Clara: QUOI?!
Damien: Ha! Ha!
Clara: Dam! Tu dis n'importe quoi, là! Ne me balance pas de conneries sur Internet, s'il te plaît!

Damien : Je suis peut-être sérieux… Qui sait ?
Clara : Eille, le malade !

⏻

Mélodrama fit l'acquisition d'un nouveau portable : un Mac.
Elle changea immédiatement son pseudonyme pour Douce_
Mélodie et se fit le serment de ne plus jamais se fier aux
photos envoyées par des candidats, espérant rencontrer elle
aussi un « vrai faux gars laid ».

Cet ouvrage composé en Garamond corps 13 a été achevé d'imprimer au Québec
en novembre deux mille treize sur papier Enviro 100 % recyclé
pour le compte de VLB éditeur.